PÉDAGOGIE PRATIQUE À L'ÉCOLE,
AU COLLÈGE ET AU LYCÉE

ACTIVITÉS DE LECTURE

à partir de la littérature policière

Christian POSLANIEC
Christine HOUYEL

HACHETTE
Éducation

14-03-06

Les auteurs :

Christine Houyel est une grande lectrice de romans policiers, un genre qui, en 15 ans, est passé du « roman de gare » à la « grande littérature », un genre lu en grande majorité par des femmes. En tant que chargée de mission « lecture » et présidente de Promolej (Promotion de la lecture et de l'écriture des jeunes), sa préoccupation d'introduire la littérature de jeunesse à l'école l'a conduite à étudier les polars destinés au jeune public. Elle a d'ailleurs imaginé un jeu d'écriture, le « mystère en kit », pour que les enfants et les adolescents s'approprient les techniques du genre policier.

Christian Poslaniec est écrivain de romans policiers pour les adultes (*Punch au sang*, paru dans la « Série noire » ; *Les fous de Scarron*, au « Masque » – prix cognac – ; *Le Mal des fleurs*, chez Baleine) et pour les enfants (*Le Treizième chat noir* et *Le Douzième Poisson rouge* édités par L'École des loisirs, *Le Boucher sanglant* par Milan). Il est depuis longtemps membre de l'association « 813 », qui réunit des passionnés du genre, écrivains et lecteurs ; il est aussi membre du jury du prix Michel-Lebrun. Professionnellement, il est chercheur à l'Institut national de recherche pédagogique, spécialisé dans le domaine de la lecture et de l'écriture.

Ensemble, Christine Houyel et Christian Poslaniec ont publié de nombreux articles pédagogiques sur l'utilisation de la littérature de jeunesse, dans la revue *L'École des lettres*, et quelques ouvrages, dont *Activités de lecture à partir de la littérature de jeunesse* (Hachette Éducation, 2000).

Si vous souhaitez être tenu au courant de nos publications, demandez notre catalogue *Pédagogie* à Hachette LPC, 86508 Montmorillon Cedex.

Couverture : Studio Favre-Lhaïk
Réalisation : *CMB* Graphic

ISBN : 2-01-170683-1
© HACHETTE LIVRE, 2001, 43, quai de Grenelle, 75905 Paris Cedex 15.

SOMMAIRE

**DEUXIÈME PARTIE
ACTIVITÉS PÉDAGOGIQUES
À PARTIR D'UN RECUEIL DE NOUVELLES POLICIÈRES**

TROISIÈME PARTIE
ACTIVITÉS PÉDAGOGIQUES À PARTIR
DU GENRE POLICIER

QUATRIÈME PARTIE
LES COULISSES DU GENRE POLICIER

CINQUIÈME PARTIE
RESSOURCES

INTRODUCTION

À l'aube du XXIe siècle, le genre policier paraît avoir colonisé tous les territoires de la littérature. Qu'il soit savant, comme dans *Le Nom de la rose* d'Umberto Eco, populaire, comme dans la série « San-Antonio », qu'il s'adresse à des enfants ou à des adultes, le roman policier rencontre ses lecteurs. Longtemps cantonné dans des collections spécialisées, comme tous les romans « de genre », le polar, depuis une dizaine d'années, transgresse fréquemment ses frontières, s'impose dans des collections généralistes et envahit la littérature « blanche », comme on l'appelle souvent.

Comment expliquer ce phénomène ? Le roman policier est-il une sorte de virus qui mute constamment pour s'adapter aux nouveaux lectorats ? C'est ce que suggère Jacques Dubois :

> « *Tel qu'il s'inscrit dans la tradition moderniste pour s'y transformer avec une belle ténacité, le genre policier semble rebelle à tout statut bien établi. Sans cesse il fuit et se dérobe à la définition, comme s'il était plusieurs en un.*[1] »

Est-ce plutôt, comme le dit Didier Imbot, directeur du « Masque » (la plus ancienne collection française de romans policiers), parce que, dans un contexte littéraire qui, depuis le « Nouveau Roman », déconstruit peu à peu la narrativité fictionnelle au profit de l'introspection ou de témoignages de réalité, le polar est le dernier refuge du narratif ? Les lecteurs savent que, dans un roman policier, ils trouveront une histoire.

Nous ne trancherons pas. Nous constatons simplement que le genre policier est devenu incontournable, et qu'il existe fort peu d'ouvrages pédagogiques permettant de le faire découvrir aux élèves.

▲ Organisation du livre

Nous proposons donc dans ce livre soixante activités pédagogiques incitant les élèves à explorer, selon une approche ludique et culturelle, le genre, les catégories du genre, tout ce qui concerne la négociation du sens du texte (effets programmés, explicite et implicite, fiction et réalité...), et naturellement tout ce qui concerne les structures linguistiques et littéraires. Trente activités ne concernent qu'un seul livre (un recueil de nouvelles de Sarah Cohen-Scali). Nous avons voulu montrer que toute œuvre littéraire offre une grande quantité d'entrées possibles. Pareillement, n'importe quel enseignant peut inventer une batterie d'activités diverses à partir d'un seul

---

1. Jacques Dubois, *Le Roman policier ou la modernité*, Nathan, « Le Texte à l'œuvre »,
1992, p. 81.

roman. Les trente autres activités de l'ouvrage prennent en compte la littérature policière dans son ensemble. Pour ce faire, nous nous appuyons sur plusieurs centaines de livres répertoriés dans la bibliographie finale.

Nous tenons cependant à souligner qu'il ne s'agit pas d'activités plaquées de façon un peu artificielle sur des livres. Inventer une activité spécifique, c'est d'abord lire en profondeur, discerner les contenus, la structure particulière, le style, l'implicite ; puis faire des rapprochements, chercher l'intertextualité, s'interroger sur les catégories, repérer les originalités, mais également la polysémie, les différentes possibilités d'interprétation... Alors seulement, on peut élaborer des stratégies pédagogiques d'approche, comme celles que nous proposons dans cet ouvrage.

Avant de nous attaquer à ces activités, il nous a fallu explorer le genre, reconstituer son histoire, chercher sa définition. Cela constitue la première partie du livre. Par ailleurs, afin de permettre aux enseignants de prolonger certaines activités, nous avons rassemblé, dans une quatrième partie, quelques témoignages, interviews, permettant de percevoir les coulisses du genre policier. Enfin, en complément, nous proposons, outre la bibliographie de livres policiers et d'ouvrages de référence, des pistes de prolongement (revues et sites internet spécialisés, salons du livre policier, etc.).

▲ Problématique des classes d'âge

Il nous paraît difficile de dire que les activités proposées dans cet ouvrage s'adressent à une classe d'âge précise, dans la mesure où la limite entre les livres destinés aux adultes et ceux destinés aux jeunes devient fluctuante dès que l'on considère un genre littéraire. En effet, bien des nouvelles et romans policiers, initialement parus dans des collections pour adultes, ont été publiés ensuite dans des collections pour la jeunesse. Les éditeurs les ont donc considérés comme accessibles aux enfants ou au adolescents.

La célèbre nouvelle *Le Chat noir*, d'Edgar Allan Poe, illustre fort bien ce phénomène. On se rappelle que le narrateur y assassine sa femme, d'un coup de hache, puis mure le cadavre dans la cave, mais y enferme en même temps, à son insu, son chat qui finit par le trahir. *A priori*, on ne considérerait pas pareil texte comme destiné aux enfants. Cependant, dès 1979, Jean-Pierre Delarge publia un album intitulé *Le Chat noir*, indiquant Edgar Allan Poe comme auteur, et Nicolas Kéramidas comme illustrateur. Le texte était, en fait, composé de courts extraits de la nouvelle de Poe, mais le meurtre horrible n'était pas esquivé, et l'image montrait la femme morte, une hache plantée dans la tête, saignant abondamment. La nouvelle entière parut ensuite dans plusieurs collections destinées aux adolescents, par exemple en « Folio junior, édition spéciale » (1990), avec d'autres nouvelles de l'auteur. Et dans la même traduction – celle de Baudelaire, qui fait référence –, les éditions Caligram viennent d'en publier le texte intégral, illustré par Frédérick Mansot, dans la collection « Storia ». D'après le catalogue Caligram, cette collection peut être lue « dès 10 ans ».

À l'inverse, dans les revues et ouvrages pédagogiques, on trouve fréquemment des propositions d'activités destinées à des élèves de collège, portant sur des œuvres policières qui n'ont jamais été publiées dans des collections pour la jeunesse.

Globalement, cependant, les activités proposées dans cet ouvrage s'adressent à des élèves de collège et de lycée. Mais nombre d'entre elles peuvent être tout aussi bien pratiquées avec des enfants du cycle 3. D'ailleurs, afin que chacun trouve des exemples adaptés à la classe d'âge de ses élèves, nous proposons, pour chaque activité, des livres parus dans une collection pour la jeunesse et des livres publiés dans des collections pour adultes. Et pour permettre de mieux cibler, nous avons organisé la bibliographie finale en quatre parties : CM1-CM2 ; 6e-5e ; 4e-3e-2de ; 1re-Tle et au-delà. Cette répartition est indicative, naturellement, mais nous avons conçu cette bibliographie comme un outil, non comme une classification.

Si la dernière strate de la bibliographie s'adresse aussi bien à de grands adolescents qu'à des adultes, c'est d'abord parce que la limite ne nous paraît pas évidente, et ensuite parce que nous voulons proposer aux enseignants qui utiliseront cet ouvrage un grand nombre de livres qui nous semblent intéressants à lire par plaisir, sans préoccupation pédagogique (nous citons toutes les catégories du genre, et la plupart de ces livres sont parus récemment). Enfin, il n'est pas exclu que les activités proposées soient utilisées dans des séquences de formation d'adultes – nous les avons beaucoup pratiquées, en ce qui nous concerne.

PREMIÈRE PARTIE

INFORMATIONS
SUR LE GENRE POLICIER

AVANT-PROPOS

On ne perçoit plus guère, aujourd'hui, la violence des conflits culturels qui ont eu lieu au XIXe siècle, même si l'expression « bataille d'*Hernani*[1] » peut en donner une idée. Cette « bataille » opposa, en 1830, lors de la première représentation de la pièce de Victor Hugo, les tenants du théâtre classique, survivant du XVIIe siècle français, et les bouillants romantiques dont les émotions étaient influencées par des auteurs germaniques, comme Kleist, Goethe...

Mais la vraie bataille a le front plus large. Elle remet en cause toutes les formes sacralisées de la littérature de l'époque – celle de la Restauration politique –, et Victor Hugo est de tous les combats. Au théâtre classique, il oppose *Hernani*. Quand il s'attaque à la poésie traditionnelle, c'est pour « *démembrer ce grand niais d'alexandrin* ». Et finalement, au regard de la postérité, le véritable triomphe de Hugo, un siècle et demi plus tard, ce sont ses romans : *Notre-Dame de Paris* (1831), *Les Misérables* (1862)... Or cette forme littéraire, au début du XIXe siècle, n'était pas légitimée par le panthéon des Lettres.

Ce à quoi on assiste, durant ce siècle, c'est à la légitimation et au triomphe du roman. Ou plutôt, afin de reprendre une expression utilisée par les amateurs de polars pour désigner le roman généraliste – comme la littérature du même nom – : le « roman-roman », c'est-à-dire la forme narrative par excellence. Et ce n'est donc pas un hasard si Hugo renoue avec l'épopée (ancêtre du roman), narration assonancée ou versifiée, en écrivant *La Légende des siècles*, entre 1859 et 1883.

Pour véritablement percevoir, aujourd'hui, ce qui s'est passé dans le dernier tiers du XIXe siècle, il faut s'imaginer le triomphe du roman, dans sa forme canonique – une histoire racontée, qui concerne des personnages non héroïques, proches du lecteur –, tant en France (Balzac, Zola, Stendhal...) qu'en Angleterre (Hardy, Dickens, Eliot...), ou aux États-Unis (James, Melville, Twain...). La forme décriée d'hier devient alors le nouveau conformisme.

Pierre Bourdieu[2] met bien en évidence les tensions à l'intérieur du champ littéraire, à cette époque, et notamment le conflit de légitimité.

---

1. Jean-Bernard Pouy en donne une interprétation très personnelle dans un article paru dans la revue *Phosphore*, n° 188, en 1996 : « Hugo casse la baraque », et repris dans *N'importe quoi pourvu que ça bouge*, éditions Stylus, « Les Écritures buissonnières », 1999, pp. 76-77.
2. Pierre Bourdieu, *Les Règles de l'art. Genèse et structure du champ littéraire*, Seuil, « Libre examen », 1992.

En ce début de XXIe siècle, la « modernité » est une oriflamme que brandissent nombre de « combattants culturels ». Le conflit oppose principalement l'univers du papier à celui des puces électroniques. À la fin du XIXe siècle, pareillement, on se référait à la « modernité ». En témoigne Baudelaire qui, dans ses chroniques, réunies par la suite sous le titre *L'Art romantique*, exalte « *l'artiste moderne* », « *le peintre de la vie moderne* », « *la modernité* ». Il semble bien que se rallier à la « modernité » consiste avant tout à secouer les équilibres antérieurs.

À la fin du XIXe siècle, c'est le roman, notamment, qui, à son tour, est pris pour cible. Huysmans, par son maniérisme, va inaugurer une évolution qui consiste à restreindre la narrativité du roman, et qui aboutira au « Nouveau Roman », plus d'un demi-siècle après. À l'autre bout de la légitimité littéraire, les nouvelles formes de narration populaire, les feuilletons, s'attaquent également à la forme instituée, en secouant la langue, les thématiques, et en changeant les environnements sociaux.

Dans ce creuset agité – où la poésie est également concernée, et où la nouvelle se développe –, naissent plusieurs genres littéraires, chacun infléchissant le roman : le genre science-fiction (Verne, Wells, Stevenson...), le genre fantastique (Maupassant, Wilde, Nodier...), le genre policier (Poe, Gaboriau, Doyle, puis Leblanc, Leroux...) ; de son côté, la littérature de jeunesse connaît également un essor – le tournant du XIXe au XXe siècle étant qualifié « d'âge d'or de la littérature de jeunesse ». Ce sont trois genres et un champ littéraire qui s'épanouiront au XXe siècle.

QUI A INVENTÉ LE GENRE ?

Quand un phénomène littéraire est à peu près identifié, on a tendance à lui chercher des précurseurs, voire des annonciations, au sens biblique du terme, puisque pour le genre policier, certains remontent au « *premier criminel de la littérature, Caïn*[1] », et à ses nombreux successeurs, dont Œdipe.

Parmi les précurseurs du genre, on a évoqué le Balzac de *Maître Cornélius* (1832) et d'*Une ténébreuse affaire* (1841) ; le Sue des *Mystères de Paris* (1842), qui décrit les bas-fonds ; le Hugo des *Misérables* (1862), où Javert, le policier, traque Jean Valjean, l'ancien forçat ; le Zola de *Thérèse Raquin* (1867), roman qui relate la conception d'un meurtre ; ou bien on remarque que Stendhal s'est inspiré d'un fait divers authentique pour écrire *Le Rouge et le Noir* (1830) ; quand on ne remonte pas jusqu'à Voltaire, la sagacité de Zadig ressemblant à celle des détectives de romans à énigme.

Mais comme l'écrivait Pierre Boileau, en juillet 1951, « *un crime ne fait pas un roman policier*[2] ». Sinon, il faudrait considérer comme appartenant au genre : *l'Heptaméron* de Marguerite de Navarre, *Les Tragiques* d'Agrippa d'Aubigné, ou *Les Chants de Maldoror* de Lautréamont. Et Jacques Dubois précise qu'il « *est abusif de dire, par exemple, que tel roman de Balzac contient déjà le canevas du roman policier. La formule balzacienne, qui appartient à son temps, possède son économie propre. La mutation vers ailleurs ne s'est pas encore amorcée*[3] ».

Les spécialistes s'accordent pour attribuer la paternité du genre policier à Edgar Allan Poe qui publie, en 1841, dans *Grahams's Magazine*, la première nouvelle mettant en scène le détective amateur Dupin : *Double Assassinat dans la rue Morgue*. On connaît l'histoire : un cadavre horriblement déchiqueté est retrouvé coincé dans la cheminée d'une pièce

---

1. Stéphanie Dulout, *Le Roman policier*, Milan, « Les Essentiels », 1995, p. 4.
2. « L'art du roman policier », article paru dans *La Revue des deux mondes*, repris dans *Boileau-Narcejac. Quarante ans de suspense*, édition établie par Francis Lacassin, Robert Laffont, « Bouquins », 1998, p. 1190.
3. Jacques Dubois, *op. cit.*, p. 32.

hermétiquement close, au quatrième étage d'un immeuble, et un second cadavre, égorgé, dans une arrière-cour en contrebas. La contre-enquête de Dupin aboutit à identifier un orang-outang comme meurtrier.

Dupin réapparaît dans deux autres nouvelles : *Le Mystère de Marie Roget*, en 1843, et *La Lettre volée*, en 1845. Dès l'année suivante, les trois nouvelles sont traduites en français, mais ce sera la traduction de Baudelaire, en 1855, qui s'imposera jusqu'à aujourd'hui[1].

L'année même où Baudelaire traduit Poe, Charles Barbara publie l'un des premiers romans criminels français : *L'Assassinat du pont Rouge,* réédité récemment dans la « Petite bibliothèque Ombres ». Pierre d'Almeida[2] précise qu'y figure *in extenso* un sonnet de Baudelaire alors inédit : « Que diras-tu ce soir, pauvre âme solitaire ? » D'Almeida reprend alors une hypothèse de Walter Benjamin, parue dans *Le Paris du Second Empire dans l'œuvre de Baudelaire* : le poète serait à l'origine du genre policier, en France, « *dans la mesure où il n'a pas seulement traduit les trois histoires policières d'Edgar Poe, mais véritablement intégré l'œuvre de Poe à la sienne*[3] ». Walter Benjamin étayait cette hypothèse en faisant remarquer que *Les Fleurs du mal* contiennent les éléments du polar : « *la victime et le lieu du crime (''Une martyre''), le meurtrier (''Le vin de l'assassin''), la masse (''Le crépuscule du soir'').* » Hypothèse bien audacieuse que nous ne suivrons pas, mais qui témoigne de la recherche de nouvelles formes littéraires, au milieu du XIXe siècle (voir le chapitre « Vers une définition du genre policier »), et qui nous incitera à nous préoccuper des personnages et des thèmes pour définir le genre policier.

---

1. Voir, par exemple : *Histoires extraordinaires*, LGF, « Le Livre de poche jeunesse », 1994 ; *Nouvelles Histoires extraordinaires*, LGF, « Le Livre de poche », 1963 ; *Double Assassinat dans la rue Morgue* suivi de *La Lettre volée*, Gallimard, « Folio junior », 1981 ; *Le Scarabée d'or* suivi de *La Lettre volée*, Flammarion, « Castor Poche », 1996.
2. Pierre d'Almeida, « Le roman policier dans la littérature », *813*, n° 69, 1999, p. 45.
3. Pierre d'Almeida, *ibid.*

LES PIONNIERS

Tout le monde s'accorde sur les premiers « véritables » auteurs du genre policier, qui s'inscrivent dans la tradition française du feuilleton (Gaston Leroux), inventent le roman de détection (Conan Doyle), ou le roman judiciaire (Émile Gaboriau). C'est ce dernier que l'on considère comme l'auteur du premier **roman** policier, Edgar Allan Poe, créateur du genre, n'ayant écrit que des nouvelles.

Gaboriau publie, en 1866, *L'Affaire Lerouge*. L'année suivante paraissent *Le Crime d'Orcival* et *Le Dossier n° 113*. Le plus célèbre enquêteur de Gaboriau est l'inspecteur Lecoq.

De tous les pionniers du genre policier, Émile Gaboriau, le premier en date après Poe, reste pourtant le plus méconnu. Il a sombré dans une longue période d'oubli, et ce n'est que récemment qu'ont été réédités ses principaux romans : *L'Affaire Lerouge* (L'Instant noir, 1986 ; éditions de la Bohème, 1992 ; Liana Levi, 1996), *Le Petit Vieux des Batignolles* (Le Chardon bleu, 1992 ; Liana Levi, 1996 ; Deux Coqs d'Or, 1997), *Le Dossier n° 113* (Encre, 1985), *Le Crime d'Orcival* (Encre, 1985), *Monsieur Lecoq* (L'Instant noir, 1988 ; Liana Levi, 1997), *La Corde au cou* (L'Instant noir, 1988), *L'Argent des autres* (La Bibliothèque des terribles, 1979). Toutefois, on remarquera que ce sont surtout de petits éditeurs qui s'intéressent à cet auteur, et il n'a certes pas rencontré le succès espéré auprès des lecteurs, puisque la moitié de ces titres, épuisés aujourd'hui, ne sont pas réédités.

Pourtant, comme le remarque Jacques Dubois, la postérité n'a retenu que le nom de Gaboriau, alors que d'autres auteurs, qui lui étaient contemporains, ont publié des romans judiciaires et sont restés inconnus : Alphonse Belot, Henry Cauvain, Eugène Chavette... C'est que, comme l'écrit Dubois, Gaboriau a été le seul à « *explorer méthodiquement la veine nouvelle et à faire preuve d'une conscience active du genre qu'il contribue à fonder* [1] ».

---

1. Jacques Dubois, *op. cit.*, p. 16.

Sir Arthur Conan Doyle qui, de son propre aveu, a lu Poe et Gaboriau, inaugure le récit de détection en 1887, en créant, dans *Une étude en rouge*, le personnage de Sherlock Holmes, et son chroniqueur, le docteur Watson. On connaît le succès de cet enquêteur hors pair, qui ne s'est jamais démenti, tout au long du XXe siècle, au point qu'ayant voulu le faire mourir fictionnellement, Conan Doyle dut le ressusciter, quelques années après, sous la pression de son lectorat. Il paraît inutile, ici, de citer les autres œuvres bien connues de Sir Arthur (quatre romans et cinquante-six nouvelles), qui n'ont cessé d'être accessibles en librairie.

Sherlock Holmes est indubitablement le héros qui a suscité le plus de passion : de nombreuses associations ou sociétés savantes l'ont pris comme objet d'étude, et des centaines de romans et nouvelles apocryphes l'ont repris comme personnage.

Au tout début du XXe siècle, plusieurs auteurs anglo-saxons créent leur propre enquêteur : Austin Freeman, Gilbert Keith Chesterton... Ce dernier, écrivain et philosophe, a été le premier à tenter de définir le genre policier, qu'il qualifia, en 1901, d'« *Iliade de la grande ville* ». Parmi ces auteurs, il y a aussi Jacques Futrelle, que l'on redécouvre aujourd'hui, peut-être parce qu'il mourut dans le naufrage du *Titanic*, en 1912, à 37 ans. En inventant Hercule Poirot, en 1920, dans *La Mystérieuse Affaire de Styles*, et, par la suite, Miss Marple, Agatha Christie s'inscrit dans la même veine du roman de détection, mais, à l'inverse de Conan Doyle, elle explore systématiquement les différentes figures possibles du meurtrier, qui peut être le narrateur (*Le Meurtre de Roger Ackroyd*, 1926), un collectif (*Le Crime de l'Orient-Express*, 1933), ou faire partie des victimes (*Dix petits nègres*, 1939).

Autre héros, presque aussi célèbre que Sherlock Holmes : Arsène Lupin. Maurice Leblanc le fait naître en 1905, dans le magazine *Je sais tout*, où paraissent successivement *L'Arrestation d'Arsène Lupin* et *Arsène Lupin en prison*[1]. Maurice Leblanc avait alors déjà publié une dizaine de romans psychologiques qui avaient eu un succès d'estime, mais sans commune mesure avec l'engouement du public pour les aventures du gentleman-cambrioleur. Les principaux romans qui le mettent en scène sont connus de tous : *Arsène Lupin contre Herlock Sholmes* (1908), *L'Aiguille creuse* (1909), *Le Bouchon de cristal* (1912), *L'Île aux trente cercueils* (1919), *Les Huit Coups de l'horloge* (1921)... Comme Conan Doyle, dépassé par le succès de son personnage, Maurice Leblanc tenta de le faire disparaître, mais dut également le ressusciter devant la pression populaire.

C'est l'un des titres de Maurice Leblanc, *813*, qui donne son nom à la principale association française des amateurs de romans policiers.

---

1. Cette dernière nouvelle figure dans *Crimes parfaits*, L'École des loisirs, « Médium », 1999.

En France, l'histoire du feuilleton est déjà longue quand Gaston Leroux, en 1907, publie dans *L'Illustration* le début du *Mystère de la chambre jaune*, premier feuilleton à appartenir pleinement au genre policier. Tout au long du XIXᵉ siècle, à la suite des *Mémoires* de Vidocq (1828), de nombreux feuilletons, dans la presse, explorèrent la thématique du genre policier tout en continuant à appartenir au genre « aventures », qui dominait depuis les récits d'anciens forçats jusqu'au *Comte de Monte-Cristo* d'Alexandre Dumas, en passant par *Les Mystères de Paris* d'Eugène Sue. À partir de 1859, Ponson du Terrail publie, en feuilleton, les aventures de Rocambole, dont le succès sera considérable ; c'est déjà presque un héros de roman policier, mais, par la structure du récit (une multiplicité de péripéties qui se succèdent, sans ligne directrice), le feuilleton continue à appartenir au genre « aventures », tout comme *Fantômas* de Pierre Souvestre et Marcel Allain, à partir de 1911.

La Première Guerre mondiale provoque une rupture dans la création d'histoires policières, comme dans toute la littérature, et l'on peut considérer qu'ensuite on entre dans la période contemporaine du genre policier, qui se traduit notamment par l'apparition de collections spécialisées : « Le Masque », en 1927, au sein des éditions de la Librairie des Champs-Élysées ; la même année, « Les Chefs-d'œuvre du roman d'aventures[1] », chez Gallimard, où Dashiell Hammett est traduit pour la première fois en français, en 1932 ; et plusieurs collections chez Fayard qui publie Pierre Souvestre et Marcel Allain, Georges Simenon, Leslie Charteris.

---

1. Le titre de cette collection prouve cependant que le genre policier n'était pas encore clairement identifié, ce qui viendra en 1945, avec la création de la « Série noire ».

VERS UNE DÉFINITION DU GENRE POLICIER

Nous avons parcouru des dizaines d'approches définitionnelles du genre policier. Aucune ne nous paraît probante. Comme d'ordinaire en théorie littéraire, on trouve, dans ces approches, trois formes dominantes :

– une approche relative à la structure narrative. Or cette approche, satisfaisante pour le genre « aventures » ou la forme épistolaire, ne nous paraît pas pouvoir caractériser, à elle seule, le genre policier ;

– une approche relative au contenu, à la thématique, aux effets programmés par le texte. De fait, dans le genre policier, il y a des thèmes récurrents (le meurtre, etc.), des effets fréquemment programmés (le suspense...), mais si le contenu suffit à définir, à lui seul, le genre historique ou le genre sentimental, il nous semble moins efficace pour le genre policier ;

– une approche relative aux théories de la réception, comme le fait Todorov, de façon convaincante, pour le genre fantastique[1]. Dans ce dernier cas, la théorie repose sur une structure narrative qui crée l'ambiguïté entre deux interprétations des mêmes faits, l'une réaliste, l'autre irrationnelle. En ce qui concerne la littérature policière, il paraît impossible d'unir tous les textes de genre en fonction d'une même gamme de modes de réception, tant ces derniers sont variés : défi lancé à l'enquêteur par le lecteur, répulsion face au crime, admiration de la machinerie complexe, palpitations au bord de la crise cardiaque, contemplation détachée d'un phénomène social, forte identification à un personnage, reconnaissance de son propre univers... Et aucune des émotions ressenties ne donne le *la* d'une gamme unique ! Comme l'écrit Alain Demouzon :

> « *Au cœur même de son propre territoire, la littérature policière se pose d'insolubles problèmes de définition et d'identité.* Detective novel, *roman d'énigme, roman de* gangsters, whodunit, *roman criminel, roman noir, suspense, thriller, polar... autant de mots pour tenter d'approcher des climats particuliers ou des nuances narratives et qui ne conduisent finalement qu'à des étiquetages incertains.*[2] »

---

1. Tzvetan Todorov, *Introduction à la littérature fantastique*, Seuil, 1970.
2. Alain Demouzon, « Le roman de genre : la montée du polar français », *813*, n° 59, juin 1997, p. 37.

Prudemment, les théoriciens préfèrent aborder la définition du genre policier selon une approche fractionnée. Todorov et Reuter distinguent trois ensembles principaux : le roman à énigme, le « noir » et le suspense[1]. Jacques Dubois en ajoute un quatrième : le roman d'investigation ou thriller. Chaque ensemble est alors examiné séparément, ce qui ne permet pas de chercher une définition unitaire.

D'un point de vue historique, il est facile de montrer comment on passe d'un ensemble à l'autre, le roman à énigme représentant, comme l'écrit Yves Reuter, « *le point de référence symbolique du genre*[2] », et le roman noir pouvant être qualifié, comme le dit Narcejac, à la fois d'« *intrigue en folie* » et d'« *opéra de la violence*[3] », en opposition au roman d'énigme. Quant aux autres formes, elles oscillent entre les deux précédemment citées.

Toutefois, il paraît plus difficile de démontrer ce que les romans d'énigme, noirs, à suspense ou thrillers ont en commun, ce qui permettrait de dire que tous appartiennent au même genre.

En ce qui nous concerne, nous avons essayé d'articuler les différentes approches théoriques pour aboutir à la définition suivante : le policier est un genre narratif centré sur un crime, au sens juridique du terme, structuré en fonction de six éléments principaux (le crime, la victime, l'enquête, le coupable, le mobile, le mode opératoire), de telle sorte que la focalisation narrative se fasse sur l'un au moins des six éléments.

▲ Un genre narratif

Le fait que le genre policier soit, structurellement, un genre narratif, qui raconte donc une histoire, cela l'oppose naturellement aux formes et genres informatifs, biographiques ou argumentatifs, en particulier les manuels de droit ou de criminologie, les essais, les chroniques judiciaires, les articles de presse. Les *Mémoires* de Vidocq rapportent nombre d'affaires criminelles, mais ne constituent pas pour autant un ouvrage du genre policier. Voltaire a beau être aussi écrivain de romans, quand il prend partie dans l'affaire Calas, il ne raconte pas une histoire ; et pas davantage Zola, quand il publie le célèbre « J'accuse », au sujet de l'affaire Dreyfus.

---

1. Tzvetan Todorov, « Typologie du roman policier », in *Poétique de la prose*, Seuil, 1971, rééd. 1978. Yves Reuter, *Le Roman policier*, Nathan Université, « Lettres », 1997.
2. Yves Reuter, *op. cit.*, p. 10.
3. Interview de Boileau et Narcejac, par Jean-Paul Liégeois, en 1978, reprise dans *Boileau-Narcejac. Quarante ans de suspense, op. cit.*, p. 1200. Boileau, quant à lui, qualifiait le roman noir d'« *épilepsie* », dès 1956, dans la revue *Réalités*.

Arielle Noyère et Marylène Constant ont fait travailler leurs élèves de collège sur la notion de genre narratif. Dans la conclusion de l'article qui rapporte cette expérience, elles montrent bien que cette approche

> « *permet de faire émerger certains paramètres du texte narratif qui constitueront autant d'entrées dans la lecture de ce type de texte : notions de diction et de vraisemblance ; notions de destinataire et d'effet à produire sur ce destinataire ; notions d'ouverture et de chute du récit ; rôles du monde de référence et des personnages dans la construction du sens*[1] ».

Ce sont autant de paramètres qui concernent le genre policier, du fait de son appartenance à l'ensemble des textes narratifs.

▲ Un crime, au sens juridique du terme

Il s'agit là d'un élément du contenu, et le fait qu'on ait initialement appelé le roman policier « roman judiciaire » ou « roman criminel » souligne bien l'aspect juridique du crime : meurtre, enlèvement, trafic, chantage, viol, vol...

Le véritable thème de tout polar, explicite ou implicite, c'est la loi, celle de la cité, ce qui implique donc un type de société donné, une époque particulière, une frange sociale déterminée. C'est en ce sens que le genre policier renvoie le lecteur au réel... mais pas forcément à son propre univers ! Quand on parle avec des jeunes, on se rend compte que, du fait de leurs références souvent télévisuelles, ils ont tendance à mieux connaître la législation californienne ou new-yorkaise que la loi française !

Le **crime juridique**, qui caractérise le genre policier, s'oppose en quelque sorte au crime commis initialement contre une **morale sociale**, structure de référence du conte : Barbe-Bleue massacre ses femmes (mais dans certaines sociétés d'aujourd'hui, encore, des maris ont droit de vie ou de mort sur leur épouse, selon les circonstances) ; l'ogre du Petit Poucet égorge ses filles, par mégarde (mais en Chine, il n'y a pas si longtemps, la société tolérait qu'on supprime les filles à leur naissance) ; le père de Peau d'Âne veut épouser sa fille (mais dans l'Égypte ancienne, certains types d'inceste étaient traditionnels) ; le Chat Botté escroque le roi (mais le *Roman de Renart* témoigne qu'au Moyen Âge, ce type d'escroquerie était valorisé sous le nom de ruse, bien moins grave que la félonie consistant à trahir son suzerain).

Le crime contre la morale sociale perdure jusqu'à nos jours dans le « roman-roman » : de *Madame Bovary* à *Baise-moi !* (Despentes). En spécifiant le crime comme juridique, les premiers auteurs du genre poli-

---

1. Arielle Noyère, Marylène Constant, « Les bottes de sept lieues : approche de la notion de genre narratif », *Recherches*, n° 12, AFEF Lille, 1990, p. 15.

cier font muter le roman généraliste, tout en s'inscrivant dans la tradition[1] – ce qui paraît être une constante de toutes les mutations littéraires.

▲ Six éléments principaux

Ces six éléments de contenu découlent directement de l'inscription judiciaire du genre policier. Il s'agit du crime, de la victime, de l'enquête, du coupable, qui constituent les pôles de l'histoire narrée ; du mobile et du mode opératoire, qui relient les quatre pôles.

Dans n'importe quel texte policier, ces six éléments sont présents, sous une forme explicite ou implicite. Un roman noir peut fort bien se contenter de décrire un ou plusieurs crimes, en se focalisant sur le coupable, mais cela implique directement une ou plusieurs victimes, un ou plusieurs modes opératoires, un ou plusieurs mobiles. Et même si l'enquête n'est pas racontée – ou s'il s'agit de crimes parfaits –, elle est présente à l'arrière-plan, comme une menace pesant sur le criminel, puisque la loi interdit pareils actes, et que l'intervention des forces de la loi passe par le truchement d'une enquête.

Naturellement, ces six éléments s'inscrivent dans une société donnée, qui apparaît au premier plan quand il s'agit d'un roman noir ou d'un roman policier historique, mais qui peut n'être qu'à peine suggérée lorsque le récit est concentré sur les personnages.

▲ Focalisation narrative

Même si l'appartenance du genre policier aux textes narratifs l'oppose aux chroniques, biographies ou textes informatifs, cela ne suffit pas à le spécifier dans la mesure où des récits peuvent contenir des crimes, au sens juridique du terme, sans pour autant appartenir au genre policier. Nous avançons donc l'hypothèse que l'une des caractéristiques du genre policier est la focalisation narrative sur un des six éléments spécifiés. En effet, dès lors qu'il y a focalisation narrative sur le crime, par exemple, ou sur le coupable, les autres éléments sont *ipso facto* concernés, et la structure caractéristique apparaît.

Nombre de romans traditionnels (de Dickens, Balzac, Hugo) sont focalisés sur une victime (David Copperfield, la vieille fille, Cosette), mais l'oppresseur est la société en général, non un coupable en particulier, ce qui

---

1. « *Le roman policier est une spécification thématique du roman* », écrit Gérard Genette dans *Introduction à l'architexte*, Seuil, 1979.

désigne ces romans comme appartenant au genre social. Car, dans notre approche définitionnelle du genre policier, chacun des six éléments désignés doit être lié aux autres.

Pour éclairer cette notion de focalisation narrative, prenons l'œuvre de Michel Girin, un auteur pour la jeunesse. Dans la collection « Zanzibar », chez Milan, il a publié *La Marée noire de San Marta*, en 1994, et *Le Marin de Carthagène*, en 1998. Ces deux romans sont clairement désignés, par le paratexte éditorial, comme appartenant au genre « aventures ». En 1998, il publie *La Prisonnière du magicien*, chez Syros, non dans la collection « Souris noire », mais dans la collection « Les Uns les autres ». Le texte de quatrième de couverture résume bien le roman :

> « *Dé-Del, une petite Philippine, a été vendue à un magicien qui fait la tournée des villages. Ce dernier utilise un temps les fillettes pour son spectacle, puis il les revend à des chefs de villages. Hans Ackefors prend Dé-Del sous sa protection et mène l'enquête.* »

Ce dernier mot fait songer immédiatement au genre policier, d'autant plus que Dé-Del apparaît comme la victime, le magicien comme le coupable, et que même aux Philippines, vendre une fillette est interdit par la loi. En outre, dans ce roman, on trouve un homicide en légitime défense (celui du magicien), deux meurtres (les frères de Dé-Del), plusieurs tentatives de meurtres sur Hans Ackerfors et la fillette sous sa protection, sans compter les morts dus à un affrontement entre des rebelles et les troupes gouvernementales. Mais ce type d'affrontement, qui ne concerne pas le genre policier, attire l'attention du lecteur sur le fait que les autres crimes sont décrits de la même façon, comme faisant partie du décor social, et non focalisés sur les éléments du genre policier. Même si ces derniers paraissent présents, la focalisation narrative n'est pas au rendez-vous. Elle se fait sur la fillette, victime de la société et non du coupable, et convie le lecteur à s'intéresser à tous les enfants pauvres des pays du tiers-monde, vendus par leurs parents. Le récit est focalisé sur un problème de société, non sur la recherche de coupables particuliers, par exemple. Alors que Hans Ackerfors soupçonne qu'un personnage haut placé est à l'origine de cette forme moderne d'esclavage, l'enquête ne dévoile que les comparses, comme s'il fallait maintenir une apparence de fatalité. Or, même dans les romans noirs qui prennent largement en compte l'élément social, la focalisation se fait au moins sur le caractère criminogène de ce milieu, ce qui n'est pas le cas ici. Dé-Del est davantage parente de Cosette que de la Julie de *La Nuit du voleur*, de Hubert Humbert, alias Joseph Périgot (Syros, 1987).

En 1994, Michel Girin avait publié *Série noire pour Babacar*, chez Rageot, dans la collection « Cascade », et non dans la collection policière créée trois ans auparavant. Pendant les quatre-vingt-dix premières pages, le lecteur se demande de quel genre il s'agit. Cela ressemble beaucoup, structurellement, à *La Prisonnière du magicien* : cette fois, la victime, c'est

Babacar, un enfant orphelin qui s'est réfugié dans l'aéroport de Dakar-Yoff. Il assiste à un règlement de compte au cours duquel un enfant de son âge, entre autres, est tué. Le « *maître de tous les trafics de l'aéroport* » (p. 38) s'appelle Sauveur-les-blanches-mains. Il est très influant, y compris dans la police, et il bénéficie de tous les trafics, escroqueries, vols commis dans l'aéroport. Babacar entre à son service : il mendie et verse presque tout ce qu'il reçoit au maître des lieux. Babacar se lie à quelques commerçants de l'aéroport, des adultes bienveillants à son égard : Désiré-Fidèle, dit « le Frimeur », un géant qui porte une boucle d'oreille, un énorme collier, arbore une crête de cheveux jaune vif, et tient un stand de location de voitures ; l'énorme Marie-Louise, qui tient un stand de location concurrent ; Joséphine, la petite vendeuse de la librairie.

Manifestement, ce roman s'inscrit dans le genre social, car seule la chronologie assure la narrativité du texte, indépendamment de toute focalisation narrative sur les crimes commis. Et soudain, à la page 92, tout bascule : Désiré-Fidèle se révèle commissaire principal à Interpol, déguisé pour enquêter sur les crimes de Sauveur-les-blanches-mains (ce dernier faisant partie des auteurs d'attentats à l'explosif). Du coup, tout le récit qui précède prend un autre sens. Cette révélation inscrit le roman dans le genre policier, non pas parce qu'il y a enquête, mais parce qu'il y a focalisation sur tous les autres éléments structurels.

D'ailleurs, à partir de cette révélation, les péripéties typiquement policières se succèdent : le commissaire principal utilisant la ruse, Babacar se demande s'il est trahi (p. 108) ; Joséphine se révèle inspecteur de police du Mali (p. 113) ; et l'un des comparses de Sauveur-les-blanches-mains, à son tour, dévoile qu'il fait partie de la police sénégalaise (p. 114).

Cet exemple, développé succinctement, nous a paru nécessaire pour faire la distinction entre un type de focalisation narrative centré sur les six éléments spécifiés, caractéristique du genre policier, et un type de focalisation narrative sur une victime de la société.

Le même type de focalisation sociale, et non policière, se retrouve fréquemment dans la littérature générale, par exemple dans *Saga*, de Tonino Benacquista (Gallimard, « Folio », 1997). Les précédents romans de cet auteur appartiennent au genre policier ; chez Gallimard : *La Maldonne des sleepings*, *Trois carrés rouges sur fond noir*, *La Commedia des ratés* ; chez Rivages : *Les Morsures de l'aube*. *Saga* commence par un meurtre :

> « *Elle était allongée sur le parquet, le front en sang et la main gauche perdue dans les rideaux.* »

Et l'on apprend incidemment qui est l'assassin à la fin du livre. Cependant, la focalisation narrative se fait sur la création d'un feuilleton pour la télévision, son improbable succès, et les conséquences sociales qui en découlent. *Saga* n'est donc pas un roman policier.

TYPOLOGIE
DU GENRE POLICIER

Reuter et Todorov distinguent trois catégories dans le genre policier, Dubois, quatre, et Demouzon, cité précédemment, énumère neuf appellations qui, dans l'esprit de ceux qui les utilisent, semblent bien correspondre à des catégories différentes. À cet égard, on peut rappeler que lorsque le mot « polar » a commencé à être employé en France, il tendait à désigner n'importe quel livre appartenant au genre policier. Toutefois, l'aspect péjoratif de ce mot, qui renvoyait donc à l'époque où le roman policier était considéré comme un « mauvais » genre, a restreint le sens du substantif qui, pour certains, a fini par désigner une catégorie spécifique du genre policier.

Catherine Vernet, dans un article intitulé « La littérature policière de jeunesse : caractéristiques des genres et propositions didactiques », énumère douze appellations du roman policier :

> « *Distinguer les sous-genres du roman policier est une entreprise périlleuse comme en témoignent les différentes appellations dont il est l'objet : roman-problème, roman-énigme, roman-jeu, roman criminel, roman de la victime, suspense, thriller, roman noir, polar, néo-polar, polar post-soixante-huit(ard), ethno-polar, etc. À la profusion des termes s'ajoute la disparité des critères sélectifs des sous-genres.*[1] »

À l'époque où Hammett, Chase, Chandler inventent le « hard boiled » et le roman noir, S. S. Van Dine, le créateur de l'enquêteur Philo Vance, publie ses fameuses « vingt règles pour le roman criminel », dans *American Magazine*, en 1928 (elles ne seront traduites en français qu'en 1941). Il faut noter que pour Van Dine, manifestement, « roman criminel » est une expression générique, et qu'elle renvoie donc à un genre unitaire. En fait, ces vingt règles se réfèrent à ce qu'on a appelé par la suite « roman à énigme » ; elles ont certainement beaucoup contribué à faire de ce type de roman « *le point de référence symbolique du genre* », comme le dit Reuter[2], même si, comme le remarque ironiquement Jean-Louis Touchant, « *curieusement, ces règles, très discutables au demeurant, s'appliquent mal aux ouvrages que S. S. Van Dine a déjà publiés*[3] ».

---

1. Catherine Vernet, article paru dans la revue *Pratiques*, n° 88 : « La littérature de jeunesse au collège », 1995, p. 83.
2. Yves Reuter, *op. cit.*, p. 10.
3. Jean-Louis Touchant, « Le dandy de la 38e rue », *813*, n° 38, 1992, p. 8.

Extraits des « vingt règles » de Van Dine

1. Le lecteur et le détective doivent avoir des chances égales de résoudre le problème [...].

2. L'auteur n'a pas le droit d'employer vis-à-vis du lecteur des « trucs » et des ruses autres que ceux que le coupable emploie lui-même vis-à-vis du détective.

3. Le véritable roman policier doit être exempt de toute intrigue amoureuse [...].

4. Le coupable ne doit jamais être découvert sous les traits du détective lui-même ni d'un membre quelconque de la police [...].

5. Le coupable doit être déterminé par une suite de déductions logiques et non pas par hasard, par accident, ou par confession spontanée.

6. Dans tout roman policier, il faut, par définition, un policier [...].

7. Un roman policier sans cadavre, cela n'existe pas [...].

8. Le problème policier doit être résolu à l'aide de moyens strictement réalistes [...].

9. Il ne doit y avoir, dans un roman policier digne de ce nom, qu'un seul véritable détective [...].

10. Le coupable doit toujours être une personne qui a joué un rôle plus ou moins important dans l'histoire, c'est-à-dire quelqu'un que le lecteur connaisse et qui l'intéresse [...].

11. L'auteur ne doit jamais choisir le criminel parmi le personnel domestique [...].

12. Il ne doit y avoir, dans un roman policier, qu'un seul coupable [...].

13. Les sociétés secrètes, les mafias, les camarillas, n'ont pas de place dans le roman policier [...].

14. La manière dont est commis le crime et les moyens qui doivent mener à la découverte du coupable doivent être rationnels et scientifiques [...].

15. Le fin mot de l'énigme doit être apparent tout au long du roman, à condition, bien sûr, que le lecteur soit assez perspicace pour le saisir [...].

16. Il ne doit pas y avoir, dans le roman policier, de longs passages descriptifs pas plus que d'analyses subtiles ou de préoccupations « atmosphériques » [...].

17. L'écrivain doit s'abstenir de choisir son coupable parmi les professionnels du crime [...].

18. Ce qui a été présenté comme un crime ne peut, à la fin du roman, se révéler comme un accident ou un suicide [...].

19. Le motif du crime doit toujours être strictement personnel [...].

20. Enfin, je voudrais énumérer quelques trucs auxquels n'aura recours aucun auteur qui se respecte parce que déjà trop utilisés et désormais familiers à tout amateur de littérature policière :

a) La découverte de l'identité du coupable en comparant un bout de cigarette trouvé à l'endroit du crime à celles que fume le suspect.

b) La séance spirite truquée au cours de laquelle le criminel, pris de terreur, se dénonce.

c) Les fausses empreintes digitales.

d) L'alibi constitué à l'aide d'un mannequin.

e) Le chien qui n'aboie pas, révélant ainsi que l'intrus est un familier de l'endroit.

f) Le coupable frère jumeau du suspect ou un parent lui ressemblant à s'y méprendre.

g) La seringue hypodermique et le sérum de vérité.

h) Le meurtre commis dans une pièce close en présence de représentants de la loi.

i) L'emploi des associations de mots pour découvrir le coupable.

j) Le déchiffrement d'un cryptogramme par le détective ou la découverte d'un code chiffré.

On peut constater que l'intérêt de ces vingt règles est surtout historique. Toutefois, on remarquera que les six éléments du genre policier sont présents :
- crime : règles 13, 18 ;
- victime : règle 7 ;
- enquête : règles 1, 6, 8, 9 ;
- coupable : règles 2, 4, 5, 10, 11, 12, 17 ;
- mobile : règle 19 ;
- mode opératoire : règle 14.

On peut s'amuser aussi à chercher, avec des élèves, les très nombreux textes policiers qui contredisent chacune des vingt règles. Toutes ont été transgressées, au point qu'on peut se demander si, pour innover, les auteurs du genre policier n'ont pas pris volontairement le contre-pied de l'un ou l'autre de ces diktats !

Soixante-dix ans après l'énoncé de ces règles, Claude Combet, dans *Livres Hebdo* (n° 254, 1997), revue des professionnels du livre, propose, dans un article intitulé « Quel polar pour quel public ? », une typologie du genre policier en huit catégories, et il indique un ou plusieurs auteurs à chaque fois :
- *detective story* (Agatha Christie) ;
- roman noir (Jean-Claude Izzo, Robin Cook) ;
- suspense (Mary Higgins Clark) ;
- thriller (Patricia D. Cornwell) ;
- polar psychologique (Ruth Rendell) ;
- polar historique (Ellis Peters) ;
- polar ethnologique (Arthur Upfield, Tony Hillerman) ;
- espionnage (Robert Ludlum).

Or, à contempler cette liste, on peut s'interroger sur la légitimité de la distinction entre « suspense » et « thriller », les victimes de Mary Higgins Clark et celles de Patricia Cornwell étant aussi sauvagement traquées. On peut aussi se demander si les livres de Jean-Claude Izzo, dont l'héroïne est une ville (Marseille), sont si proches de ceux de Robin Cook, qui s'attaque à la noirceur de toute une société. Et lorsque Patricia Cornwell décrit minutieusement l'autopsie d'un cadavre et le fonctionnement de la médecine légale, caractéristique de tous ses romans, cela fait-il partie de la définition du thriller ? Où classer les enquêtes collectives d'Ed McBain ? Et les héros de « hard boiled », qui continuent à intéresser les lecteurs d'aujourd'hui ? Et les nombreux romans mettant en scène des serial killers, qui peuvent appartenir à n'importe laquelle de ces catégories ?

En fait, ce découpage du genre policier, qui correspond à une approche professionnelle de libraire ou de bibliothécaire, ne fait que mettre en évidence la difficulté à spécifier les catégories, autrement qu'intuitivement.

Notre conviction est que les catégories du genre policier correspondent à des éclairages variables de la structure du genre, et qu'en conséquence un éclairage particulier, correspondant à une catégorie, peut apparaître et disparaître en fonction des modes et des évolutions littéraires. Ce sont ces types d'éclairages particuliers que nous allons tenter de mettre en évidence et d'exemplifier.

La structure articulant entre eux les six éléments basiques du genre policier peut être résumée par le schéma ci-dessous :

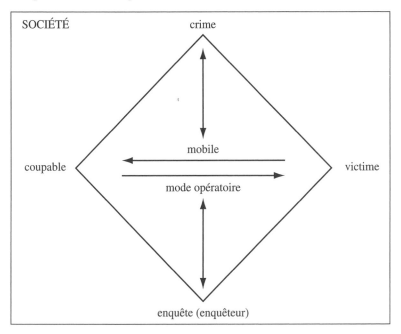

Le stéréotype de l'histoire policière part du pôle « crime » : un cadavre est découvert. La victime est identifiée et l'enquête commence. En fouillant dans la vie de la victime, l'enquêteur s'efforce de trouver des mobiles crédibles, et en analysant le mode opératoire du crime – ici s'insère tout ce qui concerne l'heure du crime, les alibis des suspects, l'arme utilisée, la médecine légale, etc. –, tente d'identifier, parmi les suspects sélectionnés par les mobiles, le coupable. La solution finale consiste, pour l'enquêteur, à reconstituer l'histoire du chaînon ici figuré entre le coupable et le crime. Le contexte social n'a qu'un rôle marginal, sauf en interaction avec l'un des éléments. Par exemple, la profession d'un suspect induit un emploi du temps spécifique, en liaison avec le mode opératoire ; ou bien, l'appartenance du coupable à la haute société le rend insoupçonnable dans un premier temps.

Il nous apparaît que le schéma précédent peut rendre compte de toutes les catégories du genre policier, à partir de trois transformations simples :

– *la modification de l'élément initial :* selon qu'une histoire commence au crime, au coupable, ou à la société, par exemple, la catégorie n'est pas la même ;

– *le changement du premier plan et de l'arrière-plan :* chacun des éléments peut apparaître au premier plan ou à l'arrière-plan. Par exemple, dans l'histoire policière stéréotypée, la victime et l'enquête sont au premier plan, le coupable et la société à l'arrière-plan ;

– *la multiplication d'un élément :* en multipliant les victimes, par exemple, on aboutit aux romans mettant en scène un serial killer, si nombreux dans la dernière décennie du XXᵉ siècle ; en multipliant les coupables, on obtient les crimes collectifs, comme dans *Le Crime de l'Orient-Express* d'Agatha Christie ; en multipliant les enquêtes, on crée la concurrence, si fréquente, entre la police et un enquêteur privé ou amateur.

Considérons maintenant quelques exemples de catégories.

▲ Énigme

C'est la forme classique du genre policier, qui prend en compte les six éléments de base, et laisse la société à l'arrière-plan. La partie droite du schéma précédent étant connue dès le début, le récit en reconstitue peu à peu la partie gauche. Tout converge vers le coupable, dont l'identification est la finalité de l'enquête.

Il ne paraît pas nécessaire de citer des exemples, tant ils sont nombreux, d'Agatha Christie à San-Antonio, en passant par S. A. Steeman, Patricia Highsmith, Exbrayat, Rex Stout, Simenon ou Boileau-Narcejac.

Cette catégorie a fréquemment été spécifiée comme un double récit, dont le premier (l'histoire du crime) est implicite au début du second, lequel a alors pour rôle de reconstituer le premier. Dès 1946, Pierre Boileau, dans la revue *Joie*, n° 21, définit le roman policier – ou plus précisément le roman à énigme – en disant qu'il

> « *apparaît comme la suite d'un premier roman, non écrit, qui se termine par un événement dramatique – généralement un meurtre –, cet événement constituant le point de départ du roman qui nous occupe.*
> « *Le sujet du roman policier est la lente reconstitution du "premier roman", la recherche des origines du drame, origines qui ne seront, bien entendu, découvertes que le plus tard possible par le détective* [...][1] ».

Vingt-cinq ans plus tard, Todorov reprend à son compte cette définition, en précisant que « *les personnages de cette seconde histoire, l'histoire de*

---

1. Article repris dans *Boileau-Narcejac. Quarante ans de suspense, op. cit.*, pp. 1177-1178.

l'enquête, n'agissent pas, ils apprennent[1] ». Et Reuter, récemment, reformule la même définition :

> « *La structure du roman à énigme suppose en effet **deux histoires**. La première est celle du crime, et de ce qui y a mené ; elle est terminée avant que ne commence la seconde et elle est en général absente du récit. Il faut conséquemment passer par la seconde histoire, celle de l'enquête, pour la reconstituer.*[2] »

Une fois cette organisation particulière du récit perçue par les élèves à partir d'exemples concrets, on pourra les faire travailler sur chacun des éléments qui prennent, dans le roman à énigme, une valeur particulière. Ainsi, Jacques Dubois remarque que les personnages sont avant tout des suspects. Et Reuter de dire que « *le décor existe pour sa fonctionnalité et non pour sa réalité géographique ou sociale*[3] ».

Naturellement, dans le roman à énigme, le lecteur réel est en concurrence permanente avec le détective fictionnel, et certaines règles de Van Dine exposées précédemment sont les règles du jeu de cette concurrence.

▲ Chambre close

Variante du récit à énigme, le récit de chambre close fait passer à l'arrière-plan le mobile, l'enquête, la société ; et au premier plan le crime et le mode opératoire. La question centrale est moins « Qui a tué ? » que « Comment a-t-il fait ? ». La concurrence entre le lecteur et le détective est d'autant plus forte, alors, qu'il s'agit d'imaginer un procédé rendant possible un délit en apparence impossible. Edgar Allan Poe *(Double Assassinat dans la rue Morgue)* et Gaston Leroux *(Le Mystère de la chambre jaune)* ont inauguré cette catégorie du genre policier. Beaucoup d'autres ont pris leur succession. Il semble en effet que ce soit un pari séduisant, pour un auteur du genre, de trouver une nouvelle forme de meurtre en chambre close. Certains se sont même spécialisés dans cette catégorie, comme Jacques Futrelle, John Dickson Carr, ou Paul Halter.

Roland Lacourbe, qui s'intéresse depuis longtemps à cette catégorie du genre policier, cite des travaux de chercheurs qui ont répertorié, en langue anglaise, plus de deux mille nouvelles et romans de ce type, et en langue française, sept cent cinquante titres.

L'imagination est à l'honneur dans le meurtre en chambre close (qui ne se limite d'ailleurs pas au seul crime en lieu clos, mais qui comprend également tous les meurtres paraissant matériellement impossibles à réaliser). Dans *L'Arme invisible* de John Dickson Carr, un homme est assassiné

---

1. Tzvetan Todorov, « Typologie du roman policier », *op. cit.*, p. 11.
2. Yves Reuter, *op. cit.*, p. 39.
3. *Ibid.*, p. 51.

dans une pièce fermée, à l'aide d'un poignard en verre, dissimulé ensuite dans une carafe d'eau, et donc invisible. Dans *Le Pont de verre* de Robert Arthur, le cadavre est enveloppé dans un drap mouillé, un jour de grand froid ; le drap gelé devient alors une sorte de luge qui permet d'expédier le cadavre à plusieurs centaines de mètres de la maison du meurtre, le long d'une ravine. Dans *Le boucher qui riait* de Fredric Brown, un homme, atteint d'une maladie de cœur et désirant se suicider, court dans un champ de neige, jusqu'à l'infarctus, en portant sur ses épaules un nain, son ami, qui sort ensuite du champ de neige à reculons, portant les chaussures de celui qu'il veut faire accuser. Les enquêteurs trouvent donc deux séries d'empreintes menant au cadavre – comme s'il avait été poursuivi, de son vivant – et aucune qui en revient[1]. Dans *L'Escalier assassin* de Paul Halter, trois hommes sont assassinés successivement, d'un coup de revolver, sur un escalier roulant, sans qu'aucun témoin n'ait vu quiconque tirer. Finalement, le détective comprend que le suspect le plus probable a utilisé un « truc » : un faux bras donnant aux témoins l'impression que ses deux mains étaient visibles, alors que son véritable bras, dissimulé sous ses vêtements, lui permettait de tirer sans être vu[2].

Comme l'écrit Roland Lacourbe :

> « *Il y a toujours un bref moment dans une histoire réussie – bref moment que les amateurs savourent avant de prendre connaissance de la solution proposée par l'auteur – où la raison vacille et où un trouble similaire nous envahit : le crime a été commis et l'assassin ne peut matériellement pas avoir quitté les lieux... et pourtant, il n'est plus dans la pièce !*[3] »

Puisque ce type de texte policier est centré sur le mode opératoire, on pourra tenter de dresser, avec les élèves, au fur et à mesure de la lecture de romans et nouvelles de cette catégorie, une typologie des moyens utilisés, puis la comparer ensuite aux douze cas que le Dr Fell, célèbre enquêteur de John Dickson Carr, propose au chapitre 17 de *Trois cercueils se refermeront* (trad. Hélène Amalric, LCE, « Le Masque », 1991).

Voici quelques titres ressortissant à cette catégorie du genre policier :

Anthologies :
– *Les Meilleures Histoires de chambres closes* (20 nouvelles), anthologie de Roland Lacourbe, Minerve, 1985.
– *Vingt mystères de chambres closes*, anthologie de Roland Lacourbe, Joëlle Losfeld, « Terrain vague », 1988.
– *25 histoires de chambres closes*, anthologie de Roland Lacourbe, L'Atalante, 1997.

---

1. Les trois nouvelles citées sont regroupées dans *Crimes parfaits, op. cit.*
2. Paul Halter, *L'Escalier assassin* (1990), in *25 histoires de chambres closes*, anthologie de Roland Lacourbe, L'Atalante, 1997.
3. *25 histoires de chambres closes, op. cit.*, introduction.

– *Crimes parfaits* (8 nouvelles), anthologie de Christian Poslaniec, L'École des loisirs, « Médium », 1999.

Œuvres :

– Agatha Christie, *Dix petits nègres*, trad. Gérard de Chergé, Hachette, « Vertige policier », 1997.

– John Dickson Carr, *Impossible n'est pas anglais*, trad. Maurice-Bernard Endrèbe, LCE, « Le Masque », 1986.

– John Dickson Carr, *Meurtre après la pluie*, trad. Gabrielle Ferraris, LCE, « Le Masque », 1987.

– John Dickson Carr, *Il n'aurait pas tué Patience*, trad. Guite Barbet Massin, LCE, « Le Masque », 1990.

– John Dickson Carr, *Trois cercueils se refermeront*, trad. Hélène Amalric, LCE, « Le Masque », 1991.

– Conan Doyle, *Le Ruban moucheté et autres aventures de Sherlock Holmes* (nouvelles), trad. Bernard Tourville, Gallimard, « Folio junior », 1995.

– Jacques Futrelle, *Treize enquêtes de La Machine à Penser* (nouvelles), trad. Carole Gratias et Danièle Grivel, Rivages, « Mystère », 1998.

– Jacques Futrelle, *Le Problème de la cellule 13*, trad. Isabelle Reinharez, Syros, « Souris noire », 1999.

– Paul Halter, *La mort vous invite*, LCE, « Le Masque », 1988.

– Paul Halter, *La Mort derrière les rideaux*, LCE, « Le Masque », 1989.

– Paul Halter, *La Tête du tigre*, LCE, « Le Masque », 1991.

▲ Crime parfait

Autre variante du roman à énigme, cette catégorie met au premier plan le crime, ne s'intéresse à rien d'autre, et se préoccupe principalement, et même obsessionnellement, de couper le fil qui conduit, à rebours, du crime au meurtrier.

On peut dire que le crime est alors traité comme un objet esthétique, à la façon de Thomas de Quincey (*De l'assassinat considéré comme un des beaux-arts*, 1827), ce qui l'éloigne quelque peu de l'image de la Loi et de la Justice brandissant un glaive implicite au-dessus de la tête des assassins ordinaires.

Dans ce type de récits, on recherche « un beau crime » ou « un crime parfait », qu'il ne faut pas confondre avec les homicides non élucidés. Dans la société réelle, on le sait, des statistiques étant publiées périodiquement dans les médias, le taux d'élucidation des délits ne dépasse pas 40 %. Bien des assassins restent donc impunis, et non des moindres : que l'on songe à Jack l'éventreur, ou à l'assassin de Mary Cecilia Rogers, dont le crime, à New York, en 1841, servit de modèle à Edgar Allan Poe pour la deuxième nouvelle fondatrice du genre policier, *Le Mystère de Marie Roget* (1843).

D'ailleurs, dans de nombreux récits de cette catégorie, les personnages discutent doctement de la possibilité de réaliser un crime parfait, et leurs préoccupations sont alors essentiellement philosophiques ou esthétiques :

> *« Je disais donc que le crime parfait n'est pas connu en tant que tel ; il revêt l'aspect d'une mort naturelle, et personne ne s'avise de songer à un mauvais coup. Seuls les crimes imparfaits sont identifiés à des crimes ; par conséquent, discuter du crime parfait, c'est discuter d'un phénomène dont il est impossible, par sa définition même, de démontrer l'existence.*[1] *»*

> *« Selon moi, poursuivit l'étranger, le critère d'un bon meurtre réside dans la simplicité [...]. Un meurtrier réellement compétent n'a pas besoin d'un matériel spécial, et pratiquement d'aucune préparation. De cette manière, il réduit à sa plus simple expression le risque de laisser subsister un indice derrière lui.*[2] *»*

> *« [...] le crime parfait est possible ; il ne requiert que le criminel parfait [...]. Vous savez, un criminologue doué a quelque chose de plus qu'un policier inspiré avec un peu de sang de limier dans les veines, quelque chose de plus qu'un scientifique méticuleux ; c'est aussi un critique d'art, et aucun critique d'art n'aime être condamné à un régime continu d'œuvres de second ordre.*[3] *»*

Voici deux anthologies où l'on trouvera des nouvelles de ce type :

– *Histoires de crimes parfaits*, anthologie de Jacques Goimard et Michel Lebrun, Presses Pocket, « Le Livre noir du crime », 1989.
– *30 recettes pour crimes parfaits*, anthologie de Roland Lacourbe, L'Atalante, « Bibliothèque de l'évasion », 1998.

▲ Procédurier

La variante la plus classique du roman à énigme est le roman procédurier. Ici, l'enquête passe au premier plan ; la focalisation narrative se fait sur les procédures professionnelles de cette enquête, et moins sur sa finalité : trouver le coupable. Parallèlement, la société de référence est le milieu professionnel de l'enquêteur, qui passe au premier plan. Tous les autres éléments du schéma de la page 31 sont pris en compte, mais restent à l'arrière-plan, sauf s'ils sont directement liés à la profession.

---

1. Edmund Crispin, *Lacrimae Rerum* (1949), in *30 recettes pour crimes parfaits*, anthologie de Roland Lacourbe, L'Atalante, « Bibliothèque de l'évasion », 1998.
2. George et Margaret Cole, *Une leçon de crime*, in *Histoires de crimes parfaits*, anthologie de Jacques Goimard et Michel Lebrun, Presses Pocket, « Le Livre noir du crime », 1989.
3. Ben Ray Redman, *Le Crime parfait*, in *30 recettes pour crimes parfaits, op. cit.*

Un bon exemple de cette catégorie du genre policier est donné délibérément par Richard Deming, dans sa nouvelle *Histoire d'un simple crime*[1]. L'enquêteur respecte scrupuleusement toutes les procédures, mais critique en même temps leur habituelle inefficacité : l'enquête de voisinage donne des résultats contradictoires ; le test à la paraffine n'est pas fiable ; les seules empreintes digitales nettes relevées sont celles des parents de la victime ; la reconstitution de l'emploi du temps des nombreux suspects fournit un alibi apparent à tous, mais comment affirmer qu'un des témoins n'ait pas menti ? Et ainsi de suite. Tant et si bien qu'à la fin, l'affaire est classée dans le « dossier des affaires enterrées ».

On pourrait dire qu'en quelque sorte, le roman procédurier est un roman à énigme professionnalisé. Cette évolution peut s'expliquer simplement, car le roman de détection traditionnel se concentre sur trois questions : qui a tué ? Pourquoi ? Comment ? La problématique est plutôt réduite. Être original consiste, dans un premier temps, à varier les criminels, les mobiles, les modes opératoires, mais surtout les enquêteurs. Aux débuts du roman criminel, l'enquêteur était un amateur éclairé (Dupin, Sherlock Holmes). Un policier (Lecoq) ou un journaliste (Rouletabille) se comportaient également comme des amateurs éclairés, et non comme des professionnels. Les « durs à cuire » ont pris la succession (voir la catégorie « hard boiled »), faisant évoluer le roman à énigme vers le roman noir. Ce n'est qu'ensuite, au milieu du XXe siècle, que la professionnalisation des enquêteurs a vu le jour, avec une grande variété.

Ed McBain a sans doute ouvert la voie avec sa chronique du commissariat du 87e district situé à Isola (une ville imaginaire). Comme dans tout commissariat, il y a toujours plusieurs enquêtes parallèles et plusieurs personnages principaux : Peter Byrnes, Stephen Louis Carella, Bert Kling, Meyer Meyer... Comme l'écrit Jacques Baudou :

> « *Ed McBain* [...] *utilise de façon systématique une structure que les critiques anglo-saxons qualifient de modulaire : plusieurs enquêtes sont menées de front ou par chevauchement dans le même ouvrage, à l'imitation de ce qui se passe vraiment dans un commissariat où les policiers ont à traiter plusieurs affaires en même temps.*[2] »

Et Jacqueline Warret précise :

> « *Les textes de McBain sont avant tout réalistes ou plutôt dotés de toutes les apparences de la réalité. Dans une sorte de réalisme instinctif, les aventures des flics du 87e district se veulent une reproduction objective du réel (voir par exemple avec quelle minutie on peut dater chaque enquête, reconstituer les plans d'Isola, etc.).*[3] »

---

1. Richard Deming, *Histoire d'un simple crime*, *ibid.*
2. Jacques Baudou, « Isola song », *Polar*, n° 9, 1980, p. 12.
3. Jacqueline Warret, « Ed McBain : des images et des hommes », *813*, n° 59, 1997, p. 21.

De nombreuses professions servent de référence aux romans policiers de cette catégorie :

– la médecine légale, notamment dans les romans de Patricia Cornwell ;
– la profession d'avocat, notamment dans les romans de John Grisham ;
– la profession de croque-mort, dans les romans d'Alexandre Terrel, *alias* Alexis Lecaye ;
– toute la gamme des « professions » religieuses, depuis frère Guillaume, le moine enquêteur d'Umberto Eco, dans *Le Nom de la rose*, jusqu'à sœur Blandine, infirmière, ex-flic, dans *Implacables Vendanges* de Philippe Bouin, en passant par la religieuse d'Alix de Saint-André, le rabbin d'Harry Kemelman, ou celui de Thierry Jonquet ;
– etc.

Voici quelques titres qui peuvent être rangés dans cette catégorie :

– Philippe Bouin, *Implacables Vendanges*, Viviane Hamy, « Chemins nocturnes », 2000.
– Patricia Cornwell, *Et il ne restera que poussière...*, trad. Gilles Berton, LCE, « Le Masque », 1993, rééd. 1998.
– Patricia Cornwell, *Mordoc*, trad. Hélène Narbonne, LGF, « Le Livre de poche », 1999.
– Umberto Eco, *Le Nom de la rose*, trad. Jean-Noël Schifano, Grasset, 1982 ; LGF, « Le Livre de poche », 1992.
– John Grisham, *Le Client*, trad. Patrick Berthon, Robert Laffont, « Best sellers », 1997.
– John Grisham, *L'Idéaliste*, trad. Éric Wessberge, Robert Laffont, « Best sellers », 1997.
– Thierry Jonquet, *Le Secret du rabbin*, L'Atalante, « Bibliothèque de l'évasion », 1995.
– Harry Kemelman, *Un beau jour, le rabbin a acheté une croix*, trad. Lazare Rabineau, 10-18, « Grands détectives », 1991.
– Harry Kemelman, *Un beau jour, le rabbin démissionna*, trad. Lazare Rabineau, 10-18, « Grands détectives », 1993.
– Harry Kemelman, *Ce jour où le rabbin a quitté la ville*, trad. Élisabeth Luc, 10-18, « Grands détectives », 1997.
– Ed McBain, *Le Sourdingue*, trad. Rosine Fitzgerald, Gallimard, « Série noire », 1997.
– Ed McBain, *Calypso*, trad. Rosine Fitzgerald, Gallimard, « Série noire », 1999.
– Ed McBain, *Un poulet chez les spectres*, trad. Rosine Fitzgerald, Gallimard, « Série noire », 1999.
– Ed McBain, *La Dernière Danse*, trad. Jacques Martinache, Presses de la Cité, « Policiers », 2000.
– Alix de Saint-André, *L'Ange et le réservoir de liquide à freins*, Gallimard, « Folio », 1998.

– Alexandre Terrel, *Le Croque-mort et les morts vivants*, LCE, « Le Masque », 1986.

– Alexandre Terrel, *Le Croque-mort et sa veuve*, LCE, « Le Masque », 1987.

– Alexandre Terrel, *Enterrez le croque-mort*, LCE, « Le Masque », 1987.

– Alexandre Terrel, *Le croque-mort s'en mord les doigts*, LCE, « Le Masque », 1990.

▲ Noir

Le roman noir focalise principalement sur des personnages insérés dans une société réduite à ses aspects négatifs. Il se concentre donc sur le coupable, ou sur la victime, ou sur l'enquêteur, et met au premier plan la société. En revanche, l'enquête proprement dite, le mode opératoire et le crime lui-même servent en quelque sorte d'éléments du décor, de prétextes à parler de l'humanité souffrante, insérée dans une certaine société. Quant au mobile, il est surdéterminé par sa relation à une société aussi « pourrie » que le Danemark d'*Hamlet*.

Parlant du récit policier dit « classique », Roland Lacourbe écrit :

> « *Évidemment, dans ce domaine essentiellement technique, l'épaisseur humaine n'avait guère de place. Les auteurs la reléguèrent au second plan : si la passion, l'amour ou la haine tenaient leur place habituelle dans les relations entre person-nages, ils n'y apparaissaient que comme moteurs de l'action, sans jamais offrir de prétexte sentimental au descriptif... L'exposé des turpitudes humaines était impi-toyablement banni pour des motifs bien éloignés de la banale censure. Seule comp-tait l'*intelligence *et non l'*émotion.[1] »

Le roman noir prend en quelque sorte le contre-pied de cette approche, privilégiant l'émotion sur l'intelligence, les turpitudes humaines sur la « *savante architecture d'événements à admirer* », comme l'écrit Thomas Narcejac en 1949. Celui-ci ajoute, au sujet du roman policier noir : « *Il réussit seulement à nous bousculer, à nous secouer comme une attraction foraine, à nous imposer un traitement par l'électrochoc qui nous laisse les yeux brouillés et la cervelle douloureuse.[2] »

Dans un article paru dans *Les Temps modernes*, Jean-Bernard Pouy propose, à la façon de Van Dine, « *dix trucs désormais à éviter quand on veut écrire un polar*[3] », en l'occurrence un roman noir. Ces « trucs » sou-

---

1. *Les Meilleures Histoires de chambres closes*, anthologie de Roland Lacourbe, Minerve, 1985, introduction, p. 9.
2. Thomas Narcejac, « Le roman policier noir », *La Table ronde*, 1949 ; repris dans *Boileau-Narcejac. Quarante ans de suspense*, *op. cit.*, p. 1181.
3. Jean-Bernard Pouy, « Descendons du marronnier ou dix trucs désormais à éviter quand on veut écrire un polar, et si c'est dix, c'est pour faire un compte rond parce que sinon, la liste serait trop longue », *Les Temps modernes*, nº 595, 1997 ; repris dans *N'importe quoi pourvu que ça bouge, op. cit.*, pp. 24-25.

lignent certains excès qui ont pu être commis dans la recherche d'atmosphère. Qu'on en juge par ces deux passages :

> « *Y'a toujours un moment où notre héros, passablement déprimé, regarde par la fenêtre. Dehors il pleut. La ville est grise, mouillée, désespérante. De pauvres gens circulent, le dos courbé sous l'averse et l'adversité. Le monde est pourri, vacherie de société [...].* »

> « *La glace, le matin. Aaah la glace, le matin, dans laquelle notre personnage se mire, pas rasé, la tronche fracassée, l'œil torve. Cette glace, ce miroir de lavabo avec qui le héros discute. Putain, la gueule. Ce qu'il voit, c'est un autre. Le ravage des ans. L'inconnu. La barbe de dix jours. Le désespoir du monde. Le Grand Soir qui n'arrive pas [...].* »

Du point de vue de la structure, Yves Reuter établit une distinction entre deux formes du roman noir, selon le mode de narration. Quand cette dernière est à la première personne, le lecteur en sait autant que le narrateur, mais pas davantage. Quand la narration est à la troisième personne, le narrateur semble en savoir moins que les personnages, car il n'y a presque jamais de focalisation interne ; l'écriture est distanciée (Reuter parle d'écriture « *behaviouriste*[1] »). Dans l'un et l'autre cas, le lecteur ne sait que partiellement ce qui se passe, et doit donc coopérer davantage à la constitution du sens. À l'inverse, dans le roman à énigme et les catégories qui en découlent, le lecteur est en concurrence avec l'enquêteur ; dans le roman noir, il est co-énonciateur.

Du point de vue historique, cette catégorie du genre policier a été initiée, dans le premier quart du XXᵉ siècle, aux États-Unis, par Dashiell Hammett, Raymond Chandler, et leurs successeurs, créateurs du « hard boiled » (voir p. 50). Plus récemment, Jim Thompson ou James Ellroy ont repris le flambeau. En France, à partir de 1971, ce qu'on a appelé le « néo-polar » s'impose avec Jean-Patrick Manchette, puis Jean Vautrin, Didier Daeninckx, Robin Cook (auteur anglais vivant en France), Jean-Hugues Oppel, Jean-Claude Izzo, et tant d'autres. Frédéric Dard lui-même a fait une tentative, en créant Kaput, un personnage de héros criminel, presque en même temps que San-Antonio, mais le succès n'a pas été au rendez-vous.

Aujourd'hui, fréquemment, un schéma classique intertextuel organise le texte. Par exemple, dans *Ambernave* de Jean-Hugues Oppel (Rivages, « Noir », 1995), l'intertextualité structurelle avec *Des souris et des hommes*, de Steinbeck, est patente. Les personnages (un vieil unijambiste, le croquemitaine...) sont particulièrement destructurés mentalement, et la société apparaît surtout en référence à la guerre du Viêtnam.

Dans *Le Silence des survivants* de Andrea H. Japp (« Le Masque », 2000), l'intertextualité est double : *Le Silence des agneaux*, connoté par le titre (le roman met en scène un tueur en série) et le mythe d'Œdipe (le meurtrier est le frère de la dernière jeune fille horriblement assassinée, puis il tue son

---

1. Yves Reuter, *op. cit.*, p. 57.

père, et s'attaque à sa mère qu'il tente de faire violer par des comparses...).
La société apparaît sous un aspect sombre, présentant trois facettes : la
mère du coupable a subi les horreurs des camps, au Cambodge ; son grand-
père, celles des camps hitlériens ; et, de nos jours, ce sont les « bandes »
de délinquants qui sont décrites (le meurtrier appartenant à l'une d'elles).

En multipliant l'un des éléments, on obtient des variantes. Par exemple,
dans *L'Ombre du chat* de Paul Borrelli (L'Atalante, 1995), non seulement
il y a plusieurs victimes, puisque le coupable est un tueur en série, mais il
y a deux enquêtes, celle de la police et celle du héros, accusé à tort, qui
cherche à prouver son innocence et y parvient. En outre, dans ce roman,
le genre policier est croisé avec le genre science-fiction, l'élément
« société » prenant la forme d'un futur potentiel, où les animaux ont été
anéantis lors d'une guerre, ce qui permet de renouveler la panoplie traditionnelle du polar. Le roman de Borrelli appartient à la catégorie « noir »
parce que les personnages et la société sont au premier plan, tandis que les
deux enquêtes restent secondaires. Il s'en explique lui-même dans une
interview sur son roman :

> *« Pour faire un raccourci, je suis tenté de dire que si j'écris du roman noir, c'est*
> *parce que mon humeur l'est aussi ! Il y a des choses qui me révoltent, et je ne peux*
> *rien faire d'autre qu'écrire dessus. La drogue, les sectes, la prostitution enfantine,*
> *la guerre, la corruption des hommes politiques (et notamment leur habitude de se*
> *moquer du monde ouvertement, à coups de discours lénifiants), sont des sujets*
> *publics spectaculaires. Mais il y a aussi toutes sortes de petites choses qui me*
> *choquent, dont on ne parle jamais, et que j'essaie de traduire dans ce que j'écris :*
> *la mesquinerie des relations humaines, notamment dans le cadre du travail, quand*
> *cela ne va pas jusqu'à la cruauté pure et simple. La solitude, l'hypocrite indifférence*
> *des uns et des autres. L'ambiguïté incontournable des liens qui unissent hommes et*
> *femmes. L'entropie, la fatigue, le désordre, la saleté.[1] »*

Cette catégorie du genre policier s'est développée de façon considérable
ces dernières années, peut-être parce que ce type de récit est proche de ce
qui est publié en littérature générale, et que, du coup, de nombreux écrivains franchissent la frontière du polar. En tout cas, l'abondance de la
matière nous dissuade de proposer une petite bibliographie sélective, à
l'instar des autres catégories.

▲ Anthropologique

Comme dans la catégorie précédente, la société passe au premier plan du
roman anthropologique : une société particulière, décrite de façon détaillée
en tant que telle, et non pas pour ses aspects criminogènes, comme dans
le roman noir. Tous les autres éléments du schéma de référence du genre

---

1. « Borrelli et son ombre », interview par Paul Maugendre, *813*, n° 52, juin 1995,
p. 34.

policier se caractérisent par leur appartenance à la société décrite. Par exemple, dans les romans de Tony Hillerman, le premier auteur de policiers anthropologiques auquel on pense, le crime est presque toujours en relation avec un rituel ; la victime a une position particulière dans l'ethnie indienne ; l'enquêteur a un statut mixte, fédéral et indien à la fois, etc.

Tony Hillerman explique d'ailleurs lui-même que, dans ce genre de roman, la description d'un type de société prime, et que l'histoire policière est plutôt un mode de transmission :

> « [...] *j'ai grandi parmi les Indiens : les Pottawatomies, les Séminoles... dans l'Oklahoma. Ils furent mes copains et mes compagnons de jeux. Une fois fixé au Nouveau Mexique, je m'aperçus très vite que leur culture était toujours aussi vivace et en bonne santé. Je m'y intéressais énormément. Les premiers Indiens que je rencontrai furent les Navajos. Plus j'apprenais et plus j'étais intéressé ; je pensais que d'autres personnes pourraient être intéressées. Le genre policier me semble être une excellente façon d'intéresser des gens qui ne liraient jamais un quelconque livre d'anthropologie ou un ouvrage non romanesque sur les Indiens.*[1] »

Le comble, c'est que les fictions de Tony Hillerman servent de manuels scolaires dans les réserves indiennes, pour enseigner leur culture aux jeunes Zunis et Navajos.

L'œuvre d'Arthur Upfield, de la même manière, situe les enquêtes de l'inspecteur Napoléon Bonaparte chez les aborigènes australiens. Parfois, un auteur situe son roman dans un pays auquel il porte un intérêt au moins aussi grand qu'à l'histoire policière. Donald Westlake, par exemple, décrit dans *Kahawa* l'Ouganda de 1977, ainsi que les pays limitrophes.

Toutefois, l'anthropologie s'intéressant tout autant, aujourd'hui, à des sociétés moins exotiques, on peut bien inscrire dans cette catégorie les romans qui focalisent sur le milieu décrit, en général, et moins sur le crime. Dans *Le Biker de Troie*, la description des mœurs d'un gang de motards, les *Street Gypsies*, l'emporte sur l'histoire d'amour tragique qui provoque quantité de morts. Les romans de Lilian Jackson Braun décrivent prioritairement une société américaine rurale, celle du comté de Moose, isolé dans les montagnes. Tandis que Jean-Claude Izzo semble prendre comme personnage principal, dans tous ses romans, la ville de Marseille.

Dick Francis situe tous ses récits policiers dans le monde des courses de chevaux, qu'il connaît bien, ayant été notamment jockey de la reine mère d'Angleterre. Et Herbert Lieberman, dans un de ses romans, *Le Concierge*, réalise une véritable étude ethnologique sur la vie d'un hôtel de luxe.

---

1. « Le dernier des Navajos », interview de Tony Hillerman, parue en 1987 dans la revue américaine *The Armchair Detective*, traduite en français dans *813*, n° 22, 1988.

On peut même dire que *Meurtre chez tante Léonie,* de Estelle Monbrun, qui se déroule dans le milieu des spécialistes de Proust (à la manière de David Lodge qui, lui, n'écrit pas de romans policiers), appartient à la catégorie des romans policiers anthropologiques.

Voici quelques titres illustrant cette catégorie :

– A. A. Attanasio et Robert S. Henderson, *Le Biker de Troie*, trad. Frank Reichert, Gallimard, « Série noire », 1999.

– Dick Francis, *Vol dans le van*, trad. Jacques Hall, 10-18, 1995.

– Dick Francis, *À couteaux tirés*, trad. Évelyne Châtelain, Calmann-Lévy, « Suspense », 1996.

– Dick Francis, *L'Amour du mal*, trad. Évelyne Châtelain, Belfond, 1998.

– Tony Hillerman, *Là où dansent les morts*, trad. Danièle et Pierre Bondil, Rivages, « Noir », 1986.

– Tony Hillerman, *Le Peuple de l'ombre*, trad. Jane Fillion, Gallimard, « Folio », 1998.

– Tony Hillerman, *Un homme est tombé*, trad. Danièle et Pierre Bondil, Rivages, « Noir », 2000.

– Jean-Claude Izzo, *Total Khéops*, Gallimard, « Série noire », 1995.

– Jean-Claude Izzo, *Chourmo*, Gallimard, « Série noire », 1996.

– Jean-Claude Izzo, *Solea*, Gallimard, « Série noire », 1998.

– Lilian Jackson Braun, *Le chat qui vivait haut*, trad. Marie-Louise Navarro, 10-18, « Grands détectives », 1993.

– Lilian Jackson Braun, *Le chat qui sniffait de la colle*, trad. Marie-Louise Navarro, 10-18, « Grands détectives », 1998.

– Herbert Lieberman, *Le Concierge*, trad. Jean Esch, Seuil, « Points », 1998.

– Estelle Monbrun, *Meurtre chez tante Léonie*, Viviane Hamy, « Chemins nocturnes », 1994.

– Romain Slocombe, Étienne Lavault, *Malédiction à Chinatown*, Hachette, « Verte aventure policière », 1994.

– Arthur Upfield, *Un vent du diable*, trad. Michèle Valencia, 10-18, « Grands détectives », 1998.

– Arthur Upfield, *Le Récif aux espadons*, trad. Michèle Valencia, 10-18, « Grands détectives », 2000.

– Donald Westlake, *Kahawa*, trad. Jean-Patrick Manchette, Rivages, « Noir », 1997.

▲ Historique et autres croisements

Le roman policier historique est à la mode depuis plusieurs années. Il suffit de changer l'époque de la société de référence, tous les autres éléments restant en place, pour obtenir un roman historique.

L'initiateur de cette catégorie de romans policiers est Robert Van Gulik[1] qui, faisant revivre un personnage historique, le juge Ti, situe tous ses romans policiers en Chine, sous la dynastie des T'ang, au VIIe siècle. Le succès rencontré par ces romans a suscité nombre de vocations d'écrivains. Comme le dit Elena Arseneva, dont le héros, Artem, évolue dans la société russe du Moyen Âge :

> « *En arrivant en France, j'ai découvert les livres de Robert Van Gulik chez 10-18, et j'ai été séduite non seulement par le talent incomparable de cet auteur, mais aussi par la possibilité d'offrir aux lecteurs cette double évasion : une intrigue policière alliée à un voyage à travers l'espace et le temps. Grâce à ma rencontre avec le juge Ti, j'ai compris que je pouvais concilier mes deux passions, celle de l'Histoire, et celle des histoires bien noires et bien ficelées.*[2] »

Le Moyen Âge étant également à la mode dans les dernières décennies du XXe siècle, nombre de romans historiques situés à cette époque ont vu le jour, presque tous publiés par 10-18, à commencer par les célèbres aventures de frère Cadfael, un moine enquêteur qui vit au pays de Galles, au XIIe siècle, qu'Ellis Peters inventa alors qu'elle était septuagénaire et avait déjà une longue carrière d'écrivain derrière elle.

Kate Sedley, à son tour, narre les aventures de Roger le Colporteur, qui évolue dans l'Angleterre du XVe siècle. Bruce Alexander choisit Sir John Fielding comme héros, juge à Londres, au XVIIIe siècle. Paul C. Doherty prend le XIVe siècle comme décor des aventures d'un clerc de justice et, sous le pseudonyme de C.-L. Grace, raconte les enquêtes d'une femme médecin, au XVe siècle.

Du côté des auteurs français, Anne de Leseleuc situe les aventures de son avocat Marcus Aper à l'époque romaine, et, plus récemment, Dominique Muller met en scène les aventures d'un médecin, dit Sauve-du-Mal, sous la Régence, au XVIIIe siècle, cependant que Colette Lovinger-Richard choisit le même siècle, mais sous Louis XV, pour raconter les aventures d'un autre médecin.

Naturellement, il suffit d'adopter, comme époque de référence, une société futuriste, pour obtenir un roman policier de science-fiction. Nous avons déjà cité, ci-dessus, *L'Ombre du chat* de Paul Borrelli (L'Atalante, 1995). Entrent dans la même catégorie *Les Racines du mal* de Maurice G. Dantec (« Série noire », 1995). À l'inverse, certains romans de science-fiction font également partie du genre policier, comme *Le Chant du cosmos* de Roland C. Wagner (un auteur français), publié aux éditions de L'Atalante (« Bibliothèque de l'évasion », 1999). L'enquêteur est un « *minuscule Visagéen à la peau couleur de bronze* » (p. 66) ; il assume cette profession car il est

---

1. Pour en savoir plus sur cet auteur, on peut consulter le livre de Janwillem Van de Wetering, un autre auteur de romans policiers : *Van Gulik, sa vie, son œuvre*, trad. Anne Krief, 10-18, 1990.
2. Entretien de Claude Mesplède avec Elena Arseneva, *813*, n° 63, 1998, p. 42.

« *loyal* » et opère, officiellement, en amont de la police. Assassiné, il poursuit cependant son enquête sous la forme d'un « *indivirtuel* », analogue à une « *fantôma* », un individu virtuel (cependant reconnu comme personne sur certaines planètes) qui hante matériaux et réseaux. Quant au coupable, c'est une sorte de multinationale implantée sur trois cents planètes.

Comme on le voit, le genre policier se croise aisément avec d'autres genres. Mentionnons encore le fantastique. S'y sont essayés Agatha Christie *(Le Miroir)*, Georges Simenon *(L'Amoureux aux pantoufles)*, John Dickson Carr *(L'homme qui vit l'invisible)*, Paul Halter *(Les morts dansent la nuit)*[1], et bien d'autres. Et ce croisement de genres est très exploité en littérature de jeunesse, par exemple dans *L'Île du docteur West* de Anthony Masters[2].

Il y a parfois aussi des croisements avec le genre sentimental. Michel Amelin a dépouillé les collections d'*Intimité* et de *Nous deux* pour trouver du « rose » à tendance noire, et il dit joliment que « *l'intrigue sentimentale est la cerise, la sauce, le piment du roman policier*[3] », n'en déplaise à Van Dine dont la troisième règle excluait l'intrigue amoureuse dans le roman policier.

Et dans quelques romans récents, par exemple *Trajectoires terminales* de Paul Borrelli (L'Atalante, 1999), on peut même dire que le genre policier est croisé avec le genre pornographique.

Quelques titres de romans historiques :

– Elena Arseneva, *Ambre mortel*, 10-18, « Grands détectives », 1998.
– Évelyne Brisou-Pellen, *Le Crâne percé d'un trou*, Gallimard, « Folio junior », 1998.
– Évelyne Brisou-Pellen, *La Bague aux trois hermines*, Milan, « Poche junior polar », 1999.
– C.-L. Grace, *Meurtres dans le sanctuaire*, trad. Founi Guiramand, 10-18, « Grands détectives », 1999.
– C.-L. Grace, *L'Œil de Dieu*, trad. Founi Guiramand, 10-18, « Grands détectives », 1999.
– Anne de Leseleuc, *Les Vacances de Marcus Aper*, 10-18, « Grands détectives », 1992.
– Anne de Leseleuc, *Marcus Aper et Laureolus*, 10-18, « Grands détectives », 1994.
– Colette Lovinger-Richard, *Crimes et faux-semblants*, Viviane Hamy, « Chemins nocturnes », 2000.

---

1. Plusieurs nouvelles citées ici, et d'autres du même type, sont rassemblées dans le recueil *Mystérieux Délits*, L'École des loisirs, « Médium », 2001.
2. Trad. Marianne Costa, Hachette, « Verte aventure policière », 1993.
3. Michel Amelin, « Le Rose et le Noir », *813*, n° 36, 1991, p. 5.

– Jacqueline Mirande, *Double Meurtre à l'abbaye*, Flammarion, « Castor poche, suspense senior », 1998.

– Dominique Muller, *Trop de cabales pour Sauve-du-Mal*, 10-18, « Grands détectives », 2000.

– Ellis Peters, *Trafic de reliques*, trad. Nicolas Gille, 10-18, « Grands détectives », 1989.

– Ellis Peters, *La Vierge dans la glace*, trad. Isabelle di Natale, 10-18, « Grands détectives », 1990.

– Ellis Peters, *Frère Cadfael fait pénitence*, trad. Claude Bonnafont, 10-18, « Grands détectives », 1995.

– Martine Pouchain, *Meurtres à la cathédrale*, Gallimard, « Folio junior », 2000.

– Kate Sedley, *La Cape de Plymouth*, trad. Claude Bonnafont, 10-18, « Grands détectives », 1998.

– Kate Sedley, *La Chanson du trouvère*, trad. Claude Bonnafont, 10-18, « Grands détectives », 1999.

– Robert Van Gulik, *Meurtre sur un bateau-de-fleurs*, trad. Roger Guerbet, 10-18, « Grands détectives », 1984.

– Robert Van Gulik, *L'Énigme du clou chinois*, trad. Roger Guerbet, 10-18, « Grands détectives », 1985.

– Robert Van Gulik, *Le Juge Ti à l'œuvre*, trad. Anne Krief, 10-18, « Grands détectives », 1986.

▲ Suspense ou thriller

Même si Claude Combet sépare les catégories « suspense » et « thriller » (voir p. 30), elles nous paraissent similaires. Dans un article intitulé « Le thriller est-il un genre ?[1] », Jean-Louis Touchant montre bien l'imprécision de ce terme, après une enquête réalisée auprès des lecteurs de la revue *813* : « *On appelle thriller des romans de terreur, d'espionnage, voire certains romans noirs ou de science-fiction, qui à notre avis ne sont pas précisément des thrillers.* » Le jugement est totalement impressif, comme en témoigne une lectrice, qui ne justifie pas la distinction qu'elle établit :

> « *Quand le héros hitchcockien de* La Mort aux trousses *attend le bus au bord de la route et qu'un personnage inquiétant s'approche, c'est du suspense. Quand il est survolé, pourchassé et mitraillé au milieu d'un champ, c'est du thriller.* »

Implicitement, cette lectrice qualifie donc de « suspense » la menace, et de « thriller » la traque ; autrement dit, elle distingue, comme appartenant à deux catégories différentes, l'inquiétude que ressent un personnage et l'action narrative. Pourquoi pas, mais à cette aune, bien d'autres catégories peuvent être créées en fonction du mode de narration.

---

1. *813*, n° 70, 2000.

En revanche, la plupart des lecteurs qui ont répondu à l'enquête assimilent les deux catégories, faisant essentiellement référence à leur mode de réception : « *Le lecteur doit être tenu en haleine* » ; « *cette poussée d'adrénaline* » ; « *un livre qui doit toucher le lecteur dans sa subjectivité, par le sentiment de peur archaïque qu'a chacun de nous* » ; « *le lecteur de thriller va de terreur en épouvante* » ; et certains se réfèrent au sens du verbe anglais *to thrill* : « donner le frisson ».

Pareillement, nous assimilons « suspense » et « thriller », et caractérisons cette catégorie par une surdétermination de la victime (voir le schéma de la page 31), saisie avant que le crime soit commis. La vraie question du suspense est : le crime va-t-il être commis ? Et généralement, il y a de multiples rebondissements, la victime étant traquée (sous de multiples formes), ce qui provoque cette émotion récurrente chez le lecteur.

Jacques Dubois, qui établit également une distinction entre « thriller » (assimilé à un roman d'investigation) et « suspense », définit ce dernier ainsi :

> « *Au long du récit, le crime est encore à commettre et l'on ne sait de qui il viendra ni qui il atteindra. Mais la menace pèse, de plus en plus lourde, et l'attente du drame va croissant.*[1] »

Nous partageons l'idée de menace et d'attente croissante, le crime restant à commettre, mais nous pensons que, fréquemment, l'assassin et la victime traquée sont connus, et que ça n'enlève rien au suspense.

Yves Reuter est plus précis dans sa définition de cette catégorie :

> « *Dans ce genre, le crime central [...] est* virtuel, *en suspens. Il risque de se produire dans un avenir proche. Au travers de l'action présente de ceux qui sont menacés et de ceux qui cherchent à éviter le crime, l'histoire va permettre de reconstituer et de mieux comprendre le passé de chacun pour tenter de mettre en échec un futur tragique [...].*
> « *[...] trois grands principes organisent ces romans [...] :*
> *– un danger vital menace un personnage sympathique ;*
> *– l'échéance est rapprochée et très vite connue ;*
> *– le lecteur en sait plus que chacun des personnages.*
> « *Dans ce cadre, l'énigme est absolument secondaire et l'histoire du crime reste figée, en suspens, pendant la majeure partie du livre.*[2] »

Voici quelques titres appartenant à cette catégorie :

– Robert Bloch, *Le Boucher de Chicago*, trad. Jane Fillion, Gallimard, « Série noire », 1976.
– Eve Bunting, *Qui se cache à Alcatraz ?*, trad. Barbara Nasaroff, Hachette, « Verte aventure policière », 1994.
– Mary Higgins Clark, *Ni vue, ni connue*, trad. Anne Damour, LGF, « Le Livre de poche », 1999.

---

1. Jacques Dubois, *op. cit.*, p. 54.
2. Yves Reuter, *op. cit.*, p. 75.

– Mary Higgins Clark, *Tu m'appartiens*, trad. Anne Damour, LGF, « Le Livre de poche », 2000.

– Mary Higgins Clark, *La Nuit du renard*, trad. Anne Damour, Magnard, « Classiques et contemporains », 2000.

– William Irish, *Un tramway nommé mort* (nouvelles), Néo, 1981.

– William Irish, *Une incroyable histoire,* Syros, « Souris noire », 1998.

– Stephen King, *Misery*, trad. William Olivier Desmond, J'ai lu, « Épouvante », 1991.

– Patricia McDonald, *Expiation*, trad. Roxanne Azimi, Albin Michel, « Spécial suspense », 1996.

– Christian Poslaniec, *Le Boucher sanglant,* Milan, « Zanzibar policier », 1997.

– Jean-Marie Villemot, *L'Œil mort*, Gallimard, « Série noire », 2000.

▲ Serial killer

En quelques années, depuis le succès cinématographique du *Silence des agneaux*, adaptation du roman de Thomas Harris[1], le « serial killer » est devenu une véritable catégorie autonome du genre policier. Au sujet du roman de Dominique Sylvain, *Vox*, un article de *Libération* commence par ces mots : « *Dans le flot rarement interrompu des "polars à serial killer"* [...][2] », tandis qu'une note de lecture du *Monde des livres* sur le même titre évoque les auteurs qui « *ont opté pour la charcuterie en gros* », et qualifie le « serial killer » de « *"scie" du roman contemporain*[3] ».

Bien que d'invention récente, sa structure est déjà canonique. Par rapport au schéma de la page 31, elle se caractérise par les traits suivants :

– l'élément « victime » est multiplié, tandis que l'élément « mode opératoire » est ritualisé (la signature du serial killer) ;

– tous les éléments sont surdéterminés par une approche psychologique, au sens scientifique du terme : l'enquête est essentiellement d'ordre psychologique, grâce à un psychologue ou à un profileur faisant partie de l'équipe ; l'arrière-plan social est presque toujours réduit aux relations psychologiques entre les personnages ; le mobile est une perversion mentale, fréquemment liée à la relation du coupable à sa mère ; les crimes (mode opératoire rituel) et les victimes (quel est leur point commun ?) sont traités comme des indices révélant la personnalité de l'assassin ;

– même si la structure générale du roman à énigme est maintenue (il s'agit toujours d'identifier le criminel parmi un nombre restreint de suspects

---

1. Trad. Monique Lebailly, Albin Michel, 2000.

2. Sabrina Champenois, « Les filles du calvaire », *Libération*, 8 juin 2000.

3. *Le Monde des livres*, 19 mai 2000.

éliminés l'un après l'autre), il y a périodiquement focalisation sur l'assassin en train d'accomplir ses forfaits, si bien que le chaînon entre le coupable et le crime, contrairement à ce qui se passe dans le roman à énigme, n'a pas besoin d'être reconstitué par les enquêteurs. Pour préserver l'anonymat du coupable, ces passages sont narrés de façon impersonnelle, ou à la première personne, ou en prêtant à l'assassin le surnom que la presse lui donne.

Voici quelques titres de romans français bâtis sur ce modèle, qui illustrent cette catégorie récente :

– Stéphanie Benson, *Un singe sur le dos*, L'Atalante, 1996.
– Hubert Corbin, *Nécropsie*, Albin Michel, 1996.
– Alain Demouzon, *La Promesse de Melchior*, Calmann-Lévy, 2000.
– Gérard Lecas, *MLF vaincra!*, Canaille, « Revolver », 1996.
– Jean-Hugues Oppel, *Six-Pack*, Rivages, « Noir », 1997.
– Jean-Jacques Reboux, *Le Massacre des innocents*, Baleine, « Instantanés de polar », 1995.
– Dominique Sylvain, *Vox*, Viviane Hamy, « Chemins nocturnes », 2000.
– Maud Tabachnik, *Gémeaux*, Viviane Hamy, « Chemins nocturnes », 1998.
– Jacques Vallet, *Une coquille dans le placard*, Zulma, « Quatre bis », 2000.

▲ Quelques catégories du passé : aventures policières, « hard boiled », espionnage

S'il se crée périodiquement de nouvelles catégories littéraires, d'autres tombent dans l'oubli, ne correspondant plus à la mode ou aux intérêts des lecteurs.

C'est le cas, en premier lieu, de la catégorie « aventures policières », qui a pourtant eu tendance à éclipser, au début du XXᵉ siècle, le roman criminel ou judiciaire. Des héros comme Fantômas, Arsène Lupin, ou Le Saint appartiennent à un genre intermédiaire entre « aventures » et « policier ». Ce qui caractérise l'aventure, c'est la multiplication des péripéties : sans cesse, l'histoire rebondit, et la structure du feuilleton n'a fait qu'accentuer ce phénomène. Alors que le roman à énigme est conçu de telle manière qu'on se rapproche peu à peu de la solution, le roman d'aventures ne progresse pas pareillement, vers la découverte du coupable, ou du mode opératoire ; ce qui compte davantage, c'est que les rebondissements interviennent le plus souvent possible. Les romans de Maurice Leblanc révèlent leur double appartenance : certes, il y a une énigme à résoudre, et la solution est donnée à la fin, mais nombre d'épisodes sont des péripéties aventureuses qui ne font pas avancer l'histoire principale.

La catégorie « aventures policières » n'a guère survécu à la naissance du « noir », du moins dans la littérature destinée aux adultes. En revanche, elle s'est perpétuée dans les livres pour la jeunesse, notamment dans les séries comme « Alice », « Le club des cinq », ou même, plus récemment, « Le Furet ».

Le « hard boiled[1] », premier visage du « noir », né dans les années 20-40 (Hammett, Chandler, Léo Malet...), a mis au premier plan l'enquêteur – un « dur à cuire », impliqué dans la société, et non plus un dandy résolvant élégamment les énigmes (voir le chapitre « De la paralittérature au genre dominant »).

Cette catégorie est cependant en voie de disparition. Si les écrivains qui ont contribué à la créer, Bill Pronzini, Lawrence Block, Frédéric Dard/San-Antonio, etc., ont continué à exploiter les histoires de leur héros, peu de nouveaux auteurs ont pris leur succession. Ou alors, sur le mode parodique, comme dans la série « Miss Seeton », inventée par Heron Carvic[2], ou dans des œuvres pour la jeunesse, comme le roman de Gérard Moncomble : *Romain Gallo contre Charles Perrault* (Milan, « Poche junior polar », 1999), ou celui de Paul Shipton : *Tirez pas sur le scarabée !* (trad. Thomas Bauduret, Hachette, « Verte aventure policière », 1996).

Comme le roman noir, très noir (catégorie dominante en ce début de XXIᵉ siècle), ne s'accommode guère de héros récurrents, le « dur à cuire » disparaît.

Quant à la catégorie « espionnage », qui rigidifiait le mobile en imposant des raisons d'État, elle n'a pas survécu à la fin de la guerre froide.

---

1. Voir : Donald Westlake, « Les durs à cuire se mettent à table », trad. Pierre Bertin, *813*, nᵒˢ 35 et 36, 1991.
2. Voir : Heron Carvic, *Miss Seeton persiste et signe*, trad. Dominique Dupont-Viau, 10-18, « Grands détectives », 1997 ; Hampton Charles, *Miss Seeton prend l'avantage*, trad. Katia Holmes, 10-18, « Grands détectives », 1998.

DE LA PARALITTÉRATURE
AU GENRE DOMINANT

L'expression « littérature de genre » est presque toujours péjorative, renvoyant plutôt à la paralittérature qu'à la littérature. Pratiquer un genre, c'est utiliser des structures, des personnages, des thèmes, des modes d'écriture codifiés. Or, bien que personne, actuellement, ne soit encore en mesure de définir la littérarité[1], tout le monde pense que la littérature ne saurait être codifiée. Ce n'est donc pas un hasard si, dans les deux numéros que la revue *Pratiques* a consacrés, d'une part, aux « paralittératures » (n° 50, 1986) et, d'autre part, aux « mauvais genres » (n° 54, 1987), figurent des articles sur le genre policier.

Mais, comme le remarque Jacques Dubois dans le premier numéro cité, le genre policier, dès le début, prend volontairement le contre-pied du « roman artiste », se situant délibérément comme genre, ce qui le distingue des autres textes paralittéraires :

> « *Le projet policier se définit d'emblée comme antinomique du projet artiste. Il pousse clairement jusqu'au fétichisme le culte de la structure narrative et plus largement du code. Et ici se dessine le premier temps de la transaction sous l'apparence d'un jeu compensatoire. Au moment où la pratique littéraire cultivée déserte l'espace de la narration construite et centrée, une production semi-triviale s'accapare ce terrain et, par une sorte de volonté provocatrice, surdétermine et exhibe les règles d'un code auquel on renonce ailleurs.[2]* »

C'est la thèse que Dubois développera ensuite dans *Le Roman policier ou la modernité*, où il définit le genre policier comme « *moyen* », à la fois « *moderne* » dès l'origine, et cependant jamais totalement littéraire, en raison du jeu pratiqué, jeu consistant à innover, à surprendre le lecteur, sans sortir du code conventionnel de ce genre. Nous ne le suivons pas sur ce point car, ces dernières années, à examiner la production éditoriale, on est en droit de se demander si le genre policier n'est pas en passe de devenir le modèle littéraire par excellence – en l'an 2000, seuls les jurys

---

1. Voir : Christian Poslaniec, *De la lecture à la littérature*, Le Sorbier, 1992.
2. Jacques Dubois, « Un agent double dans le champ littéraire : le policier », *Pratiques*, n° 50, 1986, p. 30.

des grands prix classiques résistent encore à cette mode, mais pour combien de temps ?

Toutefois, nous partageons l'approche de Dubois sur la double postulation qui, depuis un siècle, fait naviguer le roman policier entre la tentation littéraire et la tentation codifiée. Dans une première période, prenant la suite des pionniers du genre, se poursuit une littérature de série, avec des héros récurrents, sous deux formes principalement, que Dubois précise bien :

> « *D'un côté, les Américains du "hard boiled", dont les maîtres furent Dashiell Hammett et Raymond Chandler, ont introduit dans le genre un romanesque inspiré de l'écrit de critique sociale que l'on sait. De l'autre, des auteurs d'expression française comme G. Simenon, C. Aveline, P. Véry ou J. Decrest ont eu recours à un réalisme psychologique qui, incontestablement, a été perçu comme un mode d'anoblissement du genre. Depuis lors, le champ générique n'a plus cessé de susciter des auteurs et des œuvres acquis au principe d'originalité selon deux formules. Il y a ceux et celles qui, prenant en compte la structure fortement codée du genre, expérimentent sur la forme et la poussent jusqu'à ses limites. Agatha Christie s'est tôt engagée dans cette voie. Il y a ceux et celles qui, par ailleurs, opèrent de préférence sur les contenus et introduisent dans la trame romanesque des éléments de représentation inédits et complexes. P. D. James aujourd'hui propose une description fouillée ou fine de la société anglaise, pendant que les tenants français du néo-polar offrent une vision aiguë de la banlieue des métropoles [...].*[1] »

Cette structure s'est maintenue jusqu'à aujourd'hui. D'un côté, on trouve les enquêteurs d'énigmes (avec approche sociale ou psychologique), comme le professeur Van Dusen, dit « La Machine à Penser », de Jacques Futrelle, le docteur Gideon Fell de John Dickson Carr, Hercule Poirot et Miss Marple d'Agatha Christie, Nero Wolfe de Rex Stout, Maigret de Simenon, les Veufs noirs d'Isaac Asimov, etc. De l'autre côté, on trouve les « durs à cuire » qui évoluent dans un milieu social criminogène, comme le lieutenant Wheeler de Carter Brown, Bertha Cool et Donald Lam de A. A. Fair, *alias* Erle Stanley Gardner, Nestor Burma de Léo Malet, Matt Scudder de Lawrence Block, le détective sans nom de Bill Pronzini, ou San-Antonio de Frédéric Dard. Plus récemment, les enquêteurs de romans ethnologiques ou historiques (voir le chapitre « Typologie du genre policier ») prennent le relais.

Le « néo-polar », dans les années 70-80, en France, ne constitue pas véritablement une rupture, puisque les anciens héros récurrents continuent leur petit bonhomme de chemin, en parallèle. Il s'agit plutôt d'un infléchissement : un début de destructuration de la narrativité du polar, ainsi qu'un envahissement du champ social, et plus précisément politique.

Rendant compte du livre *La Position du tireur couché* de Jean-Patrick Manchette, la revue *Polar* (n° 23, 1982) rapporte les propos que ce dernier a tenus dans le n° 12 :

---

1. Jacques Dubois, *Le Roman policier ou la modernité, op. cit.*, pp. 82-83.

« [...] écrire en 1970, c'était tenir compte d'une nouvelle réalité sociale, mais c'était tenir compte aussi du fait que la forme polar est dépassée parce que son époque est passée : réutiliser une forme dépassée, c'est l'utiliser référentiellement, c'est l'honorer en la critiquant, en l'exagérant, en la déformant par tous les bouts. Même la respecter, c'est encore la déformer [...]. »

Ce texte vaut comme définition du « néo-polar ». La *« nouvelle réalité sociale »*, c'est celle dont ont pris conscience les militants de Mai 68, dont rendent compte Jean Vautrin, Didier Daeninckx, Robin Cook, Hervé Jaouen, Patrick Mosconi, Jean-François Vilar, Jean-Bernard Pouy, et bien d'autres.

La réalité sociale passant alors au premier plan, le héros récurrent disparaît fréquemment, chaque œuvre étant unique et ne faisant plus partie d'une série. Didier Daeninckx, l'un des rares à avoir utilisé alors un héros récurrent, l'inspecteur Cadin, finit par le faire mourir, ce que n'était parvenu à faire ni Conan Doyle, ni Maurice Leblanc. Naturellement, le « néo-polar » se rapproche alors du roman de société, s'éloigne de la littérature de genre, et ne se relie plus au genre policier, comme le dit Manchette, que de façon référentielle. Il acquiert donc davantage de légitimité littéraire.

L'éclatement du genre ne se produit que plus tard. L'événement marquant de la rupture est la publication, dans la collection « Blanche » de Gallimard, en 1990, du troisième volume de la saga « Malaussène » écrite par Daniel Pennac, *La Petite Marchande de prose*, alors que les deux précédents *(Au bonheur des ogres, La Fée Carabine)* avaient été publiés en « Série noire ». D'autres auteurs avaient déjà publié, alternativement, en littérature générale et dans des collections policières, mais ce fut la première fois qu'un héros de série noire se retrouvait en collection « Blanche ».

Évoquant Daniel Pennac et Daniel Picouly, Franck Pavloff, auteur « engagé » dans le « noir », selon lui, dit précisément qu'ils *« utilisent les ingrédients du polar pour faire une littérature "blanche", très consensuelle*[1] *»*. Comme si, dès lors, les structures du genre policier n'étaient même plus utilisées référentiellement, mais démembrées et réutilisées autrement, tout comme certaines formes du roman d'aventures ou du feuilleton nourrirent le genre policier à ses débuts.

On peut même avancer que c'était un projet délibéré de la part de Daniel Pennac d'effacer la frontière entre littératures « noire » et « blanche », puisqu'il écrivait, dans le n° 20 de la revue *813*, alors qu'il n'avait publié que deux romans en « Série noire » (mais également plusieurs ouvrages pour la jeunesse) :

« Quand je lis l'expression "roman noir", je vois le mot roman d'abord. En d'autres termes, le roman noir ne se distingue pas, à mes yeux, du roman en général. On y

---

1. « Le roman policier comme entrée dans la lecture. Entretien avec Franck Pavloff, auteur », in *La Lecture plaisir. De festivals en concours littéraires*, ADAPT Éditions, 1998, p. 56.

trouve tout juste quelques contraintes supplémentaires (que nombre de romanciers "blancs" feraient bien d'appliquer s'ils voulaient être lisibles). Ces contraintes sont de différents ordres : contraintes thématiques (la mort, le danger, l'enquête, la peur, la solitude, la ville... etc., une thématique en fait très variée). Contraintes structurelles ensuite (il faut que l'histoire avance inexorablement de l'énigme vers sa solution).

« [...] tout le plaisir consiste, selon moi, à en "tirer profit" [...]. Quant aux contraintes stylistiques, elles sont encore plus passionnantes. Elles obligent les auteurs de romans noirs à découvrir autre chose que de longs développements psy pour donner de la profondeur à leurs personnages, et de la vérité à leurs situations. Elles les forcent à travailler sur la langue avec un acharnement que je rencontre dans très peu de romans "blancs" contemporains.

« Il s'agit ici d'inventer un langage, de mettre au point des comparaisons, de produire des métaphores et des images qui exploseront sous les yeux du lecteur comme des flashes d'évidences (autrement plus éblouissants que ces longues dissertations analytiques où l'intelligence se noie le plus souvent en elle-même). Ces particularités stylistiques (la métaphore, l'image juste) représentent à mes yeux la marque du très grand roman noir, la limite extrême où le genre confine à la poésie.[1] »

La traditionnelle frontière entre le genre policier et la littérature générale s'amenuise donc peu à peu, dans la dernière décennie du XXᵉ siècle. Par exemple, le prix Michel Lebrun, décerné, d'après son règlement, à un « roman policier francophone », est attribué, en 1998, à Xavier Hanotte, pour *De secrètes injustices*, paru sous couverture blanche chez Belfond, et rien n'indique, dans le paratexte, qu'il s'agisse d'un polar, le titre n'étant suivi que de la mention « roman ».

Alain Demouzon souligne ce phénomène qui correspond à la période contemporaine :

« [...] depuis vingt ans, le débat "polar et littérature" n'a fait que s'amplifier, et nombreux sont désormais les romans rattachables au genre qui se trouvent être publiés en dehors des collections convenues.
« Ce recul des collections est un phénomène récent, indiscutable et symptomatique. Il fut un temps où le roman policier n'existait pas en dehors de ces collections si pratiques pour contenir le genre [...]. On savait ce qu'était un polar : c'était marqué dessus.[2] »

D'ailleurs, un seul des romans d'Alain Demouzon, pourtant considéré comme auteur de « noir », est paru dans une collection du genre, en l'occurrence la « Série noire ». Les autres furent publiés par Flammarion ou Calmann-Lévy, dans une collection généraliste.

---

1. Sous le titre « Le plaisir d'écrire », ce texte de Daniel Pennac est republié dans *813*, n° 71, 2000, pp. 20-21.
2. Alain Demouzon, « Le roman de genre : la montée du polar français », *813*, n° 59, 1997, p. 38.

PARTICULARITÉS DU GENRE POLICIER DANS LA LITTÉRATURE DE JEUNESSE

Dès la seconde moitié du XIXe siècle, deux éditeurs notamment, Hachette et Hetzel (le second sera racheté par le premier au début du XXe siècle), créent les premières collections destinées à la jeunesse. Le genre « aventures » est alors dominant, et il le demeure pendant plus d'un siècle. Puis le genre policier se greffe peu à peu sur ce type de romans.

Dans les deux cas, des enfants sont les héros. Le récit est traité de façon réaliste ; un pan de réalité (profession, milieu social, lieu particulier) sert de décor, et il y a du suspense. Pour passer du récit d'aventures au genre policier, il suffisait donc d'introduire un délit, et de donner à des enfants, souvent en bande, le rôle d'enquêteurs. De nombreuses séries paraissent, tout au long du XXe siècle : « Le club des cinq » et « Le clan des sept » de Blyton, « Anne » de Toudouze, « Les six compagnons » de Bonzon, « Fantômette » de Chaulet, « Alice » de Quine, « Michel » de Bayard, etc.

Toutefois, la littérature de jeunesse conserve fréquemment – héritage des siècles précédents – un contenu moraliste, une tendance à l'édification des enfants, à l'exemplarité. Les séries policières s'inscrivent dans cette idéologie. Les jeunes enquêteurs luttent contre le mal, et font le bien. Cette situation s'est maintenue jusque dans les années 80. Il y eut, certes, quelques exceptions, notamment de la part d'auteurs écrivant à la fois en direction des adultes et des enfants, comme Pierre Véry qui, dès 1959, publie chez Hachette *Les Héritiers d'Avril* et *Signé Alouette*, deux romans qui donnent à un adolescent, Dominique, dit « Grand chef », un rôle similaire à celui des détectives privés mis en scène dans la littérature policière pour adultes. Mais cela reste fort rare.

Du point de vue du genre policier pour la jeunesse, le paysage éditorial change radicalement dans les vingt dernières années du siècle. Sans doute parce que le statut du genre policier se modifie dans la société, et que la littérature de jeunesse ne reste pas close sur elle-même, comme précédemment. Les éditions Syros innovent en créant la première collection de « noir » pour la jeunesse : « Souris noire ». Elle est confiée à un auteur de romans policiers, Joseph Périgot, qui fait appel à des écrivains publiant des romans noirs pour adultes : Marie et Joseph *(Le Crime de Cornin Bouchon)*, Fajardie *(Sous la lune d'argent)*, Daeninckx *(La Fête des mères)*, et Jonquet, Villard, Jaouen, Krysti, Mosconi, etc.

Le succès de cette collection provoque un triple effet :

– des auteurs pour la jeunesse commencent à aborder des thèmes qui jusque-là étaient exclus de cette littérature : meurtre, tueurs professionnels, prise d'otages par un forcené, sévices familiaux... ;

– les éditeurs pour la jeunesse reprennent dans leurs collections des auteurs de romans policiers devenus des classiques, écrits pour des adultes (Agatha Christie, Maurice Leblanc, Gaston Leroux, Conan Doyle...) ;

– des romans policiers commencent à paraître dans des collections généralistes ; puis, dans les années 90, la plupart des éditeurs pour la jeunesse créent une collection consacrée au genre policier : « Spécial noir » chez Épigones, « Page noire » chez Gallimard, « Mystère policier » chez Flammarion, « Verte aventure policière » chez Hachette, « Cascade policier » chez Rageot, « Zanzibar policier » chez Milan, « Les Policiers » chez Magnard, « Pleine lune policier » chez Nathan...

Toutefois, la littérature policière destinée à la jeunesse se caractérise souvent par un amoindrissement des scènes horribles présentes dans les œuvres pour adultes. Certains délits, dont regorgent ces dernières, sont totalement absents des livres pour enfants : la torture, le viol, le meurtre en série. D'autres délits, au contraire, y prennent une grande place : le vol, le trafic de drogue ou d'animaux, le chantage...

Catherine Vernet qui, en 1995, a étudié la littérature policière de jeunesse, écrit à cet égard :

> « *Les méfaits dénoncés, à l'inverse là encore de tous les récits d'énigme qui ne mettent en scène que des crimes personnels, sont des maux de société :*
> – *trafics divers : drogue, organes, enfants, hormones, voitures volées ;*
> – *crimes politiques : suppression d'opposants au régime ;*
> – *dysfonctionnements sociaux-politiques : bavures policières, prévarications et abus de fonction, exactions, combats de boxe truqués, réinvestissement d'argent sale ;*
> – *délinquance juvénile : vols, meurtre, recel de drogue ;*
> – *atteinte aux droits de l'homme : traites d'enfants, travail des enfants.*
> « *Quelques crimes personnels (prise d'otages et meurtre) cependant, mais dont les mobiles : vengeance ou psychopathologie sont la manifestation d'une révolte contre la société. Là encore, une distance est prise par rapport aux crimes passionnels et désirs d'héritage chers au récit d'énigme.*[1] »

Le crime le plus fréquent (au sens judiciaire du terme) dans les romans pour adultes est le meurtre, sous toutes ses formes. Or cela donne presque toujours lieu à une description qui suscite l'horreur et le dégoût, bien que, généralement, il n'y ait aucune complaisance à exhiber les cadavres – contrairement

---

1. Catherine Vernet, « La littérature policière de jeunesse : caractéristiques des genres et propositions didactiques », *Pratiques*, n° 88, 1995, p. 85.

au « gore », friand d'hémoglobine. Par exemple, pour signifier à quel point un meurtre est horrible, Thierry Jonquet fait écrire à son narrateur :

> « *Ils avaient déjà recueilli des noyés en grand nombre, au corps boursouflé par le séjour dans l'eau, examiné sous toutes les coutures des cadavres mutilés, récupéré des jeunes femmes aux chairs putréfiées, en lambeaux, abandonnées dans des mansardes sordides ou au coin d'un bois, décroché des pendus, rassemblé dans des sacs de plastique des débris inidentifiables, mais la corvée qui allait leur être infligée ce matin-là, ils la détestaient par-dessus tout.*[1] »

Effectivement, la corvée est détestable, et le lecteur découvre avec les policiers les cadavres d'enfants brûlés vifs :

> « *Elle ne pouvait voir que le bassin, les fesses et les membres inférieurs de l'enfant, ou tout du moins ce qu'il en restait. Deux petites colonnes de chair calcinée, de peau éclatée. Une sculpture noirâtre, desséchée, avec toutefois quelques résidus graisseux, qui s'obstinaient à pendouiller sur leur substrat charbonneux, et dessinaient encore des rondeurs, des galbes, une tentative tout du moins, en fait un amas suintant de bulles, de boursouflures, d'ampoules, dont l'éclatement libérait un liquide mordoré étalé en une flaque visqueuse sur le sol.*[2] »

Ce type de description est présent dans la plupart des romans noirs pour adultes. En revanche, dans la littérature pour la jeunesse, il est totalement exclu, ce qui prive l'écrivain d'un procédé permettant directement de susciter l'horreur du crime.

Quand il y a des cadavres, dans les œuvres pour les jeunes – ce qui est rare –, il n'y a pas véritablement de description[3] :

> « *[...] en pleine allée, l'animateur Jean-Marie est étendu de tout son long. D'après ce que je comprends, il est mort.*[4] »

> « *Désarticulé, le paysan ne bougeait plus. La nuque brisée, il gisait tête dans l'eau, ballotté par le courant.*[5] »

> « *D'un geste sec, le superintendant tira sur le drap qui enveloppait la forme, dévoilant ainsi la figure bleuie du bonhomme pendu au plafond.*[6] »

On peut avoir l'impression, à lire les centaines de romans policiers destinés à la jeunesse, que le problème de l'auteur est celui-ci : comment faire pour que le lecteur pense à un meurtre, alors qu'il n'y en a que rarement ? Autrement dit, l'auteur s'autocensure, s'interdisant de proposer aux enfants des assassinats d'êtres humains, mais faisant en sorte que l'imagination des jeunes lecteurs y supplée. Résoudre ce problème éthique fait largement appel à la créativité des écrivains.

---

1. Thierry Jonquet, *Moloch*, Gallimard, « Série noire », 1998, p. 22.
2. *Ibid.*, p. 30.
3. Sauf exceptionnellement, comme dans *Mona Love, la nuit* de Gilles Prin, Syros, « Souris noire plus », 1992.
4. Bertrand Solet, *Surf en eau trouble*, Hachette, « Vertige policier », 1997, p. 80.
5. Jean-Loup Craipeau, *Un père*, Syros, « Souris noire plus », 1992, p. 61.
6. Michel Perrin, *Monstre à la gomme*, Magnard, « Les Policiers », 1999, p. 110.

Souvent, le personnage assassiné est un animal traité sur le mode affectif. Un chat, par exemple, comme dans *Le Miniaturiste* de Virginie Lou (Gallimard, « Page noire », 1996), *Le Chat de Tigali* de Didier Daeninckx (Syros, « Mini souris noire », 1997), ou *Qui a tué Minou-Bonbon ?* de Joseph Périgot (Syros, « Mini souris noire », 1997). On assassine aussi des chiens, comme dans *Prise d'otage au soleil* de Franck Pavloff (Nathan, « Lune noire », 2000) :

> « *Son doigt, droit devant, désignait une horrible masse poilue qui se balançait au bout d'une perche accrochée aux branches hautes d'un saule. Un cadavre à la fourrure beige, suintant le sang.* » (p. 13)

C'est ce cadavre que l'un des personnages, presque aveugle, prend pour celui d'une femme, mais qui se révèle être celui d'un « *clebs* », huit lignes plus bas dans le livre.

Parfois même, les victimes sont des jouets, notamment des poupées (*Meurtre au pays des peluches*, de Sarah Cohen-Scali, Casterman, « Mystère », 1992 ; *Pas de pitié pour les poupées B.*, de Thierry Lenain, Syros, « Mini souris noire », 1997).

Fréquemment aussi, l'auteur met en scène l'illusion d'un meurtre. Par exemple, dans *Je vous aime* de Hubert Ben Kemoun (Syros, « Souris noire », 1992), un collégien amoureux de sa prof' surgit chez cette dernière, armé d'un revolver, et tire, « *pour lui montrer que ce n'est pas un jouet de gamin* » (p. 25). Résultat : « *Elle s'est écroulée sur le tapis. Sa main plaquée sur la poitrine rouge de sa robe. J'avais pourtant cru viser en l'air. Je jure. En l'air.* » (p. 25) Naturellement, la dame n'est qu'évanouie, mais les doutes du héros, la main de la victime plaquée sur la poitrine rouge font illusion ; et sur le coup, le lecteur ne se rappelle pas que quatre pages auparavant, le narrateur a évoqué la « *robe rouge* » de Sabine, la prof'. L'illusion de meurtre est encore accentuée au début du chapitre suivant, le héros tirant véritablement sur le chat de la victime, qui vient de lui lacérer le mollet : « *Un morceau de sa patte a volé dans la pièce jusque sur le corps de Sabine. Il y avait du sang partout et des larmes plein mes yeux.* » (p. 27) Et c'est précisément cette scène qui est illustrée sur la page en regard !

On trouve le même type de mise en scène dans *À feu et à sang* de Olivier Thiébaut (Syros, « Mini souris noire », 2000), qui commence ainsi :

> « *La lame luisante s'était approchée du cou. Les dix centimètres d'acier trempé flirtaient avec la carotide qui battait à tout rompre* [...].
> « *Les hommes étaient trois, massés autour du corps qui avait presque renoncé à se débattre. Fermement attachée à une poutre, la corde, qui retenait un pied prisonnier, tournoyait doucement. Les muscles de la cuisse se contractaient par instants. La peau du ventre était tendue. La tête pendait* [...].
> « *Le couteau venait de trancher dans le vif du sujet. Un flot de sang convulsif s'échappait de la plaie béante.*
> « *Et tout allait très vite.*

« Le corps était agité de soubresauts. Le pied libre fouettait l'air à la recherche d'un appui imaginaire. Les yeux s'agrandissaient comme des billes, avec cette expression d'incrédulité qui semblait dire : "Non, pas à moi !" » (pp. 3-4)

Ce n'est qu'au milieu de la page suivante que le lecteur apprend qu'il s'agit d'un cochon, tout comme dans le texte de Pavloff cité précédemment, où le lecteur n'apprend qu'après coup qu'il s'agit du cadavre d'un chien. Toutefois, dans *À feu et à sang*, le jeune narrateur, qui a eu le malheur de surprendre des malfaiteurs, se retrouve peu après dans la même position que le cochon, menacé de mort. Il parvient cependant à s'enfuir. Cette duplication de la même scène produit un effet certain. Pourtant, le livre appartient à peine au genre policier : la quête du jeune héros, à travers tout le village, concerne un objet imaginaire, digne de la célèbre clé du champ de tir, que le tueur de cochon, par plaisanterie, lui a demandé d'aller chercher. C'est par hasard que l'enfant tombe sur les malfaiteurs en train d'ouvrir au chalumeau un distributeur de billets, arraché à l'aide d'un tracteur. L'épisode ne s'insère donc pas dans le récit et, d'ailleurs, après la fuite du héros, il n'en est plus question.

Dans les livres pour la jeunesse, l'illusion d'un délit est plus fréquente que la transgression véritable de la loi. Quand ce ne sont pas les personnages eux-mêmes qui montent une sorte de jeu de rôles, comme dans *Qui veut tuer l'écrivain ?* de Marie Saint-Dizier (Hachette, « Vertige policier », 1997), ou dans *Le Treizième Chat noir* de Christian Poslaniec (L'École des loisirs, « Neuf », 1992), c'est le narrateur qui est leurré (complot, blague, illusion d'optique, fausse déduction...), ou bien le narrateur qui cherche à berner le lecteur (dissimulation d'une partie des faits, élision au moment de la confirmation d'un pseudo-délit...).

Frank Pavloff, alors qu'il était directeur de « Souris noire », a d'ailleurs révélé dans une interview sa conception restrictive de ce qui peut s'adresser à des enfants :

« Ce n'est pas le thème qui importe mais les valeurs qu'il transmet. J'essaie simplement de filtrer certains sujets qui sont liés à la violence ou à la sexualité. Je n'accepte pas la violence quand elle est traitée avec complaisance, la violence accompagnée de sadisme. En revanche, la description de la violence quand celle-ci s'inscrit dans un cadre social peut se justifier. Il ne s'agit pas de protéger l'enfant mais de lui faire appréhender la part d'ombre que l'on retrouve dans toute société. Le thème de la mort, par exemple, n'est pas de fait à écarter, c'est la morbidité et la perversion qui me paraissent plus dangereuses.[1] *»*

La limite ne doit pas être très facile à déterminer ! Comment éviter la « morbidité », par exemple, alors qu'elle est au cœur du genre policier ?

---

1. « Vers un nouveau roman social ? », entretien avec Frank Pavloff, in Marie-Luce Gion, Pierrette Slama, *Lire et écrire avec le roman policier*, CRDP académie de Créteil, « Argos démarches », 1997, p. 286.

Bien que les livres policiers proposés aux enfants à la fin du XXᵉ siècle se rapprochent davantage du genre que cinquante ans auparavant, il est difficile de dire qu'ils y appartiennent pleinement.

L. Lauro, qui, en 1980, a consacré un mémoire de maîtrise (non publié) au *Roman policier pour la jeunesse* (sans prendre en compte, en conséquence de la date de rédaction, la collection « Souris noire » et le renouveau du polar pour la jeunesse), n'hésitait pas à conclure ainsi :

> *« Dans le roman policier pour la jeunesse, le héros qui ne remet jamais en question les principes de la société dans laquelle il est intégré, qui n'est pratiquement jamais préoccupé par les motivations du coupable, qui enfin respecte fondamentalement la loi même si apparemment il transgresse temporairement certains interdits sociaux en passant outre aux recommandations de ses parents, et en faisant concurrence à la police, n'est en fait que l'imitation, le pâle reflet du héros du roman policier classique. »*

Vingt ans après cette diatribe, peut-on dire que le roman policier pour la jeunesse a fondamentalement changé ?

DEUXIÈME PARTIE

ACTIVITÉS PÉDAGOGIQUES À PARTIR D'UN RECUEIL DE NOUVELLES POLICIÈRES

AVANT-PROPOS

Fonder l'approche du genre policier sur un seul livre semble naturellement une gageure, ou un jeu, à la manière des *Exercices de style* de Queneau.

Notre intention, en proposant trente activités concernant un ouvrage de soixante-cinq pages, est de montrer que n'importe quel livre offre la possibilité d'approches multiples, surtout quand il s'inscrit dans un genre précis qui, lui-même, est porteur de questions latentes.

Fréquemment, les médiateurs de lecture demandent des bibliographies thématiques qui leur permettent d'aborder chaque notion littéraire avec un livre particulier. Il est vrai que l'exploitation pédagogique d'une notion, par exemple le mode d'énonciation ou la focalisation, est plus facile avec certains titres où l'auteur la traite de façon visible. Toutefois, même si une notion est moins évidente, elle peut être exploitée à partir de n'importe quelle œuvre : il n'existe pas de texte littéraire sans mode d'énonciation ni focalisation, par exemple.

Pour parvenir à proposer trente activités différentes à partir d'un seul livre, il faut analyser ce dernier selon différents points de vue, successivement – ce qui, non seulement met en lumière la richesse de tout texte littéraire, mais conforte également les théories de la réception, en montrant qu'il n'y a pas une interprétation unique ; le texte doit donc être « négocié » et peut faire l'objet d'un débat entre les différents lecteurs-interprètes.

En revanche, sur le plan pédagogique, nous ne recommandons pas de fonder l'approche du genre policier sur un seul livre. Les goûts des lecteurs étant variés, il nous semble opportun de leur proposer de nombreux livres différents – ce que nous ferons dans la partie suivante. Nous pensons qu'il vaut mieux puiser dans les trente activités rassemblées ci-dessous celles qui correspondent à un projet pédagogique, et les prolonger par d'autres approches concernant quantité d'autres livres.

Le titre que nous avons choisi est *Mauvais Plan*, de Sarah Cohen-Scali, publié en 1998 chez Hachette, dans la collection « Éclipse ». Nous l'avons retenu parce qu'il est bref, et qu'il est constitué de trois nouvelles, ce qui permet d'aborder, outre le genre policier, la forme littéraire, et de proposer une étude croisée entre les trois textes.

Toutefois, la collection « Éclipse », bien que de création récente, a déjà disparu. Ce type de problème, tous ceux qui travaillent sur la littérature de jeunesse le rencontrent fréquemment, tant ce secteur éditorial est fluctuant. Fort heureusement, les trois nouvelles de Sarah Cohen-Scali ont été rééditées dans un autre recueil, qui en comporte désormais six : *Mauvais Sangs* (Flammarion, « Tribal », 2000).

Afin de permettre aux enseignants d'utiliser l'une ou l'autre de ces deux éditions, nous indiquons, pour chaque citation, le numéro de page en romain pour *Mauvais Plan*, et en italique pour *Mauvais Sangs*.

Sarah Cohen-Scali, qui écrit aussi des contes, s'est spécialisée depuis longtemps dans le genre policier destiné à la jeunesse. Elle a publié notamment, chez Casterman, dans les collections « Mystère » et « Dix & plus », plusieurs livres mettant en scène le même enquêteur : *La Puce, détective rusé* (1989), *En grandes pompes* (1994), *Meurtres au pays des peluches* (1996) ; chez Rageot, dans la collection « Cascade policier » : *Ombres noires pour Noël rouge* (1992), *Agathe en flagrant délire* (1996), *L'Inconnue de la Seine* (1997) ; chez Flammarion, dans la collection « Tribal » : *Vue sur crime* (2000) ; et au Seuil : *Les Doigts blancs* (2000).

ACTIVITÉS PORTANT SUR LA NOUVELLE *JUSTICE*

Résumé :

Le docteur Chenet s'entretient avec son avocat, maître Barois. Ce dernier, évoquant le procès en cours, précise que l'acquittement est probable. Alors le docteur Chenet lui avoue qu'il a vraiment tué sa femme, Adeline, délibérément, avec préméditation. Il lui raconte qu'en faisant peser sur elle, pendant des années, une pression psychologique, il a accru sa maladie de cœur. Puis il l'a poussée à l'adultère, et l'a surprise, provoquant une crise cardiaque. Or, comme il avait remplacé ses médicaments efficaces par un placebo, Adeline est morte.

L'avocat est « *écœuré* » car il croyait son client innocent. Aussi menace-t-il de perdre volontairement le procès. Le docteur Chenet lui objecte : « *Impossible. Perdre ce procès serait fatal pour votre réputation.* »

Le procès s'achève par la brillante plaidoirie de l'avocat de la défense. Son client est acquitté.

Le docteur Chenet, ultérieurement, reçoit la visite d'un homme qui lui confie avoir été condamné à quinze ans de prison, pour meurtre. Mais il n'en a fait que cinq, grâce à son avocat, maître Barois, à qui il doit un service. Le texte s'achève par cette déclaration du visiteur : « *N'ayez pas peur. Je suis un professionnel, un excellent tireur. Je ne manque jamais ma cible.* »

ÉTABLIR LA CARTE D'IDENTITÉ DU DOCTEUR CHENET

Dans les récits classiques, fréquemment, les personnages font l'objet d'un portrait détaillé qui permet aux lecteurs de les appréhender avant de les voir agir. C'est rarement le cas dans la littérature contemporaine. Les informations sont disséminées dans le texte. C'est donc au lecteur de les rassembler.

Établir la carte d'identité d'un personnage (activité commune au collège) permet de le cerner et de mettre ensuite ses caractéristiques physiques, morales ou sociales en relation avec ses actes. Cela participe de la cohérence textuelle.

En l'occurrence, nous proposons d'établir la carte d'identité selon les rubriques qui suivent, en donnant, en même temps, quelques éléments de réponse.

Nom : Chenet. On ne connaît pas son prénom.

Profession : chirurgien, cardiologue.

Âge : cinquante ans, au moins. Le lecteur doit le déduire : Adeline est morte à trente-cinq ans. Elle avait quinze ans de moins que son mari. Mais on ignore combien de temps s'est écoulé entre le meurtre et le procès.

Caractéristiques morales :

– ostracisme social : « *l'épouse d'un chirurgien ne pouvait en aucun cas fréquenter un ouvrier et une femme de ménage.* » (p. 7, *p. 59*)

– irascibilité : « *Ces réactions [...] provoquaient chez moi des colères noires.* » (p. 7, *p. 59*)

– sadisme : « *Je l'humiliais [Adeline], je la rabaissais. Volontairement...* » (p. 7, *p. 59*) « *Elle désirait un enfant. Je le lui ai refusé avec acharne-*

ment. » (pp. 7-8, *p. 60*) « *Un an après notre mariage, je me suis attaqué à ses qualités essentielles, celles qui m'irritaient le plus : sa patience et sa fidélité. J'ai profité d'une période où j'avais énormément de travail à l'hôpital pour lui faire croire que je la trompais.* » (p. 8, *p. 60*) « *Un médecin doit se protéger contre la rudesse de sa profession* [...] *et on s'aperçoit un jour qu'on se délecte du spectacle de la souffrance.* » (p. 14, p. 66)

– cynisme : la façon dont il se confie à son avocat le prouve.

– etc.

INTERPRÉTATION

À la fin de la nouvelle, l'avocat commandite l'assassinat de Chenet. Quelles sont les motivations qui peuvent le pousser à agir ainsi ? Il n'y a pas de réponse univoque mais, comme dans tout texte littéraire, des interprétations possibles, aussi légitimes les unes que les autres. Ici, on peut imaginer le dégoût que l'avocat éprouve pour son client ; et/ou le fait qu'il n'accepte pas d'avoir été piégé ; et/ou qu'il est peut-être amoureux de la victime, même à titre posthume, comme il le dit dans sa plaidoirie, et qu'il veut la venger ; et/ou qu'il ne souhaite pas courir le risque que son client révèle avoir été acquitté grâce à son avocat, alors qu'il le savait coupable (en France, on ne peut juger deux fois une personne pour le même délit) ; etc.

3

THÉÂTRALISATION

La nouvelle est construite en cinq épisodes, séparés par des astérisques dans *Mauvais Plan,* et par des chevrons dans *Mauvais Sangs.* Cela correspond à cinq scènes successives, ressemblant fort au découpage d'une pièce de théâtre, car il n'y a pas ici de narrateur : tout le texte est constitué de discours rapportés, comme si le lecteur assistait en direct aux dialogues.

L'activité proposée consiste à faire évoluer la nouvelle vers une pièce de théâtre, en introduisant, pour chaque réplique, une didascalie indiquant le ton et l'attitude du personnage.

Pour déterminer ces caractéristiques, les élèves pourront s'appuyer sur des improvisations théâtrales, à partir des situations perçues.

Cette activité est en même temps une introduction à la deuxième nouvelle, où le théâtre est à l'honneur.

ÉLABORATION D'UNE PLAIDOIRIE

Quand maître Barois, au début de sa plaidoirie, déclare : « *Je n'ai rien à dire pour disculper le docteur Chenet. Au contraire, je l'accuse* », le lecteur se demande un instant s'il ne va pas dénoncer son client. Mais ce dont il l'accuse, c'est d'avoir été séduit par sa jeune épouse. « *Et elle me séduit, comme elle a séduit mon client, puis le docteur Bernardini* », ajoute-t-il, en faisant paraître la victime comme une femme fatale.

En fait, l'avocat construit sa plaidoirie sur le mode de l'antiphrase, puisant ses informations dans les aveux du docteur Chenet, entendus précédemment. Afin de mettre en évidence la façon dont l'avocat retourne les faits pour dresser le portrait de la victime, on mettra en parallèle les éléments issus des aveux et la façon dont ils sont repris par l'avocat.

Éléments issus des aveux du docteur Chenet	*Éléments de la plaidoirie de maître Barois*
« Je n'ai jamais aimé Adeline. » (p. 6, *p. 58*) « Mais ce n'est pas mon argent qui l'a poussée à m'épouser. Elle m'aimait : il n'y avait rien de vénal dans la fascination que j'exerçais sur elle. » (pp. 6-7, *p. 58*)	« Je l'accuse d'avoir cru à l'amour de cette jeune infirmière qui convoitait avidement la renommée qu'offre le statut d'épouse d'un chirurgien célèbre. » (pp. 22-23, *p. 75*)
« Elle ne pouvait s'empêcher de regarder aux dépenses. Tel meuble ? Tel tapis ? Trop chers. Cette robe ? Elle ne l'avait que depuis un an, elle pouvait bien la porter encore un peu. Exhiber un diamant de cette taille ? Non, c'était beaucoup trop voyant... » (p. 7, *p. 59*)	« Et je la vois [...] parée des somptueux bijoux qu'elle avait en grand nombre, des tenues les plus élégantes dont elle aimait se vêtir, évoluant dans le luxe de sa demeure... » (p. 23, *p. 76*)

« Au lendemain de notre mariage, je l'ai délibérément coupée de sa famille. Je lui ai interdit de revoir ses parents, auxquels elle était pourtant très attachée [...]. » (p. 7, *p. 59*)	« Je ne cesse de l'imaginer, repoussant ses parents, venus eux-mêmes nous avouer, malgré leur immense chagrin, qu'au lendemain de son mariage, elle les avait rejetés parce qu'ils étaient pauvres... » (pp. 23-24, *p. 76*)
« Elle désirait un enfant. Je le lui ai refusé avec acharnement [...]. » (pp. 7-8, *p. 60*) Etc.	« Je la vois encore, refusant un enfant à son mari, par crainte d'enlaidir son corps. » (p. 24, *p. 76*)

5

RÉFÉRENCE CULTURELLE

Comme l'activité précédente le montre, maître Barois a choisi de présenter la victime sous un mauvais jour. Or, quand il évoque la brève liaison que cette dernière a eue avec l'assistant de son époux, l'avocat paraît infléchir sa stratégie. Il sait, comme le lecteur, puisque le docteur Chenet le lui a confié, que c'est ce dernier qui a poussé sa femme dans les bras de Bernardini – et cela n'a pas été facile ! Mais les termes qu'il emploie alors semblent atténuer la faute : « *Certes, elle a eu une liaison avec le docteur Bernardini, sous le propre toit de mon client. Elle a été la maîtresse de l'assistant de son époux au moment même où celui-ci se trouvait à Paris, au chevet d'un cancéreux. Mais... "Que celui qui n'a jamais péché lance la première pierre !"* » (p. 24, *p. 77*) En fait, il laisse le jury tirer ses propres conclusions, l'itinéraire de jugement étant balisé par des expressions comme « ***propre toit*** », « *au moment même* [...] ***cancéreux*** », et par la référence finale, qui doit faire surgir dans l'esprit des jurés l'expression « femme adultère ».

On demandera aux adolescents de trouver l'origine de cette référence, et le sens qu'elle induit dans la situation décrite.

Voici le passage de la Bible concerné :

> « *La femme adultère.*
> « *[...] les scribes et les pharisiens amenèrent une femme surprise en adultère ; et, la plaçant au milieu du peuple, ils dirent à Jésus : Maître, cette femme a été surprise en flagrant délit d'adultère. Moïse, dans la loi, nous a ordonné de lapider de telles femmes : toi donc, que dis-tu ? Ils disaient cela pour l'éprouver, afin de pouvoir l'accuser. Mais Jésus, s'étant baissé, écrivait avec le doigt sur la terre. Comme ils continuaient à l'interroger, il se releva et leur dit : Que celui de vous qui est sans péché jette le premier la pierre contre elle. Et s'étant de nouveau baissé, il écrivait sur la terre. Quand ils entendirent cela, accusés par leur conscience, ils se retirèrent un à un, depuis les plus âgés jusqu'aux derniers ; et Jésus resta seul avec la femme qui était là au milieu. Alors s'étant relevé, et ne voyant plus que la femme, Jésus lui dit : Femme, où sont ceux qui t'accusaient ? Personne ne t'a-t-il condamnée ? Elle répondit : Non, Seigneur. Et Jésus lui dit : Je ne te condamne pas non plus ; va, et ne pèche plus.* »

Évangile selon Jean, 8, 3-11, trad. Louis Segond,
Alliance biblique française, 1961.

ACTIVITÉS PORTANT SUR LA NOUVELLE *THE END*

Résumé :

Cette nouvelle est composée de trois parties. La partie initiale (pp. 29-31, *pp. 23-25*), rédigée à la troisième personne, présente l'assassinat d'un jeune homme, Pierre, d'un coup de feu, par un personnage resté mystérieux. La dernière ligne révèle qu'il s'agit d'une scène de théâtre.

Dans la deuxième partie (pp. 32-41, *pp. 25-35*), l'assassin de la pièce de théâtre prend la parole, à la première personne. On y apprend que Pierre est joué par Marc, et que c'est un acteur prodigieux. Le narrateur, lui, s'appelle Albert, et joue l'assassin. Il se présente comme *« un personnage effrayant »* (p. 33, *p. 27*). Il décrit Marc comme un perfectionniste, poussant tout le monde à bout. Il parle ensuite de leurs relations, de la façon dont Marc lui a fait retravailler son rôle, puis l'a associé publiquement au succès de la pièce. Et il dévoile ses sentiments : *« Alors Marc pour moi, c'est tout maintenant : un père au théâtre. Et dans la vie, un fils. Celui que je n'ai pu avoir. Nous passons de nombreuses soirées ensemble. »* (p. 40, *p. 34*)

Dans la troisième partie (pp. 41-43, *pp. 35-37*), Albert poursuit sa narration en décrivant une représentation théâtrale particulière : un célèbre réalisateur est dans la salle, *« venu pour Marc, uniquement pour Marc, afin de lui attribuer, dans son prochain film, le rôle qui fera de lui une vedette internationale. »* (p. 41, *p. 35*) La représentation s'achève par la mort véritable de Marc, que le public ne perçoit pas. C'est Albert qui l'apprend au lecteur : *« Marc ne se relèvera pas. Vous comprenez, je tenais tellement à ce qu'il soit meilleur que jamais, ce soir. C'est réussi. »* (p. 43, *p. 37*)

Au terme de cette nouvelle, s'il n'y a pas de doute sur l'identité du coupable, il y en a sur son mobile !

6

DES PERSONNAGES MYSTÉRIEUX

La première partie de la nouvelle ne dévoile que progressivement les trois personnages :

– la future victime, désignée par « *il* » dès les premières lignes, puis comme quelqu'un qui précédemment « *paraissait si jeune* », et qui maintenant « *a l'air d'un vieillard* » (p. 29, *p. 23*). Il redevient « *le jeune homme* » (p. 30, *p. 24*), puis, un peu plus loin dans le texte, le narrateur lui rend son prénom : Pierre. À la fin de la première partie, Pierre est désigné comme « *cadavre* » (p. 31, *p. 25*) ;

– l'assassin est d'abord évoqué par le biais d'un pronom personnel mis en relief dans le texte : « *Dans un instant,* il *sera là et* il *fera feu* » ; « *C'est* lui » (p. 30, *p. 24*). Par la suite, sa description reste vague : « *Puis la haute silhouette se profile sur le seuil. Les larges revers d'un chapeau dissimulent son visage.* » (p. 31, *p. 25*) ;

– le public de la pièce de théâtre est, des trois personnages, le plus mystérieux. En effet, le lecteur, à ce stade de la nouvelle, ne sait pas encore qu'on lui décrit une scène théâtrale. Il ne l'apprendra qu'à la fin de la première partie. Or le public est désigné à la fois par « *eux* », mis en relief dans le texte, et par des pronoms personnels pluriels sans distinction typographique particulière : « *Lentement, le jeune homme tourne son visage. Vers* eux. *Vont-ils tenter quelque chose pour lui venir en aide ? Ils le pourraient, vu leur nombre...* » (p. 30, *p. 24*) Quelques lignes plus loin, le narrateur ne s'interdit pas un peu d'humour noir, que le lecteur ne pourra comprendre qu'*a posteriori* : « *Peine perdue. Ils ne feront rien. Parce que le spectacle de la souffrance les ravit.* » (p. 30, *p. 24*) Naturellement, le lecteur s'interroge sur ces personnages mystérieux qui regardent le meurtre sans intervenir, mais seule la dernière phrase de la première partie lui permet de rétablir le sens : « *Le rideau tombe et la salle éclate en un tonnerre d'applaudissements.* » (p. 31, *p. 25*)

Pour bien faire percevoir aux adolescents ce dévoilement progressif des personnages, on leur proposera de transposer cette première partie en bande dessinée, avec pour consigne de maintenir le mystère aussi longtemps que le fait l'auteur de la nouvelle, ce qui les obligera à jouer avec les cadrages.

DES ASSASSINS POTENTIELS

Avant même de connaître le dénouement, le lecteur expert, conscient de lire une œuvre du genre policier, subodore que l'arme de théâtre, au lieu d'être chargée à blanc, servira à un meurtre véritable. Ce qui revient à désigner Marc comme la victime.

Toutefois, de façon stéréotypée, le lecteur s'interroge alors sur le meurtrier : qui est-il ? Question d'autant plus importante que la deuxième partie de la nouvelle suggère que plusieurs personnes peuvent être concernées.

Pour matérialiser ce dialogue du lecteur avec le texte, on demandera à chaque adolescent d'essayer d'imaginer, avant de lire la dernière partie, trois meurtriers crédibles (en s'appuyant sur le texte), ainsi que leur mobile. Puis on mènera le débat.

Par exemple, Jérémie n'apprécie guère les perpétuelles remontrances de Marc sur ses tâches professionnelles (p. 35, *p. 29*). S'il repart « *en rongeant son frein* », Jérémie peut fort bien décider de se venger. Or, c'est lui qui s'occupe des accessoires… et donc du pistolet !

Marine, la décoratrice, est également victime de l'attitude intrusive de Marc dans sa vie professionnelle. Et contrairement à Jérémie, elle ne mâche pas ses mots : « *Un de ces jours, je vais le saigner.* » (p. 36, *p. 30*) Il est donc facile d'imaginer qu'elle puisse passer à l'acte.

On peut également supposer que l'assassin soit un personnage encore caché dans les coulisses (procédé fréquent dans certains romans policiers où l'assassin n'apparaît que dans les dernières pages). Une femme abandonnée, par exemple ; ou un ami trahi ; ou quelqu'un bénéficiant financièrement ou professionnellement de la disparition de Marc.

D'autres indices peuvent laisser supposer que Marc lui-même organise sa mort. En effet, Albert confie au lecteur, au sujet de Marc : « *Je le sens si fragile. Parfois, j'ai peur qu'il ne fasse une bêtise.* » (p. 40, *p. 35*) Si Marc est effectivement suicidaire, il peut fort bien imaginer un suicide théâtral.

Et Albert lui-même, en dépit de ses proclamations d'affection, n'est pas exclu des assassins potentiels.

De fait, comme la troisième partie le dévoile, c'est bien Albert qui passe à l'acte. Mais il n'y a pas de suspense à cet égard. Ce qui rend le dénouement original, c'est la non-révélation du mobile, que le lecteur doit donc imaginer : jalousie, folie, peur de l'abandon, haine dissimulée... ?

LE MODE DE NARRATION

Chacune des trois parties de cette nouvelle est racontée par un narrateur différent. Dans la première partie, c'est un narrateur extérieur, à la troisième personne, avec focalisation sur le personnage de Pierre (joué par Marc). Il est remplacé par un narrateur qui dit « *je* » dans les parties suivantes ; c'est Albert, l'assassin de la pièce de théâtre, qui raconte alors. Mais le « *je* » n'a pas exactement le même statut dans la deuxième et dans la troisième partie.

Dans la deuxième partie, Albert, devenant narrateur, prend le premier rôle pour raconter au lecteur tout ce qui s'est passé avant – en quelque sorte les coulisses de la pièce de théâtre. Il s'implique même dans cette relation au lecteur, et lui fait des confidences : « *[...] pensez un peu !* », « *Vous comprenez [...]* » (p. 32, *p. 26*).

Dans la dernière partie, Albert, tout en continuant à raconter ce qui se passe à la première personne, reprend son rôle dans la pièce de théâtre, sauf que, de virtuelle parce que théâtrale, la scène de meurtre présentée impersonnellement dans la première partie devient alors réelle... tout en restant fictionnelle. Le lecteur a l'impression d'être aussi spectateur de théâtre ; son statut se dédouble. C'est pourquoi la fin est particulièrement forte, comme si le lecteur/spectateur, sachant pourtant qu'il assiste à une fiction théâtrale, était médusé de se retrouver dans la noirceur de l'illusion référentielle.

Du point de vue narratif, une question se pose, celle que le médiateur doit poser aux adolescents : pourquoi ce changement de narrateur est-il indispensable à l'effet de surprise final ?

Il n'y a pas forcément de réponse univoque, puisque toute lecture est une négociation avec le texte. Toutefois, par tous les indices dont il est porteur, un texte limite les interprétations possibles.

En l'occurrence, l'explication qui suit paraît vraisemblable :

– puisqu'au début de la pièce de théâtre, Albert tue fictivement Marc, le lecteur pense immédiatement à eux comme assassin et victime potentiels. Comme c'est effectivement le cas, il n'y aurait aucun suspense ;

– le jeu consiste alors, pour l'auteur, à choisir effectivement Albert comme assassin, et Marc comme victime, mais de tout faire pour détourner le lecteur de son hypothèse première ;

– pour y parvenir, il faut convaincre celui-ci qu'Albert est le meilleur ami de Marc ;

– or, qui peut mieux convaincre le lecteur, sinon Albert lui-même, qui devient dans la deuxième partie un narrateur en « *je* », proche du lecteur, et d'autant plus crédible qu'il paraît se confier à ce dernier ?

UNE CITATION SIGNIFIANTE

Lorsque dans la deuxième partie de la nouvelle, Albert parle de lui-même, de son apparence « *effrayante* », il cite le refrain d'une chanson d'Alain Souchon qu'il dit fredonner souvent : « *Allô, maman bobo, maman comment tu m'as fait j'suis pas beau !* » (p. 33, p. 27)

On fera rechercher le texte complet de cette chanson (plusieurs sites internet permettent d'y accéder). En le lisant attentivement, on se rendra compte que plusieurs passages peuvent aider à comprendre, ultérieurement, le mobile de l'assassin. Par exemple, les expressions suivantes : « *tout seul* », « *peut-être un p'tit peu trop fragil'* », « *J'suis mal à la scène et mal en vill'* », « *j'voulais [...] les ch'vaux, l'revolver* », « *J'suis mal en homme dur* ».

ARRÊT SUR IMAGE

Beaucoup d'indications sont données sur le jeu d'acteur de l'assassin de la pièce de théâtre, puisque Marc conseille Albert, afin de le faire mieux jouer (pp. 37-40, *pp. 30-34*). Par ailleurs, Albert se décrit de façon détaillée (pp. 32-33, *pp. 26-27*).

On demandera aux adolescents de réaliser un dessin représentant l'entrée en scène du meurtrier, en tenant compte de toutes les indications de la nouvelle, et donc après les avoir synthétisées.

PERCEVOIR
UNE TENSION DRAMATIQUE

À un endroit du texte (pp. 32-34, *pp. 26-28*), implicitement, se construit un jeu d'opposition entre le narrateur, qui a une « *gueule* » (on lui donne donc toujours le même type de rôle, sans lui demander de composer), et Marc, excellent comédien, vu par ce narrateur. En apparence, il n'y a pas d'affect négatif – Albert ne paraît pas jaloux. Mais l'opposition des descriptions permet au lecteur de percevoir une tension qui s'installe. On peut montrer cette opposition, terme à terme, entre les deux personnages, sur deux colonnes. Toute l'ambiguïté d'Albert vis-à-vis de son ami Marc se révèle là, même si Albert lui-même n'en a pas encore conscience – on dit alors que le lecteur en sait plus que le personnage.

La comparaison entre les deux colonnes fait apparaître la tension dramatique qui va déboucher sur le drame final.

L'acteur Albert par lui-même	*L'acteur Marc vu par Albert*
« J'ai ce qu'on appelle dans le jargon du métier une *gueule*. Je n'y peux rien, je suis né ainsi. » (p. 32, *p. 26*)	« Le talent de Marc est prodigieux. » (p. 32, *p. 25*)
« Quarante ans que je joue le même personnage, au cinéma comme au théâtre. » (p. 32, *p. 26*)	« Jamais je n'ai vu un acteur ayant à ce point le sens de l'improvisation. » (p. 32, *p. 26*)
« Jouer, pour moi, était devenu une sorte de train-train sans surprise, la routine. » (p. 32, *p. 26*)	« Marc refuse de la jouer [la scène finale] deux soirs de suite de la même façon. » (p. 32, *p. 26*)
« Lorsque j'ai commencé mes études d'art dramatique, je convoitais plutôt des rôles de jeune premier. » (p. 33, *p. 27*)	« Un peu le profil de Marc, justement. » (p. 33, *p. 27*)
« Je dois de plus reconnaître que je ne suis pas un comédien de la trempe de Marc, précisément. Il m'a toujours été	« Il interprète le rôle de Pierre d'une façon magistrale. » (p. 32, *p. 26*)

impossible de me glisser dans la peau du personnage comme on dit... Ça ne vibre pas, à l'intérieur. » (pp. 33-34, *pp. 27-28*)	
« Il m'avait dit [...] : "Je sais que tes camarades te ridiculisent, parce que tu n'as qu'une figuration dans la pièce." » (p. 37, *p. 31*)	« Il avait le rôle principal. » (p. 34, *p. 28*)

Le lecteur sent alors que l'assassinat véritable de Marc est peut-être, pour Albert, la seule façon d'improviser, de se glisser dans la peau d'un personnage réel, et tout ceci en rendant un hommage paradoxal à Marc.

Naturellement, ce comportement tient de la folie : Albert semble confondre le théâtre et la réalité. On pourrait presque dire, à un autre niveau d'analyse, qu'il n'est pas le seul à connaître cette confusion, puisque le public, à la fin, ne perçoit pas non plus la réalité du meurtre, et applaudit à tout rompre.

QUEL EST LE MOBILE D'ALBERT ?

Dans cette nouvelle, la première et la troisième partie mettent en scène, au sens propre, le mode opératoire du crime. La partie médiane devrait révéler au lecteur le mobile de cet acte. Toutefois, le caractère hétérogène de la narration à la première personne, dans cette partie centrale, ne permet pas de trancher. Le mobile reste hypothétique.

Quand un personnage de récit prend la parole, en tant que narrateur, on peut distinguer trois formes principales :

a) Le narrateur n'est pas le personnage principal, mais un ami de ce dernier qui en raconte l'histoire, comme le docteur Watson, chez Conan Doyle.

b) Le narrateur est le personnage principal, mais il y a dissociation temporelle. Autrement dit, le narrateur se situe dans un temps postérieur aux événements narrés, et il raconte l'histoire d'un personnage qui est lui-même – d'où l'utilisation des temps grammaticaux du passé.

c) Le narrateur et le personnage principal se confondent dans la même personne et dans le même temps. Le récit est alors au présent, et le lecteur est supposé découvrir les événements au fur et à mesure que le narrateur-personnage les vit.

On demandera aux adolescents de décider à quelle forme appartient la narration d'Albert dans la deuxième partie de la nouvelle. Ils se rendront compte qu'il est impossible de la déterminer. En effet, si le début de sa narration manifeste la forme **a)** – le personnage principal est alors Marc, son ami –, Albert alterne ensuite les formes **b)** et **c)**, évoquant au présent son physique, et au passé sa carrière, avant de revenir à la forme **a)** – l'arrivée de Marc dans la troupe, et son comportement. En revanche, la dernière partie de la nouvelle manifeste la forme **c)**.

Ces variations du mode de narration permettent au lecteur de percevoir l'ambivalence du personnage d'Albert, le futur assassin. Cette ambivalence va jusqu'à la scission d'Albert en deux personnages distincts, quand il parle de lui-même à la troisième personne : « *Personne ne m'avait jamais rien dit de tel. Aucun metteur en scène n'avait réclamé autre chose* d'*Albert* que d'apparaître avec son éternel Borsalino et de dégainer son fichu revolver. *Aucun metteur en scène n'avait jugé utile d'*éclairer *Albert!* » (p. 39, *p. 33.* C'est nous qui soulignons.)

On peut alors émettre l'hypothèse que ce mode de narration hétérogène trahit l'indécision d'Albert quant au fait de tuer réellement Marc. D'ailleurs, dans la dernière partie, la décision est prise, et la narration en « *je* » est homogène.

À partir de ces constats sur la narration, on proposera aux élèves d'essayer d'identifier le mobile d'Albert, et d'en débattre.

S'agit-il simplement de jalousie professionnelle, de la vengeance d'un mauvais comédien tuant un acteur exceptionnel, même si Albert ne s'en rend pas compte, puisque sa personnalité est dissociée?

Tue-t-il son ami afin que ce dernier se révèle un acteur plus exceptionnel encore que ce qu'il est, en jouant sa propre mort? Consciemment, Albert confie ce mobile au lecteur dans les deux dernières phrases de la nouvelle : « *Vous comprenez, je tenais tellement à ce qu'il soit meilleur que jamais, ce soir. C'est réussi.* » (p. 43, *p. 37*) C'est un raisonnement qui, naturellement, tient de la folie.

Ne peut-on pas même supposer que c'est Marc qui pousse Albert à le tuer, dans une sorte de suicide mis en scène. En effet, la mise en relief du verbe « éclairer », dans le propos d'Albert cité ci-dessus, attire l'attention du lecteur sur le rôle de Marc : c'est lui qui éclaire le personnage d'Albert, en lui inclinant la tête sous le projecteur. L'effet ainsi produit, commenté par Marc, est de faire apparaître Albert comme « *un être quasi diabolique* » (p. 39, *p. 34*). Et à la fin, Albert tue Marc en scène, après s'être arrêté « *sous la lumière un poil plus longtemps qu'à l'ordinaire* » (p. 43, *p. 37*), comme si Marc voulait révéler l'assassin sous l'acteur. Dans ce cas, on peut également émettre l'hypothèse que le mobile d'Albert est d'être lui-même, pour une fois, un acteur exceptionnel!

Le mode de narration hétérogène de la partie centrale suggère que le mobile d'Albert peut être composite, lui aussi. Le débat entre les élèves risque donc d'être animé, mais il n'épuisera certainement pas la polysémie de pareil texte.

UNE THÉMATIQUE

Depuis que Hamlet a utilisé le théâtre (acte III, scène 2 de la pièce de Shakespeare) pour rendre publique la façon dont son père avait été assassiné par l'amant de sa mère, le propre frère de feu le roi, le genre policier entretient des rapports privilégiés avec le théâtre.

Dans la série télévisée *Colombo*, par exemple, un épisode montre l'inspecteur en train de résoudre un meurtre commis à l'occasion d'une représentation théâtrale.

Au festival du crime de Saint-Nazaire, en 1990, une classe de cinquième a joué *La Nuit du long couteau,* une pièce de théâtre qui commence par l'assassinat public d'un personnage sur l'avant-scène. Quant à l'assassin insoupçonnable, c'est un aveugle !

Dans *Coups de théâtre* de Christian Grenier (Rageot, « Cascade policier », 1994), l'histoire commence par un spectacle théâtral : le rideau s'ouvre, Matilda est étendue par terre, un poignard planté dans le dos. Or elle a véritablement été assassinée !

Le Fantôme de l'auditorium, de R. L. Stine (Bayard poche, « Passion de lire », série « Chair de poule », trad. Jean-Baptiste Médina), appartient au genre fantastique. Mais si le coupable présumé est un fantôme, les exactions qu'il commet pendant les répétitions de la pièce de théâtre scolaire s'apparentent aux crimes du genre policier.

On demandera aux adolescents de réaliser une bibliographie thématique, grâce au multimédia, sur le thème général « crime et représentation théâtrale » (romans, nouvelles, pièces de théâtre, films, séries télévisées).

Cette recherche permettra d'introduire un travail sur l'intertextualité.

ACTIVITÉS PORTANT
SUR LA NOUVELLE
MAUVAIS PLAN

Résumé :

Le narrateur-personnage de cette nouvelle, Roupert, se révèle très vite, par son registre de langue, un personnage peu raffiné : « *les salauds* » (p. 45, *p. 5*), « *Merde* » (p. 45, *p. 5*), « *qu'est-ce qu'elle cocotte* » (p. 45, *p. 5*), « *elle a dû s'gourrer de bouteille* » (p. 45, *p. 5*), « *j'ai encore un pif* » (p. 46, *p. 6*), etc. Manifestement, il est immobilisé, attaché, et ne peut pas parler. Il se remémore alors deux scènes de son passé, qui se mélangent, les deux récits alternant dans la narration. La première scène concerne la femme de la villa, tabassée par le narrateur pour qu'elle lui révèle où se trouve la « *planque* » du « *fric* ». Cette femme mourra des suites de ses blessures. La seconde scène évoque un accident de moto : « *J'avais le nez contre l'arbre, ça a claqué dans ma tête* » (p. 46, *p. 6*) ; « *Sur l'herbe humide, affalé dans mon propre sang* » (p. 47, *p. 7*).

Roupert comprend alors qu'il est à l'hôpital, et il a peur de mourir, d'autant plus que, dans l'accident, il a perdu une boucle d'oreille fétiche, la seconde : « *Depuis que j'ai perdu la première, la poisse me poursuit. Si l'autre a disparu, ça voudra dire que j'vais claquer ici, à l'hosto.* » (p. 47, *p. 7*)

Plus tard, on lui annonce qu'il a dormi deux semaines et qu'il est hors de danger. Mais il a les deux jambes dans le plâtre, les bras et le buste bandés, et ses cordes vocales ne fonctionnent plus. Le médecin lui dit également que son visage a beaucoup souffert. Fort heureusement, le docteur Maupin, « *l'un des chirurgiens esthétiques les plus réputés* » (p. 51, *p. 11*), opère dans cette clinique.

Par clignements des paupières et en écrivant difficilement un mot, Roupert parvient à obtenir de l'infirmière des nouvelles de sa boucle d'oreille fétiche. Elle a été retrouvée, et l'infirmière promet à Roupert de la mettre près de lui pendant l'opération esthétique prévue le lendemain. De fait, avant de l'anesthésier, le chirurgien lui présente le fétiche.

Après l'opération, à son réveil, Roupert a l'impression d'avoir changé de mentalité : « *Je veux plus faire ce que j'ai fait avant* » (p. 59, *p. 19*) ; « *Un nouveau départ...* » (p. 59, *p. 19*).

Arrive le jour où le chirurgien vient ôter les pansements du visage de Roupert. Ils sont seuls dans la chambre. Le docteur Maupin a l'air content du résultat. Il tend un miroir à son patient qui voudrait alors pouvoir hurler : « *Ce truc complètement difforme, cette face d'éléphant qu'a plus d'yeux, qu'a plus d'bouche. Dites, c'est pas moi hein ?* » (p. 62, *p. 22*)

La nouvelle s'achève sur cette déclaration de Maupin qui, en même temps, rend à Roupert la première boucle d'oreille perdue : « *J'ai cette boucle d'oreille depuis sept ans. Je l'avais trouvée près du cadavre de ma femme, dans ma villa. Vous avez la paire, maintenant.* » (p. 62, *p. 22*)

SUPERPOSITION DE DEUX UNIVERS DE RÉFÉRENCE

Dès le début, le registre de langue du narrateur fait songer à un malfrat, tandis que d'autres références évoquent le milieu hospitalier : « *gaze* » (p. 45, *p. 5*), « *seringue* » (p. 46, *p. 6*), « *perfusion* » (p. 46, *p. 6*), etc.

Du coup, comme le narrateur ne paraît pas en mesure d'expliciter ce qui lui arrive, le lecteur hésite entre deux interprétations : est-il à l'hôpital après un accident, par exemple ? Ou a-t-il été capturé par des adversaires qui le tourmentent.

Les deux univers de référence se recoupent en partie, créant l'ambiguïté.

On demandera aux adolescents de faire la liste des éléments ambivalents, pour mieux leur faire percevoir la technique utilisée par l'auteur afin de produire cet effet particulier.

« *Et ils m'ont attaché, les salauds...* » (p. 45, *p. 5*)

« *J'ai les joues en feu.* » (p. 45, *p. 5*)

« *Qu'est-ce qu'ils m'ont fait ?* » (p. 45, *p. 5*)

« *J'peux plus bouger les lèvres. Du plomb. J'suis muet, ma parole.* » (p. 45, *p. 5*)

« *Les cliquetis métalliques* […]. » (p. 46, *p. 6*)

« […] *la pression des liquides dans les seringues.* » (p. 46, *p. 6*)

« *Ça me vrille les tempes. Merde, c'est pas soutenable.* » (p. 46, *p. 6*)

Etc.

SUPERPOSITION
DE TROIS VISAGES

Il y a parallélisme entre le visage martelé de la femme qui a été victime du héros, le visage abîmé de ce dernier, dans un accident, et le résultat de la vengeance du médecin.

On fera rapprocher les passages qui évoquent ces trois visages, pour montrer que c'est l'un des fils conducteurs de la nouvelle.

Le visage de la femme	Le visage de Roupert accidenté	Le visage de Roupert après opération
« C'est son visage que j'ai revu. Défiguré par les plaies. » (p. 47, *p. 7*)	« On a le même visage, maintenant. Défiguré. » (p. 47, *p. 7*)	« [...] cette face d'éléphant qu'a plus d'yeux, qu'à plus d'bouche [...]. » (p. 62, *p. 22*)

UN PORTE-BONHEUR
À CONTRE-EMPLOI

Roupert est réellement superstitieux. Il croit au pouvoir bénéfique de son fétiche, sa boucle d'oreille, au point d'en être obsédé et de vouloir absolument interroger l'infirmière à son sujet. En fonction de cette croyance, son raisonnement est logique : « *Depuis que j'ai perdu la première, la poisse me poursuit. Si l'autre a disparu, ça voudra dire que j'vais claquer ici, à l'hosto.* » (p. 47, *p. 7*) En fait, ces boucles d'oreilles font son malheur, mais le lecteur ne l'apprend qu'à la fin, et dans cette autre logique, la dernière phrase de la nouvelle est démonstrative : « *Vous avez la paire, maintenant.* »

La fonction narrative de cette superstition est de détourner l'attention du lecteur afin qu'il ne se demande pas immédiatement où Roupert a perdu la première boucle d'oreille.

En revanche, on demandera aux adolescents de rédiger une scène qui reste implicite dans le récit : le moment où le chirurgien aperçoit la boucle d'oreille de l'accidenté (l'infirmière signale qu'il la portait en arrivant, p. 55, *p. 15*).

Cela permettra de rendre explicite la coopération du lecteur, qui invente les fragments de récits restés dans l'ombre, dès qu'il dispose des éléments nécessaires.

UN NARRATEUR-PERSONNAGE UTILISANT DEUX REGISTRES DE LANGUE

Précédemment, à propos de la deuxième nouvelle, nous avons évoqué les façons dont le narrateur et le personnage se distinguent ou non, quand ils partagent le même « *je* ». Ici, la différenciation entre les deux rôles, celui du narrateur et celui du personnage, est particulièrement évidente.

On demandera aux élèves de relever, dans la nouvelle, des passages où Roupert-narrateur raconte l'histoire, assure le déroulement du récit, et des passages où il s'exprime en tant que personnage. Puis ils s'efforceront de caractériser le registre de langue de ces deux formes de discours.

Par exemple, en tant que narrateur, Roupert introduit les éléments du récit nécessaires à la compréhension de l'histoire par le lecteur (seul destinataire de ce type de discours) : « *Ça fait si longtemps. Au moins six ou sept ans maintenant...* » (p. 46, *p. 6*) ; « *Il avait beau hurler, s'égosiller, Claude, je continuais à cogner. Il a fallu qu'il m'arrache à elle.* » (p. 47, *p. 7*) ; « *Elle est morte le soir même de l'agression : Claude l'avait lu dans un journal.* » (p. 47, *p. 7*) ; etc.

Quand il narre, Roupert s'exprime donc dans un registre de langue courant, parfois presque recherché, comme en témoignent les mots « *s'égosiller* » ou « *agression* ».

En revanche, lorsque c'est le personnage qui s'exprime, son registre de langue est familier, voire très vulgaire. Trois cas peuvent alors se présenter :

Premier cas :

À cause de son bandage qui l'empêche de parler, Roupert ne peut s'adresser à un autre personnage qu'ultérieurement, virtuellement en quelque sorte : « *Pars pas ! Pars pas, bon dieu !...* » (p. 46, *p. 6*. Il s'adresse à l'infirmière.) ; « *Quoi ? Si j'étais pas attaché, j't'en collerais une, poufiasse!* » (p. 55, *p. 16.* Il s'adresse à l'infirmière.) ; « *Allez, vas-y! Au point où j'en suis! Accouche, bon dieu!* » (p. 51, *p. 11.* Il s'adresse au médecin.) ; etc.

Deuxième cas :

Le plus souvent, c'est par un monologue intérieur, s'adressant donc principalement à lui-même, que Roupert, en tant que personnage, s'exprime. Mais les adresses au lecteur dont ce monologue est chargé prouvent que celui-ci est le véritable destinataire du discours : « *Cinq fois qu'elle vient me tamponner le visage avec sa foutue gaze. Pour rien. Ça soulage pas. Remarque, elle est jolie.* » (p. 45, *p. 5*) ; « *Merde! Ma boucle d'oreille! Mon fétiche! Me dites pas qu'elle est restée dans l'herbe, là-bas ?* » (p. 47, *p. 7*) ; « *Remarque, pour le moment, ils peuvent pas m'entendre. Vu que j'suis toujours muet. Motus, bouche cousue.* » (p. 59, *p. 19*) ; etc.

Troisième cas :

Roupert ne peut communiquer réellement avec d'autres personnages que par écrit. Et alors, non seulement le registre de langue est argotique, mais il fait des fautes d'orthographe : « *S'est vou qu'aller me dépiauté la tronche ?* » (p. 60, *p. 20*)

Ainsi, le personnage n'est pas capable des mêmes performances langagières que le narrateur, alors qu'il s'agit de la même personne. Cela peut paraître surprenant. On fera alors remarquer aux élèves qu'il existe une convention, un contrat implicite que l'auteur passe avec le lecteur, qui permet de faire accepter à ce dernier qu'un dysorthographique s'exprimant vulgairement soit capable de narrer l'histoire correctement.

DE L'IMPORTANCE DU NEZ

Nicolas Gogol, dans une nouvelle fantastique et humoristique, *Le Nez*[1], raconte la peur du barbier Yakovlévitch quand il trouve, dans le petit pain de son déjeuner, un nez. Nez dont la disparition est constatée, au même moment, par son légitime propriétaire.

Dans une veine philosophique, on connaît la réflexion de Pascal sur la longueur du nez de Cléopâtre, nez qui a donné à bien d'autres auteurs l'occasion d'exercer leur verve. Dans le ton tragi-comique, on peut évoquer la célèbre tirade de *Cyrano de Bergerac*.

En revanche, le ton devient tout à fait tragique quand on se réfère à *Elephant Man*, le film de David Lynch, comme c'est le cas à la fin de la nouvelle *Mauvais Plan* : « *Cette face d'éléphant qu'a plus d'yeux, qu'a plus d'bouche. Dites, c'est pas moi hein ?* » (p. 62, *p. 22*) La monstruosité du héros de cinéma est notamment focalisée sur l'appendice nasal, démesuré. Quand Roupert découvre sa tête de « *monstre* » (p. 61), il ne parle certes pas du nez, mais la référence à l'éléphant permet au lecteur de s'en faire une idée.

Cela dit, tout au long de la nouvelle, il est fréquemment question de nez. Dès le début, l'auteur connaît évidemment l'image de monstre que le chirurgien a dans la tête, et prépare donc le terrain. (À propos de monstre, notons aussi qu'à la différence du personnage de Lynch, Roupert manifeste une monstruosité morale.) On demandera donc aux adolescents de lister les références au nez et à l'odorat, afin qu'ils constatent comment elles préparent la conclusion.

« *[...] les picotements sur les paupières, les narines.* » (p. 45, *p. 5*)
« *Y a quelque chose qui coule dans mon nez.* » (p. 45, *p. 5*)
« *Mais qu'est-ce qu'elle cocotte ! Avec quoi elle a pu s'asperger ? Elle a*

---

1. On trouvera notamment ce texte, avec d'autres nouvelles de Gogol, chez Gallimard, « Folio », n° 1100.

dû s'gourrer de bouteille. Elle a confondu la vinaigrette avec le déodo...
Tiens, à défaut de lèvres, j'ai encore un pif. » (pp. 45-46, *pp. 5-6*)
« *J'avais le nez contre l'arbre* [...]. » (p. 46, *p. 6*)
« *Vinaigrette, plus une pointe de fruits de la passion. On a pas idée de*
s'asperger avec un truc pareil. Ça m'donne envie d'éternuer... N'empêche,
c'est bon d'ouvrir les yeux sur un parfum de femme. » (p. 48, *p. 8*)
« *Je pense même que vous aurez un nez plus fin qu'à l'origine... Ça ira?* »
(Propos du chirurgien, p. 57, *p. 17.*)
« *Qu'est-ce qu'il me chante là? Mon tarin, j'en ai rien à battre. C'que*
j'veux pas, c'est clamser. » (Réponse intérieure de Roupert, p. 57, *pp. 17-*
18.)
« *Miss Vinaigrette est de plus en plus jolie. Elle schlingue un peu moins.*
Elle a compris que son parfum, j'y étais allergique. Un matin, j'ai telle-
ment éternué que mon pansement a failli sauter... » (C'est après l'opération, pp. 59-60, *p. 20.*)
« *Ses yeux se posent sur mon front, mon nez, mon menton* [...]. *Il a l'air*
satisfait. » (Quand le médecin retire les pansements, p. 61, *p. 21.*)

UNE VENGEANCE PROFESSIONNELLE

Dans cette nouvelle, la vengeance est directement liée à une profession : le chirurgien esthétique déforme volontairement le visage de sa victime. D'ailleurs, dans les trois nouvelles, la vengeance est liée à la profession : dans *Justice*, c'est parce que l'avocat est en relation avec des tueurs professionnels qu'il peut commanditer l'assassinat de son client. Dans *The End*, la vengeance s'inscrit dans le milieu du théâtre professionnel.

Sur le même modèle, il est possible d'imaginer d'autres situations liant une vengeance à une profession. Comment se vengeraient, par exemple, un boucher, un dentiste, un guide de haute montagne, un gardien de zoo, un technicien de centrale nucléaire, un garagiste, un chimiste, un informaticien, un pompier, un grutier, un pilote, un cuisinier... ?

ACTIVITÉS PORTANT SUR LES TROIS NOUVELLES

ORGANISER UN « PROCÈS LITTÉRAIRE »

La première nouvelle met en scène un procès. C'est donc l'occasion d'organiser l'animation qu'on appelle le « procès littéraire[1] ».

Le procès, préparé et joué par les jeunes qui se partagent les rôles (procureur, avocats de la défense, juge, huissiers, témoins...), porte sur un livre mis fictivement en accusation. Cela permet donc d'obtenir une lecture plurielle d'un même texte.

En l'occurrence, le chef d'accusation pourrait être, par exemple : « *Le procureur de la République a reçu une plainte émanant de l'association de défense de la masculinité accusant le livre* Mauvais Plan *de ne présenter que des coupables masculins, alors que les femmes évoquées sont toutes victimes des hommes.* »

---

1. Voir la description de cette activité dans *Activités de lecture à partir de la littérature de jeunesse*, Hachette Éducation, 2000, p. 313.

LE MILIEU SOCIAL
DE RÉFÉRENCE

tue principalement dans un milieu social que l'on ne repère
'emblée. Les professions des personnages sont révélatrices
core faut-il distinguer les personnages principaux, les
daires et les personnages décors (ces derniers sont
sent pas).

lever, dans les trois nouvelles, les professions des
s étant répartis en trois colonnes. Que peut-on en
cial de référence ?

	onnages secondaires	Personnages décors
	ardini : médecin	– mère d'Adeline : femme de ménage
	c (*Justice*) : le maison	– père d'Adeline : ouvrier
	r : tueur pro-	– Von Logt (*The End*) : ?
	sseur	– femme de Von Logt : ?
	oratrice	– Claude : malfrat
	(*The* cène	– « toubibs » : étudiants en médecine
	à	– femme de Maupin : ?
		– Myriam (*Mauvais Plan*) : ?

i-
ah

son
rs de
délire,

i Borer,
e réelle-

rofession,

r Albert, le
ctivité 12) ;
eu lieu (l'en-
upable), dans
u dès le début,
. Quant à l'en-
stice, puisqu'elle
re condamner le
Mauvais Plan, et
emme de Maupin.

mmun qui constitue
de victime et de cou-
ence le fait que, dans
sont, en même temps,

LA DOUBLE FONCTION
DES PERSONNAGES

Référées au schéma de la première partie de cet ouvrage (p. 31) conce
nant les caractéristiques du genre policier, les trois nouvelles de Sa
Cohen-Scali ont bien des points communs :

– elles commencent par un assassinat : le docteur Chenet avoue à
avocat avoir tué sa femme ; Albert tue Marc – il s'agit certes alc
théâtre, mais le lecteur ne le sait pas encore – ; et Roupert, dans son
évoque le meurtre d'une femme, encore anonyme ;

– elles s'achèvent par un crime, au sens juridique du terme : Hen
commandité par l'avocat, vient tuer le docteur Chenet ; Albert t
ment Marc ; Maupin défigure Roupert ;

– le mode opératoire du crime final est directement lié à une
comme nous l'avons mis en évidence dans l'activité 19 ;

– le mobile du crime final est la vengeance (même si, pot
mobile est plus ambigu, comme nous l'avons montré dans l

– à l'inverse du récit policier traditionnel où le crime a déjà
quête s'efforçant alors de le reconstituer pour trouver le c
ces trois nouvelles, le coupable du premier crime est con
et le coupable du crime final n'est nullement mystérieu
quête, elle a déjà eu lieu quand commence l'histoire de *Ju*
est évoquée lors du procès, mais n'a pas permis de f
coupable. L'enquête n'est évoquée qu'allusivement dar
n'a pas identifié Roupert comme le meurtrier de la
Enfin, dans *The End*, il n'y a pas du tout d'enquête.

Dans ces trois nouvelles, on trouve un autre point c
le moteur dramatique et qui concerne les fonctions
pable. On demandera aux élèves de mettre en évi
les trois nouvelles, tous les personnages principau
victimes et coupables.

Voici quelques éclaircissements :

Dans *Justice*, le docteur Chenet, coupable du premier meurtre, devient la victime du meurtre final. Adeline Chenet, victime de son mari, est présentée, dans la plaidoirie de l'avocat, comme une femme fatale, coupable d'avoir épousé Chenet pour améliorer sa situation sociale, coupable de l'avoir trompé ; et finalement, ces arguments sont suffisamment forts pour faire acquitter le docteur Chenet. Quant à l'avocat, il est victime du docteur Chenet lorsque ce dernier, lui confiant sa propre culpabilité, le met en situation de « double impasse », mais il devient le coupable du crime final, par le truchement de Borer, assassin professionnel.

Dans *The End*, Albert est victime de Marc dans la mesure où le talent exceptionnel de ce dernier souligne plus encore sa médiocrité en tant qu'acteur, ce que renforce le fait que Marc tente d'améliorer le jeu d'Albert. Marc est également coupable d'avoir harcelé toute la troupe :

> *« Certes, il avait le rôle principal. Mais était-ce une raison pour avoir l'œil sur tout, absolument tout ? Pour se substituer même au metteur en scène ? Le régisseur et la décoratrice ont cru devenir fous. »* (p. 34, p. 28)

Albert se montre ensuite coupable du meurtre final, et Marc est la victime.

Dans *Mauvais Plan*, Roupert, assassin de la femme de Maupin, devient victime du chirurgien esthétique à la fin de l'histoire, et, à l'inverse, Maupin, victime de Roupert dans le sens où il a tué son épouse, devient le coupable final.

CRÉER LA SURPRISE

Comme il s'agit d'histoires courtes, il n'est pas aisé d'établir une fausse piste, comme dans les romans. Or l'auteur y parvient, afin que le lecteur, inconsciemment, cherche des indices confortant cette fausse piste, et prête moins d'attention aux indices réels conduisant à la vraie solution. On peut mettre en évidence les trois fausses pistes et les indices qui, bien interprétés, conduisent à la vraie solution.

Dans la première nouvelle, la fausse piste consiste à faire supposer au lecteur que l'avocat, « *écœuré* », comme il le dit lui-même, va dénoncer son client au cours du procès. Tout concourt à le faire croire : les aveux cyniques du coupable, à la veille du procès, qui mettent l'avocat dans une situation intenable ; les déclarations de l'avocat à son client ; la forme de la plaidoirie, où l'avocat feint d'accuser son client – mais, en fait, pour l'innocenter de ce dont il est accusé. Du coup, le lecteur porte moins attention aux malversations passées de l'avocat[1] qui, d'une part, lui interdisent de « retourner sa veste » au cours du procès mais, d'autre part, le déterminent à passer contrat, ultérieurement, avec un tueur.

Dans la deuxième nouvelle, si le lecteur subodore dès le départ que l'arme de la pièce de théâtre va finir par donner réellement la mort, s'il soupçonne ensuite l'assassin virtuel de devenir assassin réel, puisqu'il n'y a que deux personnages principaux, ce lecteur est détourné vers une fausse piste par les déclarations d'amitié de l'assassin envers sa future victime. Il attend alors un autre personnage, une autre histoire, sans plus prêter attention au fait que des déclarations d'amitié sincères peuvent dissimuler une féroce jalousie professionnelle, ou d'autres sentiments ambigus.

Dans la troisième nouvelle, la fausse piste repose sur le parallélisme entre la situation du blessé et celle de la femme qu'il a tuée. Dans les deux cas,

---

1. « *Vous avez l'habitude de défendre de grands criminels et puis, ce ne sera pas la première fois, cher maître, que vous ferez acquitter un coupable. De même qu'il vous est arrivé, au cours de votre brillante carrière, de faire accuser un innocent.* » (p. 13, p. 65)

le visage est détruit. Cela ressemble d'abord à une forme de vengeance, puisqu'en raison de la confusion du narrateur, on ne sait pas s'il a été victime d'un attentat ou d'un accident. Quand on apprend qu'il s'agit d'un accident, on songe à une forme de justice immanente. Ce faisant, le lecteur prête moins attention à la perte de la première boucle d'oreille, qui conduit à la véritable fin.

UNE FORME LITTÉRAIRE : LA NOUVELLE

Le roman et la nouvelle ont en commun d'être deux formes narratives, longue pour celui-ci, courte pour celle-là, ce qui les oppose. Ces deux formes littéraires sont devenues dominantes au XIXᵉ siècle, le roman grâce aux éditeurs et libraires, la nouvelle par le truchement de la presse. Au siècle suivant, le roman a pris le pas sur la nouvelle, si bien que l'on trouve peu d'approches théoriques sur cette forme littéraire[1].

La seule définition que l'on puisse donner de la nouvelle est la suivante : texte narratif court. Belzane et Daire, qui ont élaboré un dossier sur la nouvelle dans *Textes et documents pour la classe*[2], au travers d'une approche historique, comparative et terminologique, mettent l'accent sur *« les deux caractéristiques principales du genre, sa narrativité et sa brièveté. »* (p. 9) De son côté, Évrard évalue la longueur d'une nouvelle à moins de quarante pages. Tout ceci nous permet d'opposer la nouvelle :

– à la principale forme **narrative** longue : le roman ;
– à d'autres formes courtes, mais **non narratives** : les textes fonctionnels, les articles de presse, les poèmes.

La brièveté de la nouvelle est destinée à permettre qu'elle soit lue en une fois, ce qu'ont souligné Gide et Poe, afin de préserver ce que ce dernier nomme *« l'unité d'impression »*. Or cette brièveté détermine les caractéristiques de la nouvelle, la distinguant du roman :

– une seule intrigue et des péripéties peu nombreuses ;
– des actants en petit nombre. Même s'il y a de nombreux personnages, beaucoup ne sont que des silhouettes ;

---

1. Voir : F. Évrard, *La Nouvelle*, Seuil, « Mémo », 1997 ; T. Oswald, *La Nouvelle*, Hachette Supérieur, « Contours littéraires », 1996 ; ou, plus ancien, le numéro 87 du *Français aujourd'hui*, consacré à cette forme, paru en 1989.
2. « La nouvelle, un genre à part », *TDC*, n° 776, CNDP, 1999.

– une durée narrative brève;
– un lieu d'action unique, même si d'autres endroits sont cités.

On constatera que la brièveté du genre oblige l'auteur à recourir constamment à l'ellipse. Une nouvelle est un texte narratif qui, par la pratique de l'ellipse, s'efforce de faire naître dans la tête du lecteur l'impression d'un univers aussi vaste que celui d'un roman.

On demandera aux adolescents d'étudier successivement les caractéristiques de l'écriture elliptique dans chacun des textes :

– une seule intrigue, l'histoire d'une vengeance, mais gérée de sorte que le lecteur perçoive une imbrication de péripéties (voir les procédés de narration étudiés dans les activités 4, 6, 7, 8, 11, 12, 14, 15, 17, 19, 22, 23);
– des actants en petit nombre, qui sont des personnages principaux tour à tour, selon les changements de focalisation narrative. Ils ne sont pas décrits, sauf Albert dans la deuxième nouvelle. Ce sont des personnages stéréotypés[1];
– une durée narrative brève, que le lecteur doit reconstituer seul, puisqu'il n'y a pas d'indications de temporalité entre les péripéties;
– un lieu d'action principal : le tribunal, le théâtre, l'hôpital. Mais ces lieux sont seulement référentiels; ils ne sont pas décrits en particulier. Le lecteur doit donc les reconstituer lui-même s'il veut en évoquer l'image mentale. D'autres lieux, secondaires, sont évoqués : le cabinet du docteur Chenet, l'endroit où Marc et Albert passent « *de nombreuses soirées ensemble* », la maison du crime dans *Mauvais Plan*, mais ces lieux n'ont pas de rôle précis;
– de nombreuses péripéties restent allusives ou ne sont même pas décrites : le procès, la pièce de théâtre, le meurtre de la femme de Maupin, l'accident de moto...

La coopération du lecteur est donc fortement sollicitée par le genre de la nouvelle.

Une activité complémentaire peut être proposée aux adolescents pour leur permettre de mieux percevoir ce genre particulier : que faudrait-il ajouter à chaque nouvelle pour la transformer en roman? Personnages, descriptions, lieux, péripéties, scènes, explicitations...

Beaucoup d'écrivains de nouvelles policières, notamment aux États-Unis, ont eux-mêmes pratiqué cette activité, publiant d'abord la nouvelle dans une revue, puis la réécrivant pour en faire un roman.

---

1. Ruth Amossy et Anne Herschberg-Pierrot, *Stéréotypes et clichés, langue, discours, société*, Nathan, 1997.

DES MUETS QUI S'EXPRIMENT

Dans chacune des trois nouvelles, un des personnages est privé de l'usage de la parole, et cela constitue le levier de l'action.

On demandera aux élèves de mettre en évidence le fait que la privation de la parole est à l'origine du passage à l'acte final.

Dans la première nouvelle, le docteur Chenet avoue avoir tué sa femme à son avocat. Or ce dernier est obligé de se taire, alors que son métier repose sur la parole. Il est même obligé de faire une plaidoirie mensongère – qui reste donc muette sur les faits réels connus de l'avocat. Maître Barois passe alors à l'action en engageant un tueur.

Dans la deuxième nouvelle, Albert, dont le métier d'acteur est aussi celui de la parole, doit se contenter, depuis des années, de rôles muets. Il ne supporte pas d'être ainsi réduit au silence, et son acte criminel lui permet, virtuellement, de retrouver la parole : il a quelque chose à raconter au public lecteur, puisqu'on lui interdit la parole sur scène.

Le narrateur de la troisième nouvelle est rendu muet par son accident – bien qu'il assume son rôle de narrateur. C'est parce qu'il ne peut pas parler que la scène concernant sa boucle d'oreille prend une telle importance. Cela conduit l'infirmière à dire : « *Je vous promets de demander au docteur Maupin la permission de la [la boucle d'oreille] poser quelque part, à proximité de la table d'opération.* » (p. 55, *p. 16*) C'est ainsi que le docteur Maupin peut identifier Roupert comme le meurtrier de sa femme, et passer à l'acte.

En mettant en évidence le rôle de la parole dans chacune des histoires, les élèves comprendront l'ambiguïté de chaque nouvelle, qui repose sur le décalage entre le dire, le non-dire et le faire.

26

LA CHUTE DE L'HISTOIRE

Comme activité d'écriture, pour chacune des trois nouvelles, on peut faire imaginer une chute différente en changeant le coupable, ce qui revient à faire réécrire intégralement chaque texte.

Pour la première nouvelle, ce serait l'employée de maison qui témoignerait au procès.

Pour la deuxième nouvelle, le metteur en scène, qui n'apparaît à aucun moment, pourrait être l'assassin.

Pour la troisième nouvelle, l'infirmière, qui dialogue longuement avec le patient, serait coupable.

En fait, pour que les nouvelles restent cohérentes, il s'agit alors :

– d'inventer un mobile crédible à chaque nouveau meurtrier. Par exemple, dans la deuxième nouvelle, le metteur en scène pourrait très bien avoir été évincé, puisque Marc s'est manifestement substitué à lui. Ce serait alors une vengeance ;

– de modifier les éléments de la nouvelle qui ne correspondent plus à la chute inventée. Par exemple, dans la première nouvelle, le docteur Chenet, qui ne serait pas coupable, ne pourrait faire un aveu à son avocat, à moins de vouloir protéger son employée de maison, ce qui constituerait un nouveau rebondissement à justifier. Par amour ? Si oui, il faudrait modifier le personnage de l'employée de maison. Parce qu'elle le fait chanter ? Dans ce cas, il faudrait trouver quelle grave malversation du médecin permet ce chantage ;

– d'introduire des allusions qui prendront sens ultérieurement quand on connaîtra le coupable. Par exemple, dans la troisième nouvelle, il est possible d'imaginer que c'est la sœur de l'infirmière qui a été tuée par Roupert ; que c'est elle qui a reconnu la boucle d'oreille ; et qu'elle se sert du chirurgien comme exécutant, parce qu'elle sait qu'elle est la seule à connaître la responsabilité de celui-ci dans le décès de plusieurs patients. Dans ce cas, elle peut penser à sa sœur défunte, ou en parler, et aussi avoir une attitude dubitative quand est évoquée l'excellence professionnelle du docteur Maupin.

ÉCRITURE
D'UNE NOUVELLE POLICIÈRE

On fera réaliser par les adolescents un jeu de cartes dont chacune correspondra à l'un des personnages principaux des nouvelles du recueil. On y inscrira leurs caractéristiques physiques et psychologiques, leurs modes d'action et de réaction.

Dans la première nouvelle, on mettra en carte Chenet, sa femme et Barois ; dans la deuxième, Marc et Albert ; dans la troisième, Roupert, « Miss Vinaigrette » et Maupin.

On disposera donc de huit cartes. Le jeu consiste alors à les battre, à en tirer deux au hasard, puis à imaginer une intrigue policière liant les deux personnages de façon qu'il y ait cohérence avec leur caractère. L'intrigue doit avoir un mobile et un mode d'assassinat. D'autres personnages, d'autres lieux peuvent naturellement être introduits.

LA PERSONNALITÉ
DES VICTIMES FINALES

Selon la façon dont ils sont présentés par le narrateur, les personnages d'une histoire apparaissent au lecteur plus ou moins sympathiques. Dans *Justice*, le médecin est présenté comme un personnage intégralement négatif. Dans *The End*, Marc est décrit de manière quasi absolument positive. Et dans *Mauvais Plan,* le malfrat apparaît comme un personnage plus ambigu (à la fin, par exemple, il décide de changer de vie).

On fera étudier les procédés qui influencent le lecteur pour lui faire percevoir les trois héros de cette façon : cynisme du docteur Chenet, excellence de Marc vu par un admirateur, vie intérieure de Roupert, par exemple.

LITTÉRATURE COMPARÉE (1)

Dans le recueil collectif de nouvelles policières *Crimes et/sans châtiments* (Hachette, « Courts toujours », 1997), on trouvera un texte d'Olivier Delau : *Ne devenez jamais l'homme à tout faire d'une star.*

On proposera aux adolescents de le lire et de le comparer aux trois nouvelles du recueil de Sarah Cohen-Scali, en leur demandant de relever des parentés. Ce qui permettra ensuite d'amorcer un débat sur la nouvelle policière.

Quelques parentés entre *Ne devenez jamais l'homme à tout faire d'une star* et le recueil *Mauvais Plan* :

– comme le narrateur de la troisième nouvelle de Sarah Cohen-Scali, le narrateur à la première personne du texte de Delau utilise un registre de langue familier ;
– en relation avec le même texte, on remarque l'utilisation d'un procédé similaire d'allusion à un objet jouant un rôle essentiel dans la vengeance finale : la boucle d'oreille *(Mauvais Plan)*, le ruban bleu *(Ne devenez jamais...)* ;
– comme dans *The End*, il s'agit de l'univers du spectacle ;
– on trouve la même relation ambivalente (amitié/autorité dominatrice) entre Martial et le narrateur *(Ne devenez jamais...*, pp. 121-122), qu'entre Marc et Albert *(The End*, pp. 36-41, *pp. 30-35)* ;
– comme le narrateur de *The End*, celui de *Ne devenez jamais...* ne confie qu'au lecteur qu'il est l'assassin ;
– espace (un seul lieu) et temps (réduit) similaires.

Mais, à la différence des trois nouvelles du recueil *Mauvais Plan*, le texte de Delau unit le genre policier et la science-fiction : le personnage de Martial a le pouvoir de s'élever dans les airs ; il est relié au sol par un ruban bleu qui l'empêche de s'envoler « *vers les étoiles les plus lointaines* » (p. 128). Mais le narrateur a frotté à la pierre ponce la partie la plus élimée du ruban…

LITTÉRATURE COMPARÉE (2)

Après l'approche comparative précédente, assez simple, sera proposée une activité plus complexe : comparer les trois nouvelles de Sarah Cohen-Scali à deux recueils de nouvelles d'auteurs divers :

– *Pages noires*, Gallimard, 1995 ;
– *Menaces. Anthologie de la nouvelle noire et policière latino-américaine* (textes choisis par Olver Gilberto de León), L'Atalante, 1993.

Il s'agira principalement de mettre en évidence les parentés entre les nouvelles policières, quel que soit leur sous-genre (« noir », énigme, thriller, etc.) ou leur lieu de production. Et d'affiner les critères de détermination de la forme de la nouvelle.

TROISIÈME PARTIE

ACTIVITÉS PÉDAGOGIQUES
À PARTIR DU GENRE POLICIER

AVANT-PROPOS

À l'inverse de la partie qui précède, nous avons essayé, dans celle-ci, d'utiliser un très grand nombre de nouvelles et romans du genre policier, en privilégiant la diversité.

Au cours des enquêtes que nous avons menées pour préparer cet ouvrage, nous avons fréquemment rencontré des amateurs du genre (comme en témoignent certaines activités), mais tout aussi souvent des personnes affirmant : « *Moi, je n'aime pas les romans policiers.* » Renseignements pris, nous avons constaté, chaque fois, que ces personnes identifiaient le genre à un seul roman lu, qui ne leur avait pas plu. Un Agatha Christie, par exemple, étudié au collège – et comment savoir, alors, si c'était le livre ou la méthode qui les avait rebutées ? Ou bien un roman noir, dont la violence leur avait été insupportable.

Ces mêmes personnes déclaraient fréquemment, ensuite, aimer lire des romans historiques, ou des livres enracinés dans la réalité contemporaine, ou encore des récits drôles. Or, dans sa diversité, le genre policier peut être historique, drôle, ou décrire la société d'aujourd'hui.

Nous avons donc choisi de diversifier nos exemples, de faire référence à des polars de toutes les catégories, afin de permettre à chacun de trouver des livres en accord avec ses propres goûts. Et nous voulons également élargir la représentation trop étroite que l'on se fait habituellement du genre policier.

Dans le même ordre d'idée, nous nous appuyons aussi bien sur la littérature de jeunesse que sur les livres policiers parus dans des collections destinées aux adultes. Pour faciliter la mise en œuvre des activités proposées, nous distinguons souvent, dans les listes de livres pouvant être utilisés, ceux qui s'adressent aux plus jeunes et ceux qui s'adressent aux moins jeunes. Et l'on peut également se reporter à la bibliographie générale, où l'on trouvera un classement par tranches d'âge.

TÉLÉ-EXPO

La télévision diffuse de nombreux films et séries adaptés de romans policiers. Par exemple, dans les programmes de la dernière semaine d'août 2000, on trouve les séries suivantes :

– *Sherlock Holmes*, sur TMC, d'après Arthur Conan Doyle ;
– *Coplan*, sur TMC, d'après Paul Kenny ;
– *Perry Mason*, sur TSR, d'après Erle Stanley Gardner ;
– *Maigret*, sur France 2, d'après Georges Simenon ;
– *Julie Lescaut*, sur TF1, d'après Alexis Lecaye.

Nous avons aussi pu repérer les films suivants :

Sur Ciné cinémas :
– *Soleil levant* (Kaufman, 1993), d'après le roman de Michael Crichton (Pocket, 1995) ;
– *Radio corbeau* (Boisset, 1988), d'après le roman de Yves Ellena (L'Instant noir, 1987) ;
– *Le Chat* (Granier-Deferre, 1971), d'après le roman de Georges Simenon (Pocket, 1992).

Sur Polar :
– *Les Trente-Neuf Marches* (Thomas, 1959), d'après le roman de John Buchan (Flammarion, « Père Castor », 1995).

Sur 13e rue :
– *Le Serpent* (Verneuil, 1972), d'après le roman de Pierre Nord : *Le Treizième Suicidé* (Flammarion, 1969).

Sur Cinétoile :
– *La Valse du gorille* (Borderie, 1959), d'après le roman d'Antoine Dominique : *La Valse des gorilles* (Gallimard, « Carré noir », 1990).

Sur TCM :
– *Le facteur sonne toujours deux fois* (Garnett, 1946), d'après le roman de James Cain (Gallimard, « Folio policier », 2000).

Sur Cinéfaz :
– *L'Homme aux yeux d'argent* (Granier-Deferre, 1985), d'après le roman de Robert Rossner (J'ai lu, 1986).

Sur TSR :
– *Mesure d'urgence* (Apted, 1996), d'après le roman de Mickaël Palmer (Pocket, 1997).

Sur Action :
– *Miami blues* (Armitage, 1989), d'après le roman de Charles Willeford (Rivages, 1991).

Il n'est pas facile d'effectuer ces repérages, d'abord parce que le genre cinématographique indiqué pour ces films adaptés d'œuvres policières est variable : action, policier, comédie, thriller, aventures, suspense, espionnage, drame, comédie dramatique... Ensuite parce que le livre de référence et son auteur ne sont pas mentionnés, la plupart du temps.

Dans un premier temps, on demandera donc aux élèves d'effectuer un repérage de films susceptibles d'être adaptés de romans policiers, à partir du titre et du résumé.

Dans un deuxième temps, on leur fera effectuer une recherche sur Internet, de nombreux sites répertoriant les films et donnant accès à leur générique (par exemple : mcinema.com) ; ou bien, on regardera directement sur 3615 ELECTRE, puisque les films reprennent presque toujours les titres des livres.

Dans un troisième temps, il s'agira de rechercher le maximum de ces livres dans une bibliothèque (ou d'en acheter en librairie), puis de les exposer au CDI, avec une affiche explicative.

Cette activité peut être renouvelée périodiquement. Elle incite à lire, fait percevoir aux élèves les relations entre l'écrit et l'audiovisuel, et leur permet d'explorer le genre policier dans ses différents aspects, en utilisant des technologies complémentaires.

COMPARER UN ROMAN À SON ADAPTATION CINÉMATOGRAPHIQUE

Du roman à énigme d'Agatha Christie, *Mort sur le Nil*[1], un film a été réalisé[2], qui raconte le crime de manière différente, bien que restant fidèle au livre.

Résumé :

Une riche héritière anglaise, Linnet Ridgeway, engage Simon Doyle comme intendant principal de son domaine, sur la demande insistante de la fiancée de celui-ci, la grande amie de Linnet, Jacqueline de Belmont.

Peu de temps après, Linnet est devenue Mrs. Doyle, et les nouveaux mariés font une croisière sur le Nil pour leur lune de miel. Sur le bateau, Jacqueline les harcèle de sa présence. Hercule Poirot en est témoin – il est en vacances. Il retrouve à cette occasion son ami, le colonel Race, qui est à la poursuite d'un meurtrier dans le livre, mais également en vacances dans le film. Sur le bateau se trouve également une pléiade de personnages en croisière, dont un certain nombre n'a pas été repris dans le film.

Lors de la visite d'un temple égyptien, Linnet manque d'être tuée par la chute d'une grosse pierre. Après enquête, Poirot conclut que ce n'est pas le fait de Jacqueline, malgré les menaces de mort qu'elle profère à l'encontre de l'amie qui l'a trahie.

Au cours d'une soirée, dans un salon du bateau, Jacqueline, qui a l'air d'avoir bu, tire un coup de pistolet sur Simon, et le blesse au genou. Les témoins vont chercher du secours, laissant Simon seul quelques instants.

---

1. Trad. Louis Postif, LCE, « Le Masque », 1948, rééd. 1999. C'est l'édition que nous utilisons. Mais ce livre a été également publié chez Hachette, dans la collection « Vertige policier », en 1996.
2. *Mort sur le Nil*, de John Guillermin (1978), avec notamment Peter Ustinov, Jane Birkin, Bette Davis, Mia Farrow.

Le docteur Bessner soigne le blessé, tandis que Miss Bowers, l'infirmière personnelle de Miss Van Schuyler, veille toute la nuit sur Jacqueline, très agitée. Cette nuit-là, Hercule Poirot dort profondément.

Au matin, Louise Bourget, servante de Linnet, découvre cette dernière morte. Elle a été assassinée d'une balle de pistolet dans la tempe, pendant son sommeil. Hercule Poirot démarre une enquête avec l'aide de Race. Sa manière de procéder diffère quelque peu entre le livre et le film ; néanmoins, il interroge tour à tour les passagers du bateau. L'interrogatoire aboutit à l'établissement d'une liste de suspects, dont Jacqueline et Simon sont exclus.

Louise Bourget est alors assassinée. Dans sa main, elle tient un morceau de billet de banque. Hercule Poirot en déduit qu'elle a vu le meurtrier sortir de la chambre de Linnet, et a voulu le faire chanter. On l'a alors supprimée.

Hercule Poirot et le colonel Race sont dans la chambre de Simon Doyle ; ils accusent le docteur Bessner d'avoir tué Louise, avec un bistouri de sa valise médicale. Il sort de la pièce, furieux, et Mrs. Otterbourne entre à ce moment. C'est une romancière excentrique et alcoolique ; elle affirme savoir qui a tué Louise et Linnet, mais elle meurt d'une balle dans le front avant sa révélation.

Dans le livre, Poirot tire les conclusions de son enquête en petit comité, tandis que dans le film, il le fait devant tous les passagers du salon, assis en cercle : il a d'abord compris qu'on avait essayé de l'endormir en mettant un somnifère dans son vin, au dîner précédant le meurtre, c'est pourquoi il a dormi si profondément cette nuit-là. Cela lui fait dire que le meurtre était prémédité.

En fait, Jacqueline a fait semblant de tirer sur son ancien amant, qui a tamponné son genou avec un mouchoir teinté d'encre rouge, pour tromper les témoins. Pendant que ceux-ci étaient partis chercher du secours, il a récupéré le pistolet, laissé par Jacqueline sous un canapé, et est allé assassiner sa femme. Puis il est revenu dans le salon, et s'est tiré une balle dans le genou, réellement, cette fois. Il a remplacé la balle utilisée par une neuve, et s'est débarrassé du pistolet, repêché plus tard dans le fleuve. Louise Bourget l'a vu, et Simon en a averti Jacqueline, qui l'a égorgée d'un coup de bistouri trouvé dans la mallette médicale restée dans la chambre du blessé. Jacqueline entend ensuite que Mrs. Otterbourne va la dénoncer à Hercule Poirot, et lui tire dessus avec le pistolet trouvé dans la chambre du passager voisin de Simon, son homme d'affaires, Mr. Pennington.

Simon résiste, pensant qu'on n'a pas de preuve contre lui. Hercule Poirot propose que Race fasse un moulage de cire de son doigt : s'il a vraiment tiré, on retrouvera des traces de poudre, sinon, il sera disculpé. Simon Doyle s'effondre, et sa réaction vaut comme un aveu.

Jacqueline explique : Simon et elle s'aiment, mais Simon ne supporte pas la pauvreté. Comme il est séduisant et que Linnet n'avait pas de scrupule vis-à-vis de son amie, ce fut un jeu d'enfant pour lui de s'en faire épouser, et d'imaginer comment l'éliminer. Tout avait été soigneusement prémédité, sauf la présence de Louise Bourget... et celle d'Hercule Poirot !

Finalement, Jacqueline enlace Simon, le tue et se suicide.

Le livre est centré sur le crime principal, celui qui est à l'origine de l'enquête. Cependant, d'autres méfaits interfèrent, qui induisent le détective en erreur.

Pour faire comprendre aux élèves comment l'enquête est construite, on leur demandera d'explorer tour à tour les mobiles présumés de chacun des personnages, puis de suivre pas à pas les hypothèses et déductions du détective.

▲ Les mobiles présumés des personnages

Dans le livre, l'interrogatoire des passagers du bateau permet de confondre un certain nombre de personnages pour d'autres délits que le meurtre.

Dans le film, les personnages sont interrogés, puis accusés chacun leur tour, et chaque meurtrier présumé devient le centre d'une pseudo-reconstitution en images, suivant un enchaînement de faits imaginé par le détective.

Dans le livre	*Dans le film*
Le docteur Bessner est accusé du meurtre de Louise Bourget, du fait qu'il lui manque un scalpel.	Le docteur Bessner est allemand. Il a une altercation avec Linnet : celle-ci le traite de charlatan à cause d'un nouveau traitement qu'il a administré à une de ses amies, et lui dit qu'elle va faire fermer sa clinique. On voit « Herr Doktor » la menacer de mort.
Ferguson est riche et noble, mais « *il a embrassé des théories extravagantes* » qui lui donnent un comportement de mauvais garçon.	Ferguson est marxiste et déteste ce que représente Linnet. Il dit même qu'en d'autres circonstances, on lui trancherait la tête.
Mrs. Otterbourne est romancière et alcoolique.	Mrs. Otterbourne, romancière et alcoolique, est en procès avec Linnet Doyle qui l'a attaquée pour diffamation : elle l'a décrite sous un mauvais jour dans son dernier roman. Elle aurait tué Linnet pour ne pas prendre le risque de lui payer de lourds dommages et intérêts.

Rosalie Otterbourne protège sa mère, la romancière alcoolique. Elle se trouble quand elle est interrogée, parce qu'elle a vu Tim Allerton voler le collier de Linnet dans sa chambre, au moment du meurtre, et le remplacer par un faux. Elle-même ne dit pas qu'elle cachait une bouteille d'alcool pour empêcher sa mère de boire. Tim et elle sont amoureux à la fin du livre, et libres après la mort de Mrs. Otterbourne.

Rosalie Otterbourne aurait pu tuer Linnet pour sauver sa mère du préjudice causé par le procès. À la fin du livre, elle et Ferguson sont amoureux.

Miss Bowers est l'infirmière personnelle de Miss Van Schuyler.

Miss Bowers déteste Linnet : le père de cette dernière a ruiné son propre père, ce qui la contraint à servir l'horrible Miss Van Schuyler.

Miss Van Schuyler, riche américaine, est kleptomane, et a volé le collier de Linnet (le faux, qu'elle a pris pour un vrai), ce qui brouille les pistes.

Miss Van Schuyler, kleptomane, a pu tuer Linnet, témoin de son vol.

Louise Bourget est la servante de Linnet. Elle en veut à sa maîtresse qui refuse de payer sa dot pour lui permettre de convoler avec un Égyptien, déjà marié selon Linnet, divorcé selon Louise. L'Égyptien est sur le bateau et se trouve suspecté du meurtre.

Louise Bourget est le même personnage que dans le roman. On la sent menaçante vis-à-vis de Linnet lorsque celle-ci lui refuse l'argent nécessaire à son mariage. L'élu de son cœur n'apparaît pas.

Andrew Pennington est l'avocat américain de Linnet, ainsi que son tuteur. Il veut lui faire signer des papiers pour l'escroquer, mais un autre personnage intervient, et elle ne signe pas.

Andrew Pennington est l'avoué anglais de Linnet, son tuteur et son oncle. Le colonel Race intervient pour qu'elle ne signe pas les papiers du juriste véreux.

Certains personnages existent dans le livre, mais pas dans le film. Joanna, amie de Linnet, et Charles Windlesham, prétendant sérieux de Linnet, apparaissent au début du livre, mais ne sont pas sur le bateau.

D'autres personnages passagers du bateau : Jim Fanthorp, neveu de l'avoué américain de Linnet. Mr. Richetti, faux archéologue, criminel recherché par Race. Tim Allerton et sa mère, rentiers. Tim tombe amoureux de Rosalie. Lui aussi s'intéresse aux bijoux et entretient un trafic avec Joanna, sa cousine. Cornélia Robson est la nièce de Miss Van Schuyler. À la fin du livre, elle et Bessner sont amoureux.

Un seul personnage n'existe pas dans le livre et a été créé pour le film : le capitaine du bateau. Il est à l'origine d'une scène dans laquelle un cobra s'attaque à Hercule Poirot. On apprend par la suite que le cobra avait été embarqué par Simon comme moyen possible d'assassiner Linnet.

▲ Comment Hercule Poirot progresse-t-il ?

Les étapes de l'enquête s'enchaînent pareillement dans le livre et dans le film, pour l'essentiel. Page 163 (coll. « Le Masque »), Race établit la liste des personnages impliqués, et la soumet à Poirot, qui l'approuve, mais se pose une question particulière : « *Pourquoi le revolver a-t-il été lancé par-dessus bord ?* » (p. 164) Le premier groupe, de six personnes, rassemble les suspects. Le second groupe, de huit personnes, rassemble les personnes libres de tout soupçon.

Page 224, Poirot énumère les faits qui lui paraissent essentiels : « *Le jardin d'Assouan, la déposition de Mr. Allerton, les deux flacons de vernis à ongles, ma bouteille de vin, l'écharpe de velours, le mouchoir taché, le revolver laissé sur la scène du crime, la mort de Louise, celle de Mrs. Otterbourne...* »

Page 224 encore, il joue le profileur avant son époque. Il indique que les qualités du meurtrier sont les suivantes : l'audace, la vivacité, la précision, le courage, l'indifférence face au danger, et un cerveau calculateur et ingénieux. Cela le conduit ensuite à établir progressivement la liste des suspects à disculper, puis à imaginer comment s'y sont pris les coupables.

Le lecteur, au même rythme que Poirot, peut jouer les enquêteurs, disposant des mêmes indices que le détective, à partir du moment où ce dernier se concentre sur Simon comme coupable probable. Il faut alors une bonne dose d'imagination pour reconstituer le mode opératoire des meurtres.

Les élèves recopieront la liste des faits (page 224), et indiqueront en face de chacun l'hypothèse que l'on peut émettre ou la conclusion que l'on peut tirer.

Comme cela a déjà été dit, le raisonnement de Poirot, dans le film, ne se fait pas sur le mode de la confidence orale à Race, comme dans le roman. Il faut attendre la scène finale pour avoir la solution de l'énigme. Contrairement au lecteur, le spectateur ne peut donc pas entrer en concurrence avec le détective !

L'INTERTEXTUALITÉ DANS UN ALBUM

En 1993, Yvan Pommaux, l'un des auteurs-illustrateurs fétiches de L'École des loisirs, publie *John Chatterton détective*. On peut affirmer que cet album marque l'introduction du genre policier chez les jeunes élèves de l'école élémentaire. À l'école maternelle, des enfants de cinq ans ont même été invités à le découvrir.

▲ *John Chatterton détective* : résumé et commentaire

Le Petit Chaperon rouge a disparu. Sa mère, une très jolie dame, engage John Chatterton, détective privé, pour le retrouver. Il mène l'enquête, en se rendant chez la grand-mère absente, et se souvient d'une histoire similaire en découvrant des indices : un foulard rouge, un serre-tête et d'autres attributs vestimentaires rouges, qui mènent à la maison du loup. Ce dernier, quand Chatterton arrive, est en train d'expliquer à la mère de la petite fille qu'il libérera sa prisonnière en échange d'un tableau qu'elle possède, *Le Loup bleu sur fond blanc*. En effet, le loup est collectionneur de tableaux et d'objets qui ont en commun de représenter... le loup dans l'art. Le détective, d'un coup de brique, assomme le coupable et libère la petite fille. Reconnaissante, la jolie dame offre le tableau à John Chatterton. Celui-ci rentre chez lui, et l'on voit, sur les dernières illustrations, qu'il récupère un bout de ficelle dans une poubelle pour accrocher l'œuvre d'art dans son bureau.

L'album a donné lieu à une proposition d'activité dans notre précédent ouvrage, *Activités de lecture à partir de la littérature de jeunesse* (Hachette Éducation, 2000, p. 250). Elle était centrée sur la découverte du personnage du détective, et sur les qualités (à repérer dans l'image et dans le texte) qui font de lui un bon détective.

Quand cet ouvrage est sorti, tous les médiateurs du livre de jeunesse ont chaque fois vérifié, avant de le présenter, que les enfants connaissaient *Le Petit Chaperon rouge*. Et comme tous les petits ont acquis par la télévision les connaissances minimales des lois du genre policier, l'album de Pommaux fut un grand succès, les enfants ayant beaucoup de plaisir à croiser leurs références télévisuelles et celles du livre.

Cependant, le succès est dû surtout aux adultes dont les références culturelles sont les romans de Chandler, lesquels ont acquis une large popularité grâce à leurs adaptations au cinéma, avec Humphrey Bogart dans le rôle de Philip Marlowe. Quel plaisir de retrouver, dans un album pour la jeunesse, l'ambiance du roman noir américain, avec ses zones d'ombre, ses personnages louches et sa voiture-vedette, la fameuse Packard !

Yvan Pommaux poursuit la série avec *Lilas* et *Le Grand Sommeil*. Dans *Lilas*, paru en 1995, l'auteur croise le conte *Blanche-Neige* et des références encore empruntées à Chandler.

▲ *Lilas* : résumé et commentaire

La belle-mère de Lilas demande à John Chatterton de retrouver sa belle-fille disparue, le père de celle-ci étant parti en voyage. Dans le même temps, elle demande à Greg « le gorille » de suivre le détective, qui le mènera à Lilas, puis de tuer la jeune fille et de rapporter son cœur dans un coffret. Chatterton interroge Georges, le majordome, qui lui révèle la haine de la marâtre et le danger que court la jeune fille. Le détective trouve la trace d'un garagiste, le jeune Luc Leprince, et le suit. Celui-ci le mène jusqu'à une maison isolée dans laquelle est cachée Lilas, dont il est très amoureux. En même temps arrive Greg « le gorille » prêt à tuer Lilas. Au dernier moment, il interrompt son geste, interdit par la beauté de Lilas, qui lui offre son cœur... sous la forme d'un pendentif, qu'il revendra cher... Il filera ensuite à l'étranger.

Le détective ramène alors Lilas chez son père, au moment où la marâtre déménage, répudiée par son mari, qui rentre de voyage en bonne compagnie. La nouvelle belle-mère semble vouloir choyer sa belle-fille. Quant au père de Lilas, il est ravi de faire la connaissance de Luc Leprince. De plus, en signe de gratitude, il offre à Chatterton une statuette représentant un nain, dont il est dit à la dernière page qu'il fait partie d'une série de sept statuettes représentant *« des personnages mêlés à une vieille et célèbre histoire criminelle qui, par certains côtés, ressemble à celle de Lilas »*.

Pour les enfants, l'intrigue est beaucoup plus complexe que dans *John Chatterton détective*, mais quand on leur fait découvrir les deux albums, ils perçoivent bien la structure récurrente, ainsi que toutes les marques d'intertextualité avec le conte et l'univers du roman noir de Chandler. On fera remarquer que les personnages masculins sont bien fragiles, comparés au chat noir détective du livre précédent, chat noir certainement hérité d'Edgar Allan Poe.

Après avoir fait constater aux enfants que le conte est transposé à l'époque contemporaine (comme dans *John Chatterton détective*), on peut proposer d'imaginer pareillement une réinterprétation de contes traditionnels, dans le genre du polar noir. John Chatterton peut ainsi enquêter sur la femme de Barbe-Bleue, en étant engagé par sa sœur Anne ; ou sur Cendrillon, séquestrée par ses sœurs, en étant engagé par le Prince.

Le dernier album de la série, *Le Grand Sommeil*, est paru en 1998.

▲ *Le Grand Sommeil* : résumé et commentaire

Une mauvaise fée a prédit à monsieur et madame Rosépine que leur fille, à l'âge de quinze ans, plongerait dans le « grand sommeil », après s'être piquée le doigt au fuseau d'un rouet. Terrorisés par cette idée, ils font appel à John Chatterton pour qu'il la protège. Celui-ci prend alors mademoiselle Rosépine en filature et découvre qu'elle a menti à ses parents : au lieu d'aller à la piscine, elle se rend à toute allure – en rollers – au café Grimm, pour retrouver un garçon. Elle boit une grenadine, et lui une menthe à l'eau. Les couleurs des boissons sont complémentaires, à l'image des deux jeunes gens, faits l'un pour l'autre. D'après le serveur, Roger, ils viennent là tous les mercredis. La jeune fille file ensuite vers ce qui semble être son destin : elle entre chez un brocanteur, monte à l'étage, y trouve un rouet, se pique le doigt, et s'endort sur le lit à baldaquin. Chatterton est arrivé trop tard. Il reprend sa voiture, roule un peu, et s'endort au volant. Toute la ville s'endort également, et les ronces l'entourent. Après ce qui lui a semblé un siècle, le détective se réveille le premier, et se rend à son bureau pour consulter son livre : *Affaires criminelles célèbres*. La résolution du mystère est là : « *Seul un baiser de l'élu de son cœur la délivrera du sommeil.* » Il retrouve le jeune homme, toujours attablé au café, mais réveillé. Les épines s'écartent, puis les deux jeunes gens s'enlacent, et la ville se réveille. Pas de récompense pour Chatterton, cette fois-ci.

Les amateurs de Chandler n'auront pas manqué de faire le rapprochement entre le titre de l'album de Pommaux et celui du roman *Le Grand Sommeil*. Pour que les élèves découvrent les éléments de l'intertextualité entre les deux ouvrages, on leur montrera l'ouvrage original, paru pour la première fois chez Gallimard en 1948, traduit de *The Big Sleep*. L'édition de 1967 (collection « Carré noir », n° 106) montre en couverture un personnage de belle femme blonde, portant un béret bleu sur la tête. Or, dans l'album, mademoiselle Rosépine est blonde et porte également un béret bleu sur la tête. Cette similitude (titre et représentation du personnage féminin) est si frappante qu'on suppose d'autres rapprochements entre les ouvrages.

On pourra proposer des extraits du roman aux élèves, pour qu'ils puissent effectuer eux-mêmes les comparaisons (nous n'indiquons pas le numéro des pages, car il existe trois éditions disponibles du *Grand Sommeil*, dans les collections « Carré noir », « Série noire » et « Folio ») :

– Le portrait de Marlowe et l'image de John Chatterton se ressemblent.

« *Je portais mon complet bleu poudre, une chemise bleu foncé, une cravate et une pochette assorties, des souliers noirs et des chaussettes de laine noire à baguettes bleu foncé. [...] J'étais, des pieds à la tête, le détective privé bien habillé.* » (Extrait du roman de Chandler.)

– Marlowe est engagé par monsieur Sternwood, et John Chatterton par le couple Rosépine. Ce dernier nom est doublement polysémique : il connote la Belle au bois dormant, entourée de buissons de roses pendant son sommeil, et le nom anglo-saxon de son double sémantique.

– La situation initiale est également ressemblante : dans le roman, un père est inquiet pour ses deux filles qu'il pense en danger, cependant que les filles, pour ne pas l'inquiéter, lui cachent leurs frasques, amoureuses en particulier. Monsieur Rosépine, quant à lui, est soucieux pour sa fille, qui rencontre régulièrement un garçon au café, en disant qu'elle est à la piscine.

– Dans le roman, un personnage maître chanteur se dit antiquaire. Chez lui, « *des étagères basses et chargées de livres, un épais tapis chinois rosâtre dans lequel une taupe aurait pu passer une semaine sans que son nez dépasse des poils [...]* ». Dans l'album, la scène centrale se passe dans une boutique d'antiquités, dont la patronne est une taupe...

– Dans l'album, la jeune fille s'endort sur un lit à baldaquin. Il est question de ce genre de lit dans le roman, à la dernière page : « *Mais le vieux bonhomme [monsieur Sternwood], à quoi bon [lui dire la vérité sur la vie dissolue de ses filles] ? Qu'il repose tranquille dans son lit à baldaquin [...].* »

– Dans le roman, le lit est aussi associé au grand sommeil : « *Qu'est-ce que ça peut faire, où on vous met quand vous êtes mort ? Dans un puisard dégueulasse ou dans un mausolée de marbre au sommet d'une grande colline ? Vous êtes mort, vous dormez du grand sommeil...* »

Voilà peut-être ce qui plaît à Yvan Pommaux : avoir le pouvoir artistique de contrer le « grand sommeil » des victimes, dans les romans policiers, grâce aux fins heureuses des contes de fées.

LE ROMAN POLICIER HISTORIQUE

Le véritable thème de tout polar, nous l'avons dit dans la première partie, c'est la loi, celle d'un type de société donné. Quand la société varie, la loi varie. Certains romans policiers se situent d'ailleurs dans une période conflictuelle, au moment où la loi future se dessine en réaction à la loi alors en vigueur. Par exemple, les personnages du *Nom de la rose*, d'Umberto Eco, évoluent dans une société régie par la loi de l'Église, derrière laquelle se profile déjà la future loi civile. Et Caryl Férey, dans son roman *Les Causes du Larzac* (éditions Lignes noires, 2000), choisit une action de la Confédération paysanne (le démontage du McDonald's de Millau) comme arrière-plan social, événement conflictuel concernant la loi.

Du point de vue de la référence à la loi, le roman policier d'actualité a quelque parenté avec le roman policier historique. D'ailleurs, lorsque Conan Doyle écrit les romans et nouvelles mettant en scène Sherlock Holmes, et qu'il les situe à son époque, il s'agit bien d'actualité, même si le lecteur d'aujourd'hui doit faire un saut imaginaire d'un siècle en arrière pour comprendre les événements. Tandis que lorsque Béatrice Nicodème écrit, aujourd'hui, des romans pour la jeunesse qui se situent dans le Londres de Sherlock Holmes, il s'agit de romans historiques.

Nous proposons de faire travailler les élèves sur les romans policiers historiques situés au Moyen Âge. Comme on le sait depuis le *Roman de Renart*, la loi médiévale n'est pas celle d'aujourd'hui. Les exactions commises par Renart, qui visent ses pairs, ne sont pas véritablement des délits. La grande loi, c'est la fidélité au suzerain – en l'occurrence le roi Noble, le lion –, et Renart n'y déroge pas, comme il s'en explique au moment de son procès.

Ellis Peters, dans ses romans médiévaux mettant en scène frère Cadfael, choisit comme arrière-plan social une époque de conflit de suzeraineté, précisément la lutte fratricide pour la couronne d'Angleterre, qui opposa Mathilde et Étienne pendant une vingtaine d'années, au XIIe siècle.

Voici quelques titres de romans policiers situés au Moyen Âge, et s'adressant à des classes d'âge différentes.

Pour les plus jeunes :
– Évelyne Brisou-Pellen, *Le Crâne percé d'un trou*, Gallimard, « Folio junior », 1998.
– Évelyne Brisou-Pellen, *La Bague aux trois hermines*, Milan, « Poche junior polar », 1999.
– Jacqueline Mirande, *Double Meurtre à l'abbaye*, Flammarion, « Castor poche, suspense senior », 1998.
– Martine Pouchain, *Meurtres à la cathédrale*, Gallimard, « Folio junior », 2000.

Pour les plus âgés :
– Umberto Eco, *Le Nom de la rose*, trad. Jean-Noël Schifano, LGF, « Le Livre de poche », 1992.
– C.-L. Grace, *Meurtres dans le sanctuaire*, trad. Founi Guiramand, 10-18, « Grands détectives », 1999.
– Ellis Peters, *Frère Cadfael fait pénitence*, trad. Claude Bonnafont, 10-18, « Grands détectives », 1995.
– Kate Sedley, *La Cape de Plymouth*, trad. Claude Bonnafont, 10-18, « Grands détectives », 1998.

L'activité consiste à tenter de reconstituer la loi de l'époque, pour l'un ou l'autre de ces romans (ou plusieurs, s'ils se situent à la même époque), puisque c'est par rapport à la loi que les délits peuvent être déterminés.

Par exemple, dès la première page du roman *Le Crâne percé d'un trou*, la localisation de l'histoire est ainsi déterminée, révélant un conflit de suzeraineté :

> « *Depuis qu'il avait passé la rivière du Couesnon, il se trouvait en territoire normand. Or la Normandie était, à ce qu'on en disait, une contrée dangereuse. Les Anglais débarquaient et pillaient tout sur leur passage, les soldats français vivaient sur le pays, ne laissant rien de ce qui pouvait se manger, les brigands rançonnaient les voyageurs.* » (p. 7)

De nombreux passages, par la suite, révèlent certains aspects de la loi. Celle de l'Église, qui règne à l'abbaye, à propos d'un trafic ou d'un vol de reliques (p. 18, p. 40...), ou à propos des « *Usages* », « *l'accord de 1258, qui régit le monastère* » (p. 44, p. 53, p. 169...). Celle de la France, quand les moines sollicitent la protection des soldats (p. 90), qui, selon le jeune enquêteur, sont plutôt là pour empêcher le trafic de reliques (p. 110).

Effectivement, le vol de reliques est un délit qui n'a de sens que par rapport à la loi instaurée par l'Église, qui se réfère au Pape, et non au roi. Les pouvoirs civils étant en conflit permanent (comme dans les romans d'Ellis Peters qui, d'ailleurs, traite le même thème dans *Trafic de reliques*[1]), cette loi est la seule loi stable.

---

1. Trad. Nicolas Gille, 10-18, « Grands détectives », 1989.

CONNOTER LE GENRE
À PARTIR DES TITRES

Le titre du roman d'Évelyne Brisou-Pellen, dont il est question dans l'activité précédente, *Le Crâne percé d'un trou*, connote un meurtre – même si ce n'est pas le thème du livre –, et celui d'Ellis Peters, *Trafic de reliques*, évoque un autre délit.

L'activité qui consiste à faire rechercher par les élèves les connotations suggérées par les titres de livres policiers peut donner l'occasion d'approcher la définition du genre.

Dans un premier temps, on fera chercher, en bibliothèque, un grand nombre de livres du genre policier, repérés facilement grâce à la collection, le paratexte, ou le classement dans la bibliothèque. Ces livres (une bonne cinquantaine, ou plus) seront rassemblés sur une table. Il serait certes possible de ne faire relever que les titres, afin d'éviter une manipulation, mais il est important que les élèves soient en contact direct avec les livres : chaque exercice proposé doit laisser la possibilité aux jeunes de rencontrer un livre et d'avoir envie de le lire.

La deuxième étape va consister, pour les élèves, collectivement, à regrouper les titres dans des catégories, en fonction des connotations qu'ils peuvent remarquer. Et ce en adoptant les principes suivants :

– à chaque titre, associer un ou plusieurs mots, suggérés par le titre ou contenus dedans ;
– il est possible de regrouper plusieurs titres sous le même mot ;
– considérer ensuite les divers mots associés, pour voir si certains ne peuvent pas se regrouper en une catégorie qui les engloberait.

Voici un exemple de ce qui peut être obtenu :

Mots associés	*Titres*
1. Meurtre	*Un crime est-il facile ?* *Meurtre à la crique* *Les Trois Crimes d'Anubis* *Crime caramels* *Devine qui vient tuer ?* *Le Crime de l'Orient-Express* *Homicide mode d'emploi* *Meurtre chez tante Léonie* *Meurtres pour mémoire*
2. Fugue	*Le professeur a disparu*
3. Enlèvement	*Le professeur a disparu* *Prise d'otage au soleil* *Lucky Rapt*
4. Arme	*Les Pistolets de Sans Atout* *Mon papa flingueur* *Tirez pas sur le scarabée !* *À couteaux tirés*
5. Peur	*Pin's Panique* *Cauchemar pirate* *L'Héritière terrorisée* *La Peur au ventre* *Fais-moi peur !*
6. Violence	*Un coup de poing dans la tête*
7. Vol	*La Nuit du voleur* *Qui a volé l'Angelico ?* *La Lettre volée* *Le voleur qui aimait Mondrian* *Vol dans le van* *Le chat qui volait une banque*
8. Enquête	*Les Enquêtes de Mac et Maribé* *Un privé chez les Nababs* *Le Plus Grand Détective du monde* *Un rival pour Sherlock Holmes*

	Tous les détectives s'appellent Flanagan *Les Enquêtes de Glockenspiel* *Treize enquêtes de La Machine à Penser*
9. Nuit	*Embrouille à minuit* *Menace dans la nuit* *Les Horloges de la nuit* *Mona Love, la nuit* *Devine qui vient tuer ?*
10. Assassin	*L'assassin est au collège* *L'assassin n'aime pas la corrida* *Il n'aurait pas tué Patience*
11. Fleur	*Une rose pour loyer*
12. Poisson	*La Sardine*
13. Vengeance	*La Vengeance du chat*
14. Thune	*La Soif de l'or* *Pas de pourliche pour Miss Blandiche*
15. Colère	*Les Poings serrés*

Dans cet exemple, les élèves trouveront sans doute seuls qu'ils peuvent regrouper sous le terme « délits » les catégories 1, 3 et 7. En revanche, ils auront peut-être besoin d'aide pour regrouper les catégories 13, 14 et 15, sous le terme « mobile ».

La troisième étape consistera à tenter de définir le genre policier à partir du travail précédent. Dans l'exemple donné, les notions de « délit » et de « mobile » ont déjà été mises en évidence. Celle de « mode opératoire » est sous-jacente à la catégorie 4, celle d'« enquête » à la catégorie 8, celle de « coupable » à la catégorie 10. Quant à la notion de « victime », qui n'a pas été spécifiée comme telle, elle est présente dans des titres épars comme *Prise d'otage au soleil*, *Tirez pas sur le scarabée !*, *L'Héritière terrorisée*, *Il n'aurait pas tué Patience*.

D'autres catégories renvoient à l'atmosphère du genre policier (« peur », « nuit », « violence ») et, naturellement, les élèves connoteront aussi des mots qui n'ont rien à voir avec le polar (« fugue », « fleur », « poisson »).

LE SUSPENSE

Dans les romans à énigme, le suspense porte sur le criminel : qui est le coupable, pourquoi et comment ? Augmenter le suspense, c'est différer la réponse à ces questions, notamment en proposant des fausses pistes. D'où l'importance des suspects, qui sont soupçonnés tour à tour d'être le criminel.

On a vu, dans la première partie de cet ouvrage, que le suspense (ou thriller) pouvait être considéré comme une catégorie autonome du genre policier (Mary Higgins Clark, Patricia McDonald, Stephen King...). Le lecteur ne se demande plus qui est le criminel, mais s'il parviendra à tuer la victime. Le suspense est relancé à chaque tentative de meurtre. Autrement dit, c'est en multipliant ce type de péripéties que l'auteur accroît le suspense.

Pour faire percevoir aux élèves les procédés utilisés, on leur proposera de construire un scénario de roman policier, de façon à obtenir cet effet de suspense. Nous proposons, ci-dessous, une méthodologie pour construire ce scénario, et donnons un exemple.

Formulons deux remarques préalables cependant :

– puisqu'il s'agit de suspense, le travail initial doit porter sur un personnage sympathique (la victime qui sera traquée). Si le scénario à construire concernait un meurtre en chambre close, il faudrait commencer par le mode opératoire ; pour un roman noir, il faudrait commencer par la description de la société criminogène... ;

– le principal problème que rencontrent les jeunes pour élaborer un scénario est de parvenir à un minimum d'originalité. C'est d'autant plus difficile qu'ils ont en mémoire quantité de modèles stéréotypés provenant de leurs lectures, du cinéma et de la télévision. Comme le remarque Patrick Denauw, qui a fait écrire un roman policier dans son collège :

> *« À ce niveau, les élèves réinvestissent leur stock de représentations culturelles, massivement issu des apports de la télévision. Éminemment légitimes, ces proposi-*

tions sont minorées par la rigidité excessive de schémas qui ne mènent qu'à leur propre reproduction.[1] »

La méthode que nous préconisons consiste à leur faire construire chaque élément du scénario indépendamment. Pour relier ensuite ces éléments, il faut faire preuve d'imagination. Cela revient à construire, *a posteriori*, une cohérence, en créant des liens originaux entre des éléments épars.

▲ Méthodologie

Concevoir un personnage sympathique

Pour inventer ce personnage, ce n'est pas sa carte d'identité qui importe d'abord, mais sa réalité intérieure. Dans un premier temps, appelons ce personnage « X », et prêtons-lui des souvenirs (que lui est-il arrivé dans le passé ?), des goûts et des dégoûts, des émotions particulières illustrées par des exemples – à cet égard, les élèves découvriront vite qu'il vaut mieux choisir un personnage proche d'eux, qu'ils pourront nourrir de leurs propres expériences et sentiments, plutôt qu'un personnage qui leur est totalement étranger, comme un cosmonaute ou une chanteuse de jazz sud-africaine).

Dans un deuxième temps, on cherchera la faille de ce personnage, faille propice à ce qu'il se produise quelque chose par la suite.

Dans un troisième temps seulement, on élaborera la carte d'identité du personnage, prenant en compte les éléments qui précèdent.

Choisir un lieu et le décrire

Il ne s'agit pas de chercher un lieu en rapport avec le personnage précédent, mais un lieu aléatoire, suffisamment réel pour pouvoir être décrit.

Décider quel sera le lecteur modèle

Quand un écrivain construit une intrigue[2], il s'adresse déjà à un type de lecteur particulier, ou plus exactement à la représentation qu'il s'en fait. À partir des mêmes éléments de départ, le scénario peut être fort différent selon que le lecteur modèle est un enfant friand de suspense, une adolescente tourmentée, un adulte cultivé, ou un homme en quête de réponses à des questions existentielles.

---

1. Patrick Denauw, « Écrire un roman policier : des stratégies de lecture », *Recherches*, n° 23 : « Écrire d'abord », AFEF Lille, 1995, p. 180.
2. Voir : Christian Poslaniec, *De la lecture à la littérature*, chapitre 5, « Écrire de la littérature », Le Sorbier, 1992.

L'écriture que l'auteur adoptera ultérieurement, une fois le scénario construit, dépend encore plus du lecteur modèle. Pour s'en convaincre, il suffit de comparer trois passages décrivant un personnage d'enquêteur, issus de trois romans policiers parus dans des collections pour la jeunesse. On se rend compte qu'ils s'adressent à des jeunes d'âges différents, et que chaque écrivain postule des goûts et des intérêts variés de la part de ses lecteurs. Prenons quelques exemples.

« *En face d'eux, sur l'autre muraille, un* ŒIL *semblait les surveiller. Il était peint au milieu d'une grande affiche et avait bien trente centimètres de diamètre.*

« *En demi-cercle autour de l'*ŒIL, *on pouvait lire :*

VOIT TOUT   SAIT TOUT   ENTEND TOUT

ALLIE LE FLAIR AU TACT

« *Ce qui semblait indiquer que l'*ŒIL, *non seulement voyait (ce qui est normal pour un œil), mais encore possédait des oreilles invisibles, puisqu'il "entendait", – un cerveau invisible, puisqu'il "savait" –, un nez invisible, puisqu'il avait du "flair", – et des doigts invisibles, puisqu'il était capable de "tact". Il ne lui manquait, en somme, que la parole !*

« *Au sommet de l'affiche, en hautes majuscules, on lisait :*

AGENCE EURÊKA

RECHERCHES   ENQUÊTES   FILATURES

CÉLÉRITÉ ET DISCRÉTION

« *Enfin, tout en bas de l'affiche, à côté de la photographie d'un quinquagénaire au visage gras :*

Directeur : JULIEN LOUGUEREAU, DÉTECTIVE PRIVÉ. »

Pierre Véry, *Les Héritiers d'Avril*, Hachette, « Verte aventure policière », 1993, pp. 9-10.

« *Salfaro défit sa valise. Elle contenait quelques vêtements, deux jeux de cartes neufs, un roman de Vautrin commencé depuis des lustres. Il y prit un cadre pour photo qu'il alla poser sur la cheminée. Un geste foutrement mélodramatique qui l'agaçait mais qu'il était impatient d'accomplir. Mahé et Chloé sur les balançoires du jardin de leur maison de campagne. L'index de Salfaro glissa sur le corps de Mahé. Une jolie femme, au rire crispé. Il recommença plusieurs fois, rite magique insensé par lequel il espérait retrouver une présence, peut-être même le grain de la peau de sa femme. Chloé n'eut droit qu'à un regard distrait, accompagné d'un froncement de sourcils.* »

Jean-Paul Nozière, *Bye-bye Betty*, Gallimard, « Page blanche », 1993, p. 21.

« *Le plus grand détective du monde, c'est moi, Gilou Serin. Rien que la semaine dernière, j'ai résolu deux affaires. D'abord, j'ai retrouvé mes rollers qui étaient dans la cave. Simple petit travail de déduction. Je m'en étais servi le dimanche précédent et il pleuvait ce jour-là. J'avais bien le souvenir de les avoir laissés dans l'entrée. En revenant de l'école, le lundi suivant, ils avaient disparu. Or, ma mère avait fait le ménage le matin, comme à l'accoutumée. Elle ne les avait pas remis dans mon placard. Ils étaient pleins de boue à cause de la pluie. Il ne me restait plus qu'à obtenir les aveux de la suspecte. Maman les avait mis dans la cave. Elle m'avoua également qu'elle en avait plus qu'assez de ramasser tout ce que je laissais traîner. »*

Moka, *Le Plus Grand Détective du monde*, Milan, « Poche cadet », 2000, pp. 3-4.

Véry s'adresse à un lecteur d'âge variable, capable de déduire, à partir du sarcasme, la personnalité de l'enquêteur.

Nozière s'adresse à un grand adolescent ou à un adulte appréciant le drame et percevant l'implicite.

Moka s'adresse à un jeune lecteur ayant le sens de l'humour.

On demandera donc aux élèves de définir à grands traits le type de lecteur auquel ils destinent leur scénario.

Créer une cohérence en reliant les éléments qui précèdent

Le travail consiste à relier le personnage sympathique et le lieu choisi, de façon cohérente, en tenant compte du lecteur modèle défini.

Comme il s'agit d'un roman à suspense, on sait que le personnage sympathique va être traqué par le coupable. Il s'agit donc, en même temps, de définir qui est ce coupable, et quel est le mobile de sa traque. Le fait de ne pas avoir imaginé *a priori* les grandes lignes de l'histoire permet, ici, d'adapter les circonstances pour que tout soit cohérent, et offre une grande liberté d'invention.

Encore faut-il s'interdire les stéréotypes du roman à suspense : X a été témoin d'un délit, et le coupable tente alors de le supprimer ; ou encore : le coupable est fou, et il a jeté son dévolu sur X (stéréotype du genre « serial killer »).

Par ailleurs, il faut veiller à la cohérence psychologique : si le délit est, par exemple, un vol, le fait de chercher à tuer le témoin du vol paraît disproportionné, sauf si le coupable est fou (et l'on retombe alors dans un stéréotype).

▲ Un exemple d'application de la méthode

Concevoir un personnage sympathique

X a beaucoup souffert quand son chat s'est fait écraser par une auto. X se rappelle avec émotion le goût des cerises, cueillies dans l'arbre, chez sa grand-mère, morte depuis. X consacre ses loisirs à peindre des aquarelles, à nager, et à faire du vélo. X déteste vivre en ville, mais y est obligé par sa profession. X se rappelle avec peine la fin de sa première véritable histoire d'amour : au terme d'une vie commune de trois ans, les sentiments se sont effilochés, sans crise.

Sa faille concerne son manque de confiance. En particulier, X n'a jamais osé montrer ses aquarelles à quiconque, et pense qu'elles n'en valent pas la peine.

X est une jeune femme qui habite en ville. Elle est factrice. Chaque fois qu'elle le peut, elle part à la campagne faire du vélo et peindre. Elle se prénomme Aurélie.

Choisir un lieu et le décrire

Une ancienne sucrerie en ruine, située au bord d'une rivière, à l'orée d'une forêt. Jadis les betteraves sucrières y arrivaient par péniches ; la jetée est encore en bon état, et des pique-niqueurs y abordent parfois en barque. De l'usine originelle, il ne reste qu'une haute cheminée en briques noircies. Tous les murs sont éboulés, mais de nombreux tuyaux rouillés, de toutes tailles, parfois brisés par le milieu, s'entrelacent. L'immense cave qui servait auparavant à entreposer les sacs est devenue un refuge pour une colonie de chauves-souris.

Décider quel sera le lecteur modèle

Un adulte, aimant avoir peur, assez cultivé pour comprendre les références, mais détestant les sous-entendus qu'il ne parvient pas à décrypter.

Créer une cohérence en reliant les éléments qui précèdent

Aurélie découvre l'ancienne sucrerie (description à rédiger) au cours d'une promenade à vélo. En visitant les ruines, elle descend les quelques marches qui mènent à la cave, effraie les chauves-souris qui se réveillent et se mettent à voler. Terrorisée, Aurélie pousse un hurlement et se sauve. D'autres hurlements, de souffrance semble-t-il, lui font écho, en provenance des profondeurs de la cave. Avant qu'elle ait eu le temps de reprendre ses esprits, deux hommes se lancent à sa poursuite. Abandonnant son vélo, elle se jette à l'eau, traverse la rivière à la nage, et parvient à échapper à ses poursuivants.

Aurélie prévient la police. La patrouille envoyée sur les lieux ne trouve rien, sinon le vélo et le matériel pour peindre des aquarelles. Aurélie est cependant interrogée soigneusement. Elle se dit capable d'identifier l'un de ses poursuivants (il ressemble à l'homme avec lequel elle a vécu), mais ça ne va pas plus loin.

Aurélie ne cesse de penser aux hurlements qu'elle a entendus. Elle évoque *Le Cri*, de Munch, et imagine des femmes torturées. La terreur s'accroît quand elle se rappelle que son nom et son adresse figurent sur la plaque de son vélo. Elle commence à se comporter comme une personne traquée, bien qu'aucun élément ne confirme cette impression. Elle se sent suivie lorsqu'elle distribue le courrier, et croit rencontrer sans arrêt un homme au visage impassible, tout en se disant, pour se rassurer, qu'il habite peut-être le quartier. Alors qu'elle est à vélo, une voiture fonce sur elle – délibérément, pense-t-elle –, et l'évite au dernier moment. Etc.

Mais le vrai danger vient d'ailleurs, sans qu'elle s'en rende compte. Alors qu'elle visite une exposition consacrée à Bacon, un homme, qui lui paraît timide, se met à lui parler, commentant l'un des tableaux. D'abord, elle se méfie, mais l'homme s'éloigne sans plus insister. Quelques jours après, elle le rencontre de nouveau, sortant d'un immeuble où Aurélie s'apprête à distribuer le courrier. Il ne semble pas d'emblée la reconnaître, mais s'arrête finalement un peu plus loin, revient en arrière, et tous deux commencent à parler.

De fil en aiguille, l'homme l'invite à prendre un pot dans une brasserie. Aurélie l'apprécie : il paraît sensible, aime les animaux – surtout les chats –, sait écouter avec attention et intérêt, et se comporte avec respect. Ils se revoient, toujours dans des lieux publics. Aurélie finit par lui confier qu'elle peint. Il tient alors absolument à voir ses œuvres et, quand elle les amène, au rendez-vous suivant, il s'extasie. Ça lui rappelle Mondrian, dit-il. L'homme veut absolument lui présenter un ami qui dirige une galerie de peinture à Londres. Il est même prêt à lui payer le voyage pour faciliter cette rencontre. Finalement, Aurélie accepte et, dès son arrivée à Londres, se trouve prise au piège...

À ce stade, le piège s'étant refermé sur l'héroïne, il reste à prendre des décisions sur les points suivants (de nombreuses solutions existent) :

– Que se passait-il réellement dans l'usine ?

– Pourquoi l'homme qui a poursuivi Aurélie, et qu'elle peut reconnaître, doit-il faire enlever la jeune femme ?

– Que va-t-il advenir d'Aurélie ?

TRANSPOSITION ROMAN/BANDE DESSINÉE : LE « HARD BOILED »

Le « hard boiled » focalise sur un personnage de « dur à cuire » qui enquête pour résoudre l'énigme. Mais l'enquête elle-même a plus d'importance que la résolution de l'énigme. De même que l'on se demande, dans la catégorie du « suspense », si le meurtre du personnage sympathique va avoir lieu ou non, de même, dans le « hard boiled », on s'intéresse moins de savoir qui est l'assassin que de savoir si le héros sympathique va le démasquer. La comparaison entre un roman et son adaptation en bande dessinée permet de mieux saisir ces données. Prenons le roman de Léo Malet, *Casse-pipe à la Nation*, dans la collection « Les Nouveaux Mystères de Paris » (Fleuve noir, 1974, rééd. 1995), et la bande dessinée de Tardi, parue chez Casterman, en 1996.

▲ Nestor Burma, du roman à la bande dessinée

Dans les années 80, on demanda à Léo Malet l'autorisation d'adapter *Brouillard au pont de Tolbiac* en bande dessinée. Voici comment l'écrivain réagit à cette proposition :

> *« Amateurs, amoureux, fanatiques de la BD, vous allez B...onD...ir ! Votre 9ᵉ art ne m'a jamais emballé. Je dois même vous avouer que je suis plus ou moins contre. Pourtant, un jour, passant devant la librairie Casterman, rue Bonaparte, j'eus le coup de foudre pour des albums exposés dans la vitrine, et moi qui n'avais jamais acheté ce genre de publications, je me procurai aussitôt (aussi sec, comme Adèle Blanc) les extraordinaires aventures de cette jeune personne. La puissance, le charme du dessin, la poésie nostalgique du décor, dont le réalisme accentuait paradoxalement le fantastique, le "climat" de l'ensemble, tout me convainquit que ce Tardi était un dessinateur selon mon cœur, et qu'il ferait un excellent illustrateur, au cas où... pourquoi pas ?... On peut toujours rêver. J'ai passé ma vie à cela.*

« Le cas se présenta [...]. Je ne dirai rien des décors. Personne ne sait, aussi bien que lui, les nimber de cette humidité, de cette viscosité, ne sait en faire sourdre le cafard latent.[1] *»*

Malet est un néophyte de la bande dessinée, et dans son ignorance, il explicite bien le rôle du dessinateur : interpréter le roman sans trahir les effets programmés par le romancier, et traduire ceux-ci dans le langage de la BD, en y ajoutant sa part de création. De l'avis des lecteurs de Tardi, le résultat est une réussite. Nous avons repéré quelques objets de comparaison, qui mettent en lumière les caractéristiques de transposition du genre policier, de l'écriture romanesque au récit en bande dessinée.

Du « noir » aux images en noir et blanc

Casse-pipe à la Nation se déroule en mai. Un mois de mai particulièrement pluvieux. Le début du roman mentionne que les averses se succèdent, sans que la pluie soit un élément notable[2]. Dans la bande dessinée, il pleut sans discontinuer, et l'apparence luisante des images en extérieur-nuit est une caractéristique essentielle de l'illustration des mots par l'image. La pluie joue un triple rôle : elle structure le récit en images (il pleut, il a plu, il va pleuvoir) en même temps qu'elle l'unifie (la météo pluvieuse est stable) ; elle constitue un lien sémantique entre les mots du roman et leur transposition imagée ; enfin, elle esthétise l'ambiance de polar glauque du Paris des années 50-60.

Les images sont finement travaillées (différemment traitées que dans *Brouillard au pont de Tolbiac*), au point qu'on lit facilement les affiches annonçant les spectacles de Paris. À la première page, on annonce au cinéma *Le Faux Coupable* d'Hitchcock, et à l'avant-dernière page *Les Portes de la nuit* de Marcel Carné, adapté d'un livre de Simenon. L'effet de miroir du couple romancier/réalisateur (du film ou de la BD) est d'autant plus fort que Burma est représenté fumant la même pipe que Maigret.

On pourra faire repérer aux élèves les signes de la vie à Paris dans les années 50-60 (les voitures, les boutiques, l'ameublement, les vêtements, etc.).

De l'humour

Le ton sérieux qui sied au « noir » ne va pas sans une pointe d'humour, voire d'autodérision de la part du narrateur. Toutefois, on n'en trouve pas les traits au même endroit dans le livre et dans la bande dessinée. En outre,

---

1. « Propos badins à prétentions "historiques" sur un cadavre coriace et un brouillard plus ou moins dissipé, in Léo Malet, Tardi, *Brouillard au pont de Tolbiac*, Casterman, 1982.
2. Dans le roman, il est juste indiqué ceci : *« Nous sommes au mois de mai. Au début. Depuis le matin, Paris subit le régime de la douche écossaise. »*

l'humour ne porte pas sur les mêmes choses. Il sera aisé pour les élèves de repérer et de comparer les passages humoristiques dans chacun des ouvrages. Nous en donnons deux exemples :

Roman	Bande dessinée
« Un flic [...] nommé Gringoire, plus ou moins comme les biscottes et, certains jours et en certaines circonstances, aussi cassant que cet aliment, mais moins digestible. » (p. 9)	Le discours de Burma est : *« sacré connard, ce Gringoire »* (p. 16), tandis que sur le dessin, on voit un camion de livraison de pain d'épices Gringoire, avec le logo suivant : un lapin qui marche en jouant de la trompette. Il va sans dire que les élèves n'ont pas connu l'époque du pain d'épices Gringoire !
« Je rentre chez moi, mets le réveil sur onze heures, débranche le téléphone et me couche. C'est la nouvelle méthode du détective de choc, inaugurée spécialement pour cette affaire. Le plus clair de son boulot consiste à roupiller. » (p. 192)	Texte figurant en bandeau : *« De retour chez moi, je décidai de me laisser aller à un roupillon d'une heure ou deux, pour finir ma nuit, histoire de repartir d'un bon pied... »* (p. 71) Et dans la bulle : *« La doublure de la valise déchirée... que cherchait Roussel ?... une cachette pour un plan ?... une lettre ?... A-t-il trouvé ? J'ai l'impression que ce soir nous aurons des tas de trucs à nous raconter. »* (Nestor Burma, allongé dans son lit, parle à son nounours.)

Ces exemples montrent que l'humour n'est pas de la même nature dans le livre et dans l'album : dans le livre, il s'agit d'ironie, alors que les éléments imagés traduisent plutôt une ambiance fantaisiste, légère, un peu comme si l'humour de grande personne de Malet avait été transposé en humour enfantin par Tardi.

L'art de la conversation dans un commissariat

Dans la bande dessinée, le fil conducteur du récit romanesque est respecté très fidèlement. Il a fallu un gros travail de Tardi pour condenser plus de 200 pages en 85 planches. Évidemment, la BD a cet avantage de pouvoir raconter en images une partie du texte.

Par exemple, Burma a une longue explication dans le bureau de Faroux à la PJ (chapitre VII), qui occupe une douzaine de pages, dans le même lieu. Le dessinateur procède ainsi, en trois planches (pages 31, 32, 33) : le dialogue commence dans le bureau du commissaire, puis il est dit : *« Vers midi, Faroux m'a viré... ça tombait bien, j'avais hâte de changer de fringues et de prendre une douche. »* Ensuite, le texte est distribué sur des images illustrant différents lieux de Paris, dont la représentation est motivée par le fait que Burma prend un taxi, ce qui n'existe pas dans le roman. Les vues de Paris, depuis le taxi ou depuis le bureau où Faroux et Burma discutent ensemble, sont intercalées et suggèrent que l'action continue, tandis que le texte de la longue conversation est résumé et réparti dans les images : dans des bulles suggérant que Burma se remémore la conversation, en discours intérieur, en superposition avec Faroux dans un médaillon, ou encore en encadré, au bas de l'image.

Cet exemple montre que la suite des épisodes n'est pas agencée différemment dans le livre et dans la bande dessinée. Mais on voit bien que la transposition nécessite d'organiser le texte différemment, afin de supprimer les longueurs et les scènes statiques.

On pourra aussi comparer le cauchemar de Burma, décrit à la page 171 du roman, et sa complète réinterprétation par les images et le texte de la bande dessinée (pp. 59-60). On pourra également comparer les deux versions du moment où Roussel creuse la tombe de Simone.

▲ Représentation des personnages

De l'avis de Malet sur Tardi

« *Lorsque* Brouillard... *a paru en feuilleton dans* (À suivre)*, j'ai reçu, de quelques-uns de mes vieux lecteurs, diverses critiques touchant l'aspect physique de Burma, Faroux, Bélita, etc., et l'interprétation qu'en faisait Tardi. Comme je n'ai jamais su quelle apparence exacte revêtait Nestor Burma, il m'est difficile de trancher* [...]. *Tardi a agi à la façon d'un metteur en scène. Il a traduit les personnages du roman tels qu'il les voyait. Il adaptait le bouquin, il ne se bornait pas à en être seulement le brillant illustrateur.*[1] »

Avant de faire lire la bande dessinée aux élèves, on pourra leur faire dessiner les personnages.

Les personnages féminins

On trouve exactement les mêmes personnages dans la BD et dans le roman. Les personnages secondaires y sont pareillement représentés. Cependant, les portraits de femmes présentent des dissemblances sur le plan physique. Les élèves peuvent comparer, par exemple, Simone Blanchet, Geneviève Lissert et la veuve Parmentier.

– Simone Blanchet

Dans l'épisode de la fête foraine : « *Trois hommes s'empressent, dont un revêtu d'une blouse. Ils l'empoignent comme ils peuvent, sans nul souci de pudeur ou des convenances, et l'extirpent du wagonnet. La robe bleue qui*

---

1. « Propos badins à prétentions "historiques"... », *op. cit.*

la moule remonte jusqu'à ses cuisses. Les jambes émergent d'un bouillon-nement de nylon tendre. De jolies jambes. De très jolies jambes, finement gainées. » (Roman, p. 22.)

Chez Malet, Simone représente le personnage féminin sexy : *« On voit tout de suite qu'elle n'a pas de chemise, sous sa robe. À peine un slip. Et encore ! Rien de moins sûr. »* (Roman, pp. 55-56.)

Sur la couverture de la bande dessinée, Simone incarne la belle femme des années 50, sans pour autant être vêtue comme dans le livre. Elle porte une tenue moulante, de demi-saison (jupe droite sous le genou et pull foncé à manches longues). Elle est brune aux cheveux longs, et ses lèvres sont fardées. En se promenant dans la fête foraine, elle mange une barbe à papa. Elle fume. On ne voit jamais ses jambes, et il n'en est pas question dans le texte. Cependant, tout suggère à l'image que Nestor Burma, attiré par elle, l'a suivie jusque sur le « Grand Huit ».

Plus tard, elle ne porte ni chemise, ni robe... mais un pantalon « corsaire » très moulant. Et le texte n'indique pas que Burma en soit troublé.

Parmi les hypothèses que l'on peut émettre au sujet du choix de Tardi consistant à présenter une Simone Blanchet moins coquine dans la BD que dans le livre, il y a peut-être la volonté du dessinateur de ne pas disperser l'attention du lecteur : montrer l'attirance de Burma pourrait faire présager une aventure entre eux, qui s'intégrerait à l'intrigue policière. Or Burma s'intéresse à elle uniquement d'un point de vue d'enquêteur. Accessoirement, il la trouve à son goût. La bande dessinée donne l'impression que Tardi interprète le roman à destination d'un public plus jeune que celui de Malet.

– Geneviève Lissert

> *« C'est une très jolie jeune fille d'une vingtaine d'années, avec de longs cheveux blonds tombant librement sur ses épaules. Des yeux très purs quoique tristes, un nez bien dessiné, un visage d'un ovale délicat. Mais la tête est sans cou, le buste se tient trop droit, comme dans l'étau d'un corset, et on ne voit pas les membres inférieurs, dissimulés sous une couverture légère. »* (Roman, p. 50.)

Les images de la bande dessinée la représentent telle qu'elle est décrite par Léo Malet, sauf qu'elle a les cheveux coupés au carré. Plus loin dans le roman, il est précisé qu'elle est *« auburn »*, avant la tentative d'homicide dont elle victime. Dans la BD, elle dit : *« J'avais les cheveux longs à l'époque. »*

On peut supposer que la bande dessinée étant en noir et blanc, le dessinateur a préféré faire porter la différence de chevelure sur la longueur plutôt que sur la couleur.

– Madame veuve Parmentier

Ce personnage, déjà pittoresque dans le roman de Malet, a été véritablement recréé par Tardi.

Dans le roman, elle est décrite, longuement, comme une sympathique vieille dame, excentrique, fumeuse de gauloises et buveuse de bourgogne. Quand Burma lui dit qu'il est un flic privé, « *elle frétille d'aise, faisant s'entrechoquer les larmes de jais qui pendent à ses oreilles* ». C'est une lectrice de polars qui, lorsqu'elle parle de son défunt agent immobilier, décédé de mort naturelle, fait dire au narrateur : « *Elle me balance ça comme une héroïne d'Agatha Christie, avec une intonation laissant supposer que le Fromentel en question a été pour le moins coupé en morceaux et expédié en guise de cadeaux d'anniversaire à ses divers amis et connaissances.* » Plus tard, elle interviendra au cours d'une scène où Burma est prisonnier des voleurs d'or, munis d'armes. « *Un maigre épouvantail, drapé dans des oripeaux, coiffé d'un galure 1900 et le nez chaussé de soucoupes, se tient dans l'encadrement. Mᵐᵉ Vᵛᵉ Parmentier! La mère Parmentier...* » Dans l'écriture romanesque, la veuve Parmentier ne parle pas le Paris des faubourgs. Elle est originale, mais n'a aucun accent de vulgarité.

Sa représentation dans la bande dessinée outre le trait, lui conférant un faux air de Calamity Jane. Elle fume de gros cigares et boit du « picrate ». Sa manière d'évoquer la mort de Fromentel, en riant, fait dire au narrateur : « *Pas de doute, elle était sympathique, mais cinglée, la veuve Parmentier.* » Elle s'exprime vulgairement, et lorsqu'elle intervient soudainement dans la scène d'action, elle tient un gros « pétard » dans une main, et son sac dans l'autre, en disant : « *Qu'est-ce que c'est que ce bordel?* »

Cette dernière comparaison montre comment le personnage de la vieille dame indigne a évolué entre les années 50 et les années 80, date de parution de la première adaptation de Léo Malet par Tardi.

La mise en scène des cadavres

À partir d'un relevé des descriptions des cadavres, dans le roman et dans la BD, les élèves percevront les procédés de leur mise en scène. Prenons comme exemple le premier des deux cadavres de l'histoire.

Extrait du roman	*Extrait de la bande dessinée*
« *Le cadavre gît dans l'enchevêtrement métallique du scenic-railway [...]. Le corps a été recouvert d'une bâche et deux agents montent auprès d'une sorte de garde funèbre [...]. Avant d'être ce pantin désarticulé, tout recroquevillé, c'était un homme d'environ quarante ans, bien découplé [...], il a dû heurter*	L'image montre Nestor Burma, en plan moyen, avec l'inspecteur Garbois et un policier. Entre eux, le cadavre, que le policier découvre. Mais, du cadavre, on ne voit que la main et la hanche, le reste est caché par un bandeau dans lequel il est écrit : « *Ils m'ont fait voir le mort. La moitié du visage qui lui restait ne me*

> *un rail ou une poutrelle et le contact avec le sol de la place de la Nation a fait le reste, c'est-à-dire qu'il n'offre pas un visage particulièrement réjouissant ni entier* [...]. *Le bras auquel la main adhère doit être brisé en dix endroits différents, mais elle, elle est intacte, elle n'a pas un gnon. C'est une main soignée, ornée d'une chevalière* [...]. *Je reviens au visage. Autant qu'on puisse en juger, il était bronzé. Ça ou rien, c'est du kif.* » (p. 29)

> *disait rien... Je n'avais jamais vu ce type avant qu'il n'ait eu la mauvaise idée de s'en prendre à moi.* » (p. 12)
>
> L'inspecteur Garbois demande : « *Vous le connaissez ?* » Burma répond : « *Non.* »

Dans le roman comme dans la bande dessinée, la fonction narrative de la représentation du cadavre est d'informer le lecteur que Burma ne connaissait pas l'homme. Le roman le présente du point de vue de Nestor, en élidant tout ce qui pourrait inspirer l'horreur : l'homme est un assassin – on le saura plus tard –, donc pas de pitié mal placée pour lui ! C'est une question d'époque, également. La bande dessinée fait encore plus court, ne reprenant que le message d'information au lecteur : Burma ne connaît pas le meurtrier ; il ne lui rappelle rien du tout.

Toute autre est la mise en scène de la découverte du cadavre de Simone dans la baignoire de la salle de bains. Elle figure aux pages 178-179 du roman, et à la page 65 de la bande dessinée. On fera comparer aux élèves les deux mises en scène, en montrant comment le dessin marque l'imagination différemment que le roman.

On peut mener ces activités à partir des deux autres albums de Tardi : *Brouillard au pont de Tolbiac* et *120, rue de la Gare.*

LE MYSTÈRE
DES CHAMBRES CLOSES

Les nouvelles ayant pour objet un mystère de chambre close fonctionnent un peu sur le mode de la prestidigitation, à deux niveaux différents. À l'intérieur du récit, le personnage qui est l'auteur du meurtre s'efforce, vis-à-vis des enquêteurs, de mettre en lumière toutes les conditions qui rendent cet homicide impossible à réaliser, tout comme le prestidigitateur agite une main au premier plan, tandis que l'autre agit. Les enquêteurs ordinaires s'y laissent prendre, mais il y en a toujours un, exceptionnel, qui prend en compte tous les faits, sans en privilégier aucun, et résout l'énigme.

Dans sa relation au lecteur, l'écrivain adopte une position similaire : il expose tous les faits dans son récit, ne dissimule rien, mais les agence de telle sorte que les liens apparents entre les éléments du drame ne sont pas les liens réels. L'auteur invite ainsi le lecteur à se mesurer au détective d'exception et, de fait, en réagençant les éléments dont il dispose, le lecteur attentif est capable de résoudre l'énigme.

L'activité ici proposée consiste, dans un premier temps, à faire étudier aux élèves une nouvelle lue intégralement, de façon à démonter le mécanisme qui produit l'illusion d'impossibilité matérielle de l'homicide, et dans le but de mettre en évidence les éléments qu'il aurait fallu enchaîner pour résoudre l'énigme avant le détective.

Dans un second temps, les élèves, avertis, devraient être en mesure de résoudre l'énigme d'une seconde nouvelle, en procédant à un classement des informations au fur et à mesure de la lecture.

Nous avons choisi deux textes de l'anthologie *Crimes parfaits* (L'École des loisirs, « Médium » 1999) : *Le boucher qui riait* de Fredric Brown, et *Le Pont de verre* de Robert Arthur.

▲ Première étape : démontage d'une nouvelle

Voici un résumé du *boucher qui riait*. À Corbyville, où vivent de nombreux « *anciens du cirque* », le cadavre de Len Wilson a été trouvé au milieu d'un champ enneigé. Il est mort d'un arrêt cardiaque – le lecteur apprend très tôt que Len était malade du cœur. Les traces de pas inscrites dans la neige vont de l'extérieur du champ jusqu'au cadavre, aucune en sens inverse. La première série de traces est celle de Len Wilson. La seconde laisse supposer que la victime a été pourchassée. Mais comment l'assassin est-il reparti sans laisser de traces ?

On soupçonne le boucher. Les traces correspondent à sa pointure. Il a un mobile : il est amoureux de la femme de Len – celle-ci n'est d'ailleurs pas indifférente à son charme, mais pas au point de tromper son mari de son vivant. En outre, le boucher, ancien magicien de cirque, est accusé d'avoir recouru à la magie noire pour perpétrer son crime. Il est lynché par la population.

Le détective donne la solution à la fin. Il ne s'agit pas d'un meurtre, mais d'un suicide. Craignant que sa femme ne cède aux avances du boucher après sa propre mort, prévisible, Len Wilson s'est arrangé pour mettre fin à ses jours en faisant croire à un meurtre magique. Son ami, un nain, s'est juché sur ses épaules ; Len Wilson s'est alors mis à courir jusqu'à son dernier souffle. Le nain est ensuite reparti en marche arrière, chaussé de souliers à la pointure du boucher.

Dans ce type de récit, l'attention du lecteur est détournée de maintes façons afin de l'empêcher de percevoir tous les éléments signifiants qui lui sont fournis en même temps. On peut demander aux élèves de relever ces leurres.

Par exemple, de nombreux faits sont exposés au lecteur qui ne sait pas s'il doit les retenir comme essentiels à la résolution de l'énigme. Quand on connaît la solution, il est facile de dresser la liste des détournements d'attention : l'histoire de Corbyville (p. 140), le voyage de noce du narrateur (pp. 138-159), les prétendues pratiques magiques du boucher auxquelles l'auteur fait constamment référence : « *Il avait tué quelqu'un par magie* » (p. 136), « *la poupée de cire* » (p. 147), « *cette aura maléfique* » (p. 149), « *le diable incarné* » (p. 150), « *mais il continue à pratiquer la magie – la magie noire, la mauvaise* » (p. 151), etc.

En revanche, d'autres faits aident à la résolution de l'énigme, comme on s'en rend compte *a posteriori* :

– les liens entre quatre personnages : Len Wilson et le nain sont amis. La femme de Len aime son mari, mais n'est pas insensible au charme du boucher. Le boucher aime la femme de Len. Len sait que sa femme lui est fidèle, mais sent qu'elle épousera le boucher après sa propre mort. Len et le nain détestent le boucher ;

– une situation problématique : Len est malade du cœur, ce qui nourrit l'espoir du boucher, et rend possible la solution trouvée. Tous les hommes du village détestent le boucher, d'autant plus qu'il plaît aux femmes, ce qui permet d'envisager un lynchage ;

– une stratégie, en l'occurrence une stratégie du jeu d'échecs : le gambit. C'est une tactique qui consiste à accepter de perdre une pièce importante pour pouvoir gagner par la suite. Au cours d'une partie, le nain sacrifie un fou, ce qui lui permet de l'emporter. Le nain est alors qualifié de spécialiste du gambit. Pareillement, Len accepte de se sacrifier afin que sa veuve n'épouse pas le boucher.

▲ Seconde étape : résoudre l'énigme de la seconde nouvelle

Cette fois, il s'agit de résoudre l'énigme avant le détective expert. L'exercice précédent a dû rendre les élèves circonspects quant aux éléments fournis par le texte. Ils savent qu'une information confirmée et répétée peut être indispensable à la résolution de l'énigme (le fait que les hommes haïssent le boucher, tandis que les femmes le trouvent charmant, par exemple) ou, au contraire, être un leurre (les références à la magie noire, notamment). Ils ont aussi conscience qu'un fait singulier, paraissant appartenir à une digression, peut jouer un rôle essentiel dans le récit principal (par exemple, la pratique du gambit lors de la partie d'échecs).

Pour lever le mystère du *Pont de verre* avant l'enquêteur, il faut définir l'énigme, puis répertorier, d'une part les informations réitérées, d'autre part les éléments isolés dont on se demande s'ils jouent un rôle ou non. Et il est bon, à plusieurs reprises, d'abandonner le texte et d'argumenter sur les éléments retenus, de façon à essayer d'établir des liens significatifs entre eux ou, au contraire, à les éliminer.

Dès la deuxième page de la nouvelle, l'énigme est précisée. Marianne Montrose, la victime, est entrée dans la maison de Mark Hyllier et, d'après les traces dans la neige, n'en est pas ressortie. La maison est fouillée, en vain. Par ailleurs, dès le début du récit rapporté, la victime est qualifiée de « *maître chanteuse* » (p. 78). On peut donc en déduire qu'il y a un mobile à son assassinat.

Par la suite, tous les faits sont précisés : Mark Hyllier confirme que Marianne Montrose le faisait chanter et qu'il lui a donné de l'argent. Marianne Montrose a certainement été assassinée car, avant d'entrer dans la maison, elle a demandé à un témoin d'avertir la police si elle ne ressortait pas dans l'heure suivante. Mark Hyllier ferait un coupable idéal : écrivain de textes policiers, il s'est spécialisé dans l'invention de crimes énigmatiques ; de plus, il a un mobile. Seulement, il est malade du cœur, et tout effort lui est interdit. Les expertises confirment qu'il lui est impossible de sortir de la maison sans laisser de traces dans la neige.

L'énigme se concentre donc sur le mode opératoire du crime.

Les informations réitérées concernent :

– le temps hivernal : l'action se déroule le 13 février ; il y a soixante centimètres de neige autour de la maison ; un témoignage précise qu'il fait douze degrés au-dessous de zéro, et indique la consistance de la neige : « *une bonne croûte glacée recouverte d'une couche poudreuse* » (p. 80) ;
– les lieux : la maison du suspect est bâtie sur une colline surplombant une vallée. Il y a une terrasse derrière la maison. Un témoignage précise que la gorge de Harrison (où le cadavre sera retrouvé) est à près de quatre cents mètres de la terrasse, laquelle avait été dégagée à la pelle, avant que le vent ne la recouvre de neige poudreuse. L'été, on peut accéder à cette gorge par « *un chemin en lacet* », mais l'hiver il est enneigé (pp. 80-81).

Les éléments isolés dont on se demande s'ils jouent un rôle dans la résolution de l'énigme concernent :

– Le perron : à deux reprises, on précise qu'il comporte vingt-trois marches. Est-ce signifiant ?
– Les jeux d'hiver : un témoin évoque, dans ce qui ressemble à une digression, des enfants en train de faire du ski, de jouer avec « *des luges et ces nouveaux bacs en aluminium* » (p. 82). Cela a-t-il un rapport avec l'énigme ?
– Les métaphores de l'assassin présumé : Mark Hyllier parle d'un « *pont de verre* » (p. 86) pour désigner la façon dont la victime a dû quitter la maison. S'agit-il d'un indice significatif ou d'une simple métaphore ironique ?

À ce stade, le lecteur attentif qui postule le meurtre de Marianne Montrose par Mark Hyllier sait que la disparition du cadavre n'a pas dû nécessiter d'effort de la part de l'assassin. Il sait que le cadavre n'a pu être sorti par le perron et que, par conséquent, le nombre de marches n'est sans doute pas signifiant.

En revanche, la terrasse nord doit attirer l'attention du lecteur. Quel que soit le moyen utilisé pour faire disparaître le cadavre, il pouvait se dérouler en ce lieu, dégagé de neige dans un premier temps, puis recouvert de poudreuse dans un second temps, ce qui permettait de dissimuler toute trace. On peut en déduire également que l'opération n'a pas duré très longtemps.

La suite du récit nous apprend que les investigations des enquêteurs n'ont pas permis de trouver quoi que ce soit ayant pu servir de luge, qui aurait pu relier la maison de Mark Hyllier et la crique où a été découvert le cadavre. On apprend également que Marianne Montrose est morte de froid et que l'un des enfants ayant trouvé le cadavre a aperçu « *quelque chose de blanc [qui] pendait au feuillage vert argenté d'un saule* » (p. 91). Cet élément isolé se révèle essentiel puisque le détective expert demande des précisions à ce sujet, et apprend qu'il s'agit d'un vieux drap de lit (p. 94).

À la page 94, le détective de l'histoire possède tous les éléments permettant de résoudre l'énigme. Il va exposer sa théorie en recourant à une démonstration concrète. Les élèves, de même, possèdent donc tous les éléments. Mais comment les relier ?

Parmi les éléments isolés retenus, le premier (les marches du perron) a déjà été éliminé. Restent les deux autres : l'assassin présumé qui évoque un « *pont de verre* » et la référence aux jeux de glisse des enfants. On peut donc en déduire, comme l'ont fait les enquêteurs, que le meurtrier a utilisé une sorte de luge improvisée pour faire glisser le cadavre depuis la terrasse jusqu'à la gorge de Harrison. Pour identifier ce moyen, il suffit de rapprocher les informations dont on dispose :

– un vieux drap de lit ;
– une température de douze degrés au dessous de zéro ;
– une croûte glacée autour de la terrasse ;
– un chemin en lacet menant de la terrasse à la gorge de Harrison (véritable piste de bobsleigh, l'hiver).

Dans ces conditions, il suffit donc de mouiller le drap, de le disposer sur la terrasse, d'y envelopper la victime précédemment endormie, et d'attendre que le drap gèle – ce qui prend peu de temps compte tenu de la température –, avant de pousser le tout sur la pente.

Ce type de travail peut être effectué sur d'autres textes (voir la bibliographie proposée pour la catégorie « chambre close », dans la première partie de cet ouvrage).

ÉCRITURE
D'UNE NOUVELLE POLICIÈRE (1) :
LA TECHNIQUE DES BRIBES

On posait souvent à Fredric Brown, l'auteur de la nouvelle *Le boucher qui riait*, analysée précédemment, la même question : « *Où trouvez-vous vos intrigues ?* » (« *Where do you get your plot ?* » – ça fait mieux !), si bien que Brown finit par écrire un article[1] portant ce titre, qui commence ainsi :

> « *Je suis persuadé – mais je peux me tromper ; ça m'est déjà arrivé – que tous les écrivains ont exactement le même système pour bâtir une intrigue, mais que très peu d'entre eux ont analysé consciemment le processus. C'est ridiculement simple. Ne vous méprenez pas : je ne veux pas dire qu'il est ridiculement simple de trouver une bonne intrigue ; je veux dire que le* processus d'élaboration d'une intrigue *est facile à expliquer et facile à comprendre* [...].
>
> « *Un écrivain bâtit son intrigue par accrétion. Si vous avez oublié le sens de ce mot, je vous épargnerai la peine de consulter le dictionnaire[2] ; il signifie :* augmentation par ajouts successifs.
>
> « *Ça peut partir de n'importe quoi : un personnage, un thème, un décor, un simple mot. Par accrétion, les divers éléments finissent par constituer une intrigue.* »

C'est sur ce principe que repose la technique des bribes, que nous avons déjà fréquemment pratiquée avec des jeunes ou des adultes, et qui se montre toujours efficace, précisément parce qu'elle utilise la démarche même des écrivains. En l'occurrence, c'est exactement le contraire de certaines démarches didactiques, comme celle que décrit Caroline

---

1. Fredric Brown, « Où trouvez-vous vos intrigues ? », trad. Gérard de Chergé, *Polar*, n° 23, 1982, p. 22.
2. En fait, cela vaut la peine de le faire quand même, le terme « accrétion » étant technique et se référant à l'astronomie. *Le Petit Larousse* le définit comme suit : « *Capture de matière extérieure par une étoile, ou une planète en formation, sous l'effet de la gravitation.* » En effet, la notion de gravitation constitue une comparaison explicite pour désigner le phénomène qui relie des bribes d'idées ou de vécu au noyau central de l'intrigue en voie de constitution.

Masseron, dans « Écrire des récits d'énigme criminelle[1] », ainsi résumée : « *Écrire un récit d'énigme criminelle c'est comme inventer un puzzle : d'abord, concevoir l'image finie puis la déconstruire et en disperser les différentes pièces.* » (p. 36) À l'inverse, l'écrivain invente des pièces disparates du puzzle, et cherche à les emboîter, au fur et à mesure, jusqu'à ce qu'une image globale apparaisse – il peut alors ciseler chaque pièce pour qu'elle s'emboîte mieux. La technique des bribes permet une approche d'écriture similaire.

L'activité consiste à demander aux élèves de formuler chacun, oralement, une bribe de leur vie chargée d'émotion. Il ne s'agit pas de révéler des secrets, ni même d'entrer dans les détails. Quelques phrases brèves suffisent.

L'adulte écrit les bribes au tableau ; c'est le matériau de base qui servira à construire une nouvelle.

Même si ces témoignages de réalité paraissent banals, notamment parce que les adolescents restent pudiques sur leurs émotions, il y a une forte charge affective sous-jacente, et beaucoup d'implicite. On peut en faire facilement la démonstration en partant d'une phrase comme celle-ci : « *J'ai encore raté le train, ça fait trois fois ce mois-ci* », phrase formulée par une adulte au cours d'un stage de formation. Invitée à en dire plus, elle a d'abord précisé qu'elle prenait le train chaque semaine pour aller chercher ses enfants, confiés à la garde de son ex-mari. Puis elle a indiqué qu'elle allait bientôt se remarier et, sans rien ajouter, s'est tournée vers une autre stagiaire enceinte. Nous n'avons pas insisté – un atelier d'écriture ne doit jamais devenir une séance de psychanalyse ! –, mais tout le monde a compris que, derrière la formulation banale, il y avait une histoire intime très marquée sur le plan affectif.

Voici, à titre d'exemple, dix bribes proposées par des adolescents au cours d'un atelier d'écriture :

(1) « *Il y a quelqu'un qui appelle souvent au téléphone, mais qui ne dit rien, on entend seulement sa respiration. Maman, ça la rend folle.* »

(2) « *Une de mes copines a été tuée dans un accident, cet été. Je lui ai acheté des œillets, c'est ce qu'elle préférait.* »

(3) « *Je suis allé à l'hôpital voir ma grand-mère. Ils n'ont pas voulu parce qu'il faut être accompagné d'un adulte.* »

(4) « *Chez moi, il y a un escalier et dessous c'est tout sombre. Depuis que je suis toute petite [rire] j'ai peur que quelqu'un se cache là. Alors je monte toujours l'escalier à toute allure.* »

(5) « *Il y a eu un reportage sur le foot, à FR3, et on m'a vu à la télé.* »

---

1. In *Pratiques*, n° 83 : « Écrire des récits », 1994.

(6) « *Ça fait huit jours que je suis sur mon nouveau jeu [informatique], et je n'arrive pas à trouver la porte secrète dans le couloir des démons noirs, ça m'énerve !* »

(7) « *Des fois, j'imagine que j'ai un grand frère. Ça me plairait beaucoup. Maman dit que j'ai trop d'imagination.* »

(8) « *Je me suis cassé la jambe en faisant du roller. C'était bien, parce que comme ça j'ai pu lire les livres pour le collège.* »

(9) « *On a visité une exposition sur le Moyen Âge, dans un château. Il y avait une vraie épée. Je me suis demandé comment ils pouvaient se battre avec un truc aussi lourd. En plus, la lame était un peu rouillée, et j'ai cru que c'était du sang [il rougit].* »

(10) « *J'aimerais bien avoir toujours treize ans !* »

On ne peut rêver plus disparate ! Or, c'est ce qui permet de disposer de possibilités très ouvertes. Pour passer de ces bribes à une nouvelle policière, il faut alors, d'une part choisir un type de structure policière, d'autre part utiliser son imagination pour développer chaque bribe (les implicites réels qu'elle contient ne regardent pas le groupe).

Par exemple, si c'est une nouvelle à énigme que les élèves veulent écrire, il faut une victime, un coupable, un délit, un mode opératoire, un mobile, une enquête.

La victime pourrait être une femme harcelée au téléphone (bribe 1).

Le coupable pourrait être un fanatique des jeux informatiques du type *Donjons et châteaux* (bribe 6).

Le délit pourrait être une tentative de meurtre réalisée au moyen d'une épée (bribe 9). Au moment où la femme sortirait de chez elle, une épée lancée de l'étage supérieur la frôlerait et viendrait se planter dans une marche de l'escalier (bribe 4).

Le mobile serait la vengeance. La femme, chirurgien, travaillerait dans un hôpital (bribe 3). L'un de ses patients serait décédé après une opération : le frère du coupable (bribe 7), celui qui l'a initié aux jeux informatiques. Le coupable serait persuadé que la femme médecin est responsable du décès. D'abord, il l'aurait harcelée au téléphone (bribe 1), puis, quelque peu déboussolé par ses jeux, se serait persuadé qu'il a pour mission de venger son frère, s'identifiant aux chevaliers médiévaux, d'où l'utilisation d'une épée.

Quant à l'enquête, elle pourrait être menée grâce à l'informatique, par l'adolescent qui s'est cassé la jambe (bribe 8), un amateur de jeux également, qui correspondrait avec le coupable par e-mail, et mettrait en relation certains délires de ce dernier et les informations publiques sur la tentative de meurtre perpétrée sur la femme médecin.

Ainsi, en mettant en relation diverses bribes, on obtient une ébauche de scénario qu'il suffit ensuite de développer, en tenant compte de la cohérence du récit.

Si c'est une nouvelle noire que les jeunes veulent écrire, alors il faut surtout trouver un ou plusieurs personnages dont la psychologie sera développée, ainsi qu'un milieu social criminogène. Prenons comme exemple un couple très amoureux. La jeune femme est tuée par un chauffard ivre qui s'enfuit (bribe 2) ; le jeune homme est désespéré et réagit d'abord comme un enfant (bribe 10). Un témoin de l'accident, interviewé par FR3 (bribe 5), révèle que la voiture zigzaguait avant de heurter la femme, et parle d'alcoolisme. Fou de douleur, le jeune homme, qui réagit comme un gamin, s'attaque à tous ceux qui ont un rapport avec l'alcoolisme : il menace les cafetiers au téléphone (bribe 1) ; il repère, à l'entrée de l'hôpital (bribe 3), les alcooliques amenés par les patrouilles de police, attend leur sortie, et les agresse. Il leur casse une jambe (bribe 8) avec une lourde barre de métal (bribe 9), en hurlant qu'ainsi ils ne pourront pas conduire pendant un certain temps.

Avec ce point de départ, il est facile de poursuivre l'histoire dans maintes directions. Mais pour que le milieu social soit suffisamment mis en évidence, il sera nécessaire d'effectuer des recherches sur l'alcoolisme et ses méfaits. Après quoi, il ne restera plus qu'à rédiger.

ÉCRITURE D'UNE NOUVELLE POLICIÈRE (2) : LA TECHNIQUE DU « MYSTÈRE EN KIT »

Cette activité d'écriture policière est destinée à faire travailler de nombreuses classes, du CE2 à la troisième. Elle a été réalisée pour la première fois lors des « 24 heures du livre », dans la Sarthe. Le principe en a été repris par la suite, avec l'aide de la presse écrite locale, jusqu'à l'île de la Réunion où elle s'est appelée « Mystère Marmaille ».

Principe de l'animation

Il est demandé aux élèves d'imaginer le synopsis d'une nouvelle policière (le mystère) à partir d'un court texte inducteur, d'objets et de photos (le kit). Cet ensemble d'indices sert de point de départ pour mener une enquête fictive. On peut manipuler les indices[1], ce qui motive beaucoup les élèves pour imaginer des pistes d'enquêtes possibles. L'enseignant anime le groupe de manière que soit imaginée une trame narrative (synopsis), dont la qualité essentielle sera la cohérence.

Les synopsis des classes inscrites au concours sont adressés aux organisateurs, et lus par un jury. Ceux d'entre eux jugés les plus cohérents et les plus originaux sont sélectionnés (au nombre de cinq). Les autres classes reçoivent un courrier de remerciement pour leur participation, des encouragements à poursuivre l'écriture, et une liste des principaux défauts constatés dans les textes reçus.

Les cinq classes retenues travaillent à la réécriture de leur synopsis sous forme de nouvelle, avec l'aide d'un écrivain de romans policiers. Cette phase dure plusieurs semaines. Les nouvelles sont illustrées par un dessinateur professionnel et publiées dans un recueil.

---

1. Les indices peuvent être, par exemple : une carte à jouer, une capsule de boisson, une friandise ; et un objet d'enquête : loupe, boussole, jumelles, miroir. Chaque élément du kit devient le support d'un élément narratif.

Composition du kit

Il est intéressant d'établir un partenariat avec le quotidien local. Ainsi, les photos, le texte inducteur et le règlement du concours peuvent faire l'objet d'un tiré à part d'une page de journal, ce qui induit un effet de vraisemblance motivant. Le court texte inducteur peut être : *« Mais où est donc passée Marion, une adolescente moqueuse de 13 ans ? Luc et Simon, deux de ses copains, vont mettre deux jours à résoudre l'énigme. »*

Les photos en noir et blanc sont au nombre de douze. Elles représentent des portraits de jeunes personnages, des lieux et des situations, en gros plan ou en plan moyen : une ombre, une serrure, une main, les personnages en conversation, etc.

Tous les indices – phrase inductrice, photos et objets – doivent être utilisés.

Écriture du synopsis

On choisit le point de vue narratif à adopter, puis le narrateur à la troisième personne ou à la première personne, qui peut être l'un des camarades de Marion. On garde en mémoire, grâce à une prise de notes détaillées, tout ce que les élèves ont dit pour faire avancer l'enquête. L'enseignant explique que ce qui est écrit n'est pas fixé irrémédiablement. De ce fait, il accepte les poncifs (l'existence de ces clichés est normale dans les premiers jets d'écriture), puis aide les jeunes à les dépasser pour trouver un thème original. Parallèlement à l'écriture, les élèves lisent le plus grand nombre possible de romans policiers, ce qui permet d'en dégager les lois communes.

Lecture des synopsis par un jury

Le jury joue en quelque sorte le rôle d'un comité éditorial. Les synopsis n'ayant pas inclus tous les éléments du kit, et ceux par trop incohérents, sont éliminés. Parmi ceux qui restent, beaucoup sont stéréotypés : la fugue, l'enlèvement, le trafic illicite, le réseau de bandits démantelé en sont les exemples fréquents. Les synopsis retenus, en revanche, comportent un élément singulier : la situation, le caractère des personnages, les lieux, la chute... De plus, le méfait commis par un des personnages est mis en scène avec netteté.

Réécriture avec un écrivain

Une fois les cinq synopsis reconnus comme solides, la réécriture peut commencer. L'écrivain rencontre les enseignants pour leur expliquer sa manière d'écrire des nouvelles policières : la façon de passer d'un épisode à l'autre, les figures de style, la place et le rôle des dialogues, l'insertion du discours descriptif, etc.

Les échanges entre l'écrivain et la classe se font de toutes les manières possibles, par lettres, télécopies, courriers électroniques.

Les organisateurs auront précisé la longueur approximative du texte final, de manière à pouvoir faire établir plusieurs devis d'impression du recueil, auprès des imprimeurs.

Publication du recueil de nouvelles

Une fois l'étape de réécriture achevée, les cinq nouvelles sont illustrées par un professionnel, qui réalise également la couverture. Le paratexte comportera le titre, la page de titre, la quatrième de couverture, le nom de l'écrivain accompagnateur et celui des auteurs, le sommaire, l'adresse où l'on peut se procurer le recueil, ainsi que le prix, s'il est vendu. Dans ce cas, les mentions légales devront figurer sur le livre[1].

Accompagnement de l'animation

La réussite d'une telle animation est liée à la bonne information des enseignants par les organisateurs, sur le calendrier spécifiant les étapes de l'écriture et sur ce qu'ils attendent précisément, en particulier concernant le contenu du synopsis. Pour ce faire, ils ne craindront pas d'accompagner l'animation par des fiches de conseils pédagogiques destinées aux enseignants.

Les enseignants ont un rôle important. Ils proposeront des animations de lecture à partir de livres policiers, comme par exemple le « mini-apostrophe[2] », les présentations de livres, la comparaison des incipits, la comparaison des personnages, la typologie des méfaits, etc.

Cette animation permet de fédérer plusieurs dizaines de classes autour de l'écriture du genre policier. Et notons qu'après la réalisation d'un « mystère en kit », la plupart des enseignants concernés poursuivent des activités d'écriture avec leurs élèves.

(On trouvera un exemple de « mystère en kit » dans la quatrième partie de cet ouvrage.)

---

1. Pour plus de détails, se reporter à *L'École des lettres des collèges*, n° 8, 15 décembre 1998, pp. 27-28.
2. Voir : Christian Poslaniec, *Donner le goût de lire*, Le Sorbier, 2001.

ÉCRITURE
D'UNE NOUVELLE POLICIÈRE (3) :
PARTIR D'UN LIEU RÉEL

Pour commencer à écrire une nouvelle policière, le plus difficile n'est pas d'élaborer l'histoire, mais de trouver un matériau de départ suffisamment riche pour susciter des péripéties originales.

Aucun écrivain n'invente *ex nihilo*. Au départ d'un roman ou d'une nouvelle, il y a toujours un fait de réalité – même minime – que l'auteur développe dans tous les sens pour obtenir un matériau de base. Fredric Brown, cité précédemment, en fait la démonstration dans son article « Où trouvez-vous vos intrigues ? ». Pour que ce point de départ soit totalement aléatoire, il demande à sa femme de lui donner un mot. Elle propose « *poisson rouge* » car il y a un bassin dans leur jardin. Immédiatement, la machine à inventer des histoires se met en route, et, tout au long des trois pages suivantes de l'article, on assiste à la naissance d'une intrigue, à partir des savoirs et connotations sur « *poisson rouge* ». Impressionnant !

Certes, des jeunes non expérimentés en écriture policière auraient du mal à élaborer un scénario policier à partir d'un mot. Mais on peut leur fournir un substrat plus consistant en les emmenant visiter des lieux particuliers, comme par exemple la baraque à huile, le chemin de Gravois, la tour du Renard, qui se trouvent à Outreau, dans le Pas-de-Calais.

Il y a quelques années, dans le cadre d'un salon du livre, « Outreau sur polar », la municipalité a invité quelques écrivains du genre à animer des ateliers d'écriture un peu particuliers. Rendez-vous était pris avec les jeunes de la commune désireux d'y participer, hors temps scolaire, et ils vinrent en grand nombre. Aussitôt, tous montèrent dans des cars pour aller visiter les lieux historiques et mal famés de la commune. Spontanément, les jeunes se regroupèrent autour des écrivains, chacun ayant donc son groupe. D'un côté, on détaillait les lieux ; on se demandait ce qui avait bien pu arriver là ; on commençait à imaginer. De l'autre, on portait attention aux détritus abandonnés dans un parc : un biberon jouet, une capsule de soda, un bout de journal...

La simple observation attentive (et guidée par les écrivains) de ces différents lieux a suffi pour accumuler un copieux matériau de base : descriptions potentielles, personnages en gestation, objets de la réalité, atmosphère, événements possibles, bribes de l'histoire locale, remémorations, sensations, etc. Il n'y avait plus qu'à organiser cela pour passer à l'écriture. Six nouvelles furent ainsi créées et publiées dans un coffret, avec le concours financier de la Direction régionale des affaires culturelles (voir des extraits de nouvelles dans la quatrième partie de cet ouvrage).

De nombreux ateliers d'écriture animés par des écrivains commencent, pareillement, par une visite de lieux. Et ce pour observer, décrire, rechercher des émotions et des sensations, avant de se préoccuper du récit. Certains de ces ateliers débouchent sur l'écriture d'une nouvelle policière. Par exemple, une classe de Sainte-Sabine-sur-Longève (72) avait décidé d'écrire un court roman policier, et l'école demanda à Christian Poslaniec de créer une animation. Toute la classe fut alors invitée à visiter la forêt voisine, à observer les plantes, toucher les écorces, sentir les champignons, porter attention aux empreintes, contempler l'étang et son eau dormante, imaginer ce qu'il pouvait y avoir au sommet des arbres. Les enfants prenaient des notes, faisaient des propositions, engrangeaient des sensations, imaginaient un personnage.

Quand on lit leur réalisation, *Dans la gueule de l'arbre*, on s'aperçoit que la prise en compte des lieux a structuré leur récit, l'a organisé, et lui a donné de la consistance :

> *« Lorsqu'on quitte la nationale 23, qui mène à Alençon pour se diriger vers Saint-Jean-d'Assé, tout devient calme. »*

> *« La maison de Lucien se situe à deux kilomètres du bourg, près de la forêt de Mézières. »*

> *« Des vêtements tachés de sang sont éparpillés près d'un arbre : des lambeaux de chemise à carreaux rouges. Des traces de pas sur la terre. Des empreintes de voiture plus loin. »*

> *« Il longe le chemin creux et trempé par les pluies pour arriver à la Sarthe. »*

> *« Il ouvre grand les yeux et observe la trouée de feuilles. Celles-ci ondulent comme un serpent et se transforment en collines. »*

> *Etc.*

Après l'édition artisanale du court roman policier des enfants, l'écrivain a promis à ces derniers d'écrire son propre roman, en s'inspirant lui aussi de la visite initiale en forêt. Le hasard veut que ce soit une histoire de poissons rouges[1] !

---

1. *Le Douzième Poisson rouge*, L'École des loisirs, « Neuf », 1998.

LE DÉCOR DU ROMAN NOIR

Catherine Vernet, dans un article déjà cité dans la première partie de cet ouvrage[1], a étudié le décor du roman noir, et remarque une différence fondamentale selon qu'il s'agit d'un roman pour les adultes ou pour les jeunes. Elle écrit :

> « *Le roman pour la jeunesse apparaît donc bien comme semblable au roman noir pour adultes dans les lieux qu'il décrit : lieux de la ville, périphéries diverses, ville morte et agressive, mais le trajet qu'y fait le héros est fondamentalement différent. Dans le roman noir pour adultes, le héros passe d'un lieu à l'autre et erre sans fin, ne s'arrête pas et ne se modifie pas : il revient à son point de départ ou continue d'avancer sans but. Dans le roman pour la jeunesse, le trajet d'un lieu à un autre symbolise la transformation du héros, le passage d'un état à un autre, et le roman noir de jeunesse, sans doute pour des raisons éducatives, se double d'un roman d'initiation.* »

L'activité proposée consiste à vérifier l'hypothèse avancée par Catherine Vernet.

Dans un premier temps, pour mettre en évidence la variété des décors urbains que l'on trouve dans les romans noirs, on fera répertorier les lieux qui apparaissent dans *Pinguino*, un roman de Franck Pavloff (Syros, « Souris noire », 1997) : le quai Perrière à Grenoble, le marché de la rue Chenoise, les squats de l'Alma, le sixième étage du 6, rue des Trèfles (où vit un copain handicapé de Pinguino), le chantier Europole, le parking de l'Entrepôt, etc.

Dans un deuxième temps, on proposera aux élèves de reconstituer le parcours de l'héroïne, Julie dite « Jolie », dans *La Nuit du voleur* de Hubert Humbert (Syros, « Mini souris noire », 1998), et d'essayer de démontrer que ce parcours spatial se double d'un parcours initiatique.

Julie est réveillée par quelqu'un qui lui caresse le visage. L'homme se sauve, se bat avec le père de la fillette, et s'enfuit. Julie se lance à sa pour-

---

1. « La littérature policière de jeunesse : caractéristiques des genres et propositions didactiques », *Pratiques*, n° 88 : « La littérature de jeunesse au collège », 1995, p. 93.

suite, en pyjama, tout au long du boulevard Maritime, le rattrape près du port, et l'identifie : un jeune homme qui l'a gardée, un soir. Comme elle fait demi-tour, l'homme, qui a peur d'être dénoncé, la poursuit à son tour. Ils parcourent donc le boulevard Maritime dans l'autre sens. L'homme la rattrape dans une zone d'ombre, près du garage. Il lui parle gentiment, mais, comme la police surgit alors, il finit par la menacer de l'égorger. Julie parvient à se dégager pour regagner sa maison (retour au point de départ), tandis que l'homme, pour ne pas être pris, se jette sous un camion.

Jean-Noël Bourdin, Christine Houyel et Josette Leroy, qui étudient ce livre dans *De l'album au roman. Mallette de livres pour la jeunesse, cycle 3* (Inspection académique de la Sarthe, 2000), proposent le trajet suivant :

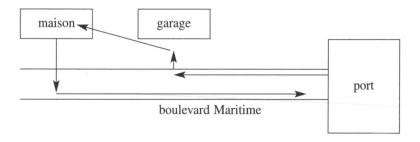

En portant attention aux décors, on se rend compte, dès le début, que le boulevard Maritime, qui joue un rôle essentiel, est omniprésent (le bruit des camions qui font trembler la maison rythme tout le récit). Le port, symbolisé par un « *bateau noir dansant sur l'eau noire* » et un « *nuage de pluie* », n'est pas le havre de paix qu'il aurait pu être si l'histoire s'était arrêtée là, et si Julie, ayant reconnu son agresseur, lui avait promis l'anonymat, par exemple. Autre décor : la porte du garage, qui est « *une zone d'ombre* ».

Le parcours initiatique de Julie concerne l'ambivalence de son comportement face à cet homme qui, tour à tour, la séduit (le narrateur, évoquant l'épisode où l'homme a gardé la fillette, indique les propos de celle-ci : « *Et toi, appelle-moi Jolie, avait dit Jolie-la-coquette* » ; et pendant la première poursuite, il est écrit : « *Quant à avoir peur de lui, elle n'y pense même pas ; elle ne se souvient que de sa caresse* ») et la terrorise (« *[L'homme] est un géant. Il tangue, bras ballants, prêt à la saisir et la jeter comme on jette un caillou, dans l'eau sans fond du port* »).

C'est justement la peur, ou l'absence de peur, qui rythme le parcours de Julie. Au début, quand elle se réveille, « *une boule de peur* » l'empêche de crier. Quand elle se lance à la poursuite de l'homme, elle n'a alors plus peur. Quand il la poursuit à son tour, elle a si peur qu'elle tente d'appeler au secours, mais l'homme la rattrape et la bâillonne de la main. Tandis qu'il lui parle, contre la porte du garage, la peur de Julie disparaît « *subitement* ». Et quand l'homme fait mine de l'égorger, le narrateur précise : « *Jolie tremblait non pas comme une feuille mais comme dix feuilles, comme les milliers de feuilles d'un arbre entier.* » Après la mort de son agresseur, la peine remplace la peur, et elle tente de le disculper. A-t-elle fait un choix entre les deux sentiments qu'elle éprouve pour l'homme, ou accepte-t-elle l'ambivalence, comme le suggère la fin du roman ?

À plusieurs reprises, il a été question d'une boucle d'oreille en forme de tête de mort avec deux lettres gravées : H et L. L'agresseur s'appelle Hervé Lebeau. Mais H et L renvoient aussi, comme il est expliqué, à « *Hate* » et « *Love* ». Or la mère d'Hervé vient rendre visite à Julie, à la fin de l'histoire, et lui offre la boucle d'oreille en concluant ainsi : « *HATE et LOVE, HAINE et AMOUR. Les deux sont bien souvent mélangés dans la vie.* »

Dans un troisième temps, on proposera de répertorier les décors d'un roman noir pour adultes, par exemple *Chourmo* de Jean-Claude Izzo (Gallimard, « Série noire », 1996), et de mettre en évidence le fait que la succession des lieux est le signe d'une errance, celle de Fabio Montale qui, pour retrouver des personnes disparues, « *plonge dans sa ville* » (Marseille), comme il est dit en quatrième de couverture.

LE ROMAN POLICIER
DE TERROIR

C'est une variété de la catégorie ethnologique. Quand Tony Hillerman parle des Indiens, ou lorsque Lilian Jackson Braun décrit la vie d'un comté isolé, nous, lecteurs français, avons une sensation de dépaysement qui nous fait bien percevoir le caractère ethnologique des romans de ces deux auteurs. Des titres comme *La bouffe est chouette à Fatchakulla!*, de Ned Crabb[1], ou *Fantasia chez les ploucs*, de Charles William[2], connotent un monde rural. En ce qui concerne le roman de Crabb, les spécificités de ce monde sont mises en évidence dans le texte de quatrième de couverture : « [...] *le canton de Fatchakulla, Floride (spécialités : marais, ratons-laveurs, alligators, fornicateurs et buveurs de bière)* [...]. »

Toutefois, lorsque ce sont des régions françaises qui servent d'arrière-plan à des romans policiers, nous n'éprouvons pas la même sensation de témoignage ethnologique, même quand les mœurs de ses habitants sont décrites de façon détaillée.

Cette manière d'ancrer une histoire dans une réalité régionale n'est certes pas neuve, et de nombreux romans de Maurice Leblanc, Conan Doyle, Agatha Christie ou Georges Simenon le prouvent. D'ailleurs, en littérature générale, le roman de terroir a fait l'objet d'un débat dès le milieu du XIXᵉ siècle, en marge du naturalisme. George Sand en témoigna, qui crut bon de préciser, en 1851, dans une « Notice » préfaçant *La Mare au diable* :

> « *Quand j'ai commencé par* La Mare au diable, *une série de romans champêtres, que je me proposais de réunir sous le titre de* Veillées du chanvreur, *je n'ai eu aucun système, aucune prétention révolutionnaire en littérature* [...]. *Je n'ai rien fait de neuf en suivant la pente qui mène l'homme civilisé aux charmes de la vie primitive. Je n'ai voulu ni faire une nouvelle langue, ni me chercher une nouvelle manière. On me l'a pourtant affirmé dans bon nombre de feuilletons* [...] *et je m'étonne toujours que la critique en cherche si long* [...]. »

---

1. Trad. Sophie Mayoux, Gallimard, « Série noire », 1980, rééd. 1995.
2. Trad. Marcel Duhamel, Gallimard, « Série noire », 1956 ; « Folio junior », 1999.

Dans cette « Notice », George Sand parle de « *roman de mœurs rustiques* » ; or, ces dernières années, il semble y avoir un retour, dans le genre policier, à ce type d'inspiration, à un réenracinement dans les terroirs.

Comme nous l'avons dit précédemment, le « noir » est la catégorie dominante du polar à la fin du XXᵉ siècle. Et le décor du « noir », c'est la ville tentaculaire, avec ses banlieues, ses souterrains, ses immeubles démesurés, ses labyrinthes. Ce type de décors, on le retrouve dans tous les pays, et seules les dénominations changent : bidonville ou *favella*, métro ou *tube*, rue ou *strasse*...

C'est sans doute par réaction à cet univers que de nombreux auteurs contemporains redécouvrent la ruralité et déplacent le « noir » vers les régions. Ce faisant, ils modifient les caractéristiques de la catégorie, les mœurs rustiques imposant leur différence par rapport aux mœurs urbaines, les personnages enracinés dans un terroir réagissant autrement que les personnages déracinés des villes.

L'objectif de l'activité que nous proposons consiste précisément à faire découvrir, par les élèves, ces différences entre les romans ruraux et les romans urbains. On leur demandera, au fur et à mesure de leurs lectures individuelles, et tout au long de l'année, de contribuer à la réalisation d'un tableau collectif où il s'agira de relever les caractéristiques opposées du roman rural et du roman urbain, en donnant un court exemple, à chaque fois. Naturellement, certaines oppositions n'apparaîtront que comme des hypothèses tant qu'elles n'auront pas été illustrées. Cela dit, étant donné que la littérature transgresse toutes les lois des genres, les élèves trouveront forcément, pour chaque catégorie, des contre-exemples. Il ne s'agit donc pas d'établir une typologie rigoureuse, mais de repérer des tendances.

Voici un exemple de ce que pourrait être pareil tableau :

Roman policier rural	*Roman policier urbain*
Lenteur	**Rapidité**
« *Melchior avançait sans hâte sur le sentier feutré de sapinettes. C'était un sentier d'enfance où il reprenait force et certitude.* » [Loire-Atlantique] Alain Demouzon, *La Promesse de Melchior*, Calmann-Lévy, 2000, p. 10.	« *Il progresse à grands pas assurés vers la vieille. Il ne glisse pas sur le verglas, lui. Il a aux pieds ses brodequins à crampons, ceux-là même qu'il ne quitte plus depuis sa Préparation Militaire Supérieure.* » [Paris] Daniel Pennac, *La Fée Carabine*, Gallimard, « Série noire », 1987, p. 15.
Secret	**Exhibition**
« *Il en a vu, au cours de sa carrière, maître Blanchon, notaire à Villefranche [...]. Mais ici, le cas sort de l'ordinaire, au point qu'il s'en trouve un tantinet frustré puisque, pour la première fois de*	« *Jane elle-même, le modèle, était là. Une jeune femme, américaine. Quelques photographes, dont moi, la firent classiquement poser en vis-à-vis de son*

sa vie, il ne saura pas lui-même de quoi il s'agit [...].*.* » [Gironde]

Philippe Bouin, *Implacables Vendanges*, Viviane Hamy, « Chemins nocturnes », 2000, pp. 15-16.

Personnages enracinés

« *Il a commencé la pêche à seize ans, quand ça n'a plus été à l'école. Vingt-six ans à tirer les orins, remonter les filets, hisser les lignes de fond et vider les chaluts, lui ont fait des mains fortes, à la peau rêche comme du cuir tanné.* » [Bretagne]

Louarnig Gwaskell, *Le Petit Doigt du grand architecte*, Terre de brume, « Granit noir », 2000, pp. 280-281.

Hypocrisie

« *Il ne s'est rien passé ici, martèle le maître à voix contenue, rien* [...]. *Et vous autres, vous n'avez rien vu.* » [Landes de Gascogne. Après un horrible meurtre collectif.]

Danielle Thiéry, *Mises à mort*, Robert Laffont, 1998, pp. 287-288.

Paysages focalisés par un personnage

« *J'aurais préféré être au printemps, au moment des violettes sauvages. Ou bien en été, quand le lin bleuté flotte comme un voile au-dessus de l'herbe. Ce matin-là, le ciel était couleur d'étain et l'aube jaunissait la végétation.* » [USA, Illinois]

Mary Francis Craig, *Le Mystère de Peacock Place*, Hachette, « Verte aventure policière », 1990, p. 147.

Rumeurs

« [...] *selon les papotages du facteur, à cette époque de cérémonies hindoues, son petit frère avait dû être enlevé pour être sacrifié.* » [Île de la Réunion]

Monique Agénor, *Le Châtiment de la déesse*, Syros, « Souris noire », 2000, p. 22.

Etc.

double de cire. Elle se prêta de bonne grâce au jeu, avec ce trouble amusé que ressent chaque nouvel admis dans le temple. » [Paris]

Jean-François Vilar, *Les Exagérés*, Seuil, « Fiction & Cie », 1989, p. 111.

Personnages déracinés

Le personnage d'Eddy, dans *Le Chasseur de papillons* de Janwillem Van de Wetering (trad. Isabelle Glasberg, Rivages, « Noir », 1990), errant d'Amsterdam au Nicaragua, en passant par Rome et Bogota.

Affrontement direct

ø

Paysages externes aux personnages

« *Une Transam noire* [...] *les conduisit* [...] *jusque devant un hangar sinistre de Roxbury. Les fenêtres du premier, pourtant protégées de barreaux, avaient servi de cibles à de hargneux voisins. Des poubelles renversées dégueulaient leur contenu de papiers et de bouts colorés sur le trottoir.* » [Boston, USA]

Andréa H. Japp, *La Femelle de l'espèce*, LCE, « Le Masque », 1996, p. 203.

Médiatisation

« *Au milieu de l'équipe de télévision, le padre Camilo répond aux questions de Bernard Langlois. Le magazine Résistances a en effet décidé de consacrer une émission aux enfants de Colombie* [...]. » [Medellin]

Hector Hugo, *Lambada pour l'enfer*, Syros, « Souris noire », 1993, rééd. 1997, pp. 91-92.

Etc.

QUEL EST LE MOBILE
DES ÉDITEURS?
LE PARATEXTE ÉDITORIAL

En 1994, les éditions Milan publièrent un guide, *Passeport pour Zanzibar*, décrivant les cent quarante titres parus dans cette collection. La préface revendiquait la diversité comme caractéristique de « Zanzibar », et énumérait une dizaine de genres, dont le « policier ». L'index par genres littéraires citait douze titres de romans policiers, parmi lesquels *La Bague aux trois hermines*, d'un auteur mystérieux qui signait E. B. P.

Dans la première édition de cet ouvrage, datée de 1991, rien n'indique qu'il s'agit d'un roman policier historique. Le texte de la quatrième de couverture signale bien qu'un des personnages « *se fait tuer* », mais sans qu'on sache s'il s'agit d'un meurtre ou d'un combat loyal entre chevaliers, puisque ce roman se déroule au Moyen Âge. Le texte parle surtout de l'héroïne, Alix, servante d'Isabelle, et du mariage forcé de cette dernière, qui n'a pas le droit de connaître ses prétendants.

En revanche, dans *Passeport pour Zanzibar* (en 1994, donc), le livre est présenté comme « *un roman policier qui se déroule au XIIe siècle, dans le cadre clos d'un château fort* ».

L'année suivante, en 1995, paraît une deuxième édition du roman, avec une nouvelle maquette. Cette fois, en quatrième de couverture, le genre est indiqué en grosses lettres grises : HISTOIRE, et le texte d'accroche, inchangé, figure en surimpression.

En 1999, la collection « Zanzibar » ayant disparu, le texte est publié pour la troisième fois, dans une nouvelle collection : « Milan poche junior ». Cette fois, le nom de l'auteur est indiqué : Évelyne Brisou-Pellen, et le genre également, en quatrième de couverture : « Polar ». Le texte d'accroche change à peine, mais de façon pourtant signifiante. Dans les deux premières éditions, il s'achevait par : « *Mais voilà qu'un des prétendants se fait tuer. Arrive alors au château un jeune homme inconnu...* » Certes,

cette dernière phrase crée le suspense, mais évoque surtout le genre sentimental, en fonction de ce qui précède. Dans la troisième édition, le texte
d'accroche se termine par : « *Mais voilà qu'un des prétendants se fait tuer.*
Alix est bien décidée à connaître le fin mot de l'histoire... » Cette fois, la
dernière phrase induit au moins la notion d'enquête.

Cet exemple démontre à quel point le paratexte éditorial tente d'orienter
le choix de l'acheteur, en lui fournissant des indices supposés répondre
à ses attentes. En 1995, les éditions Milan pensaient que les acheteurs
(les parents ou les enfants eux-mêmes) cherchaient surtout des romans
historiques. En 1999, l'éditeur visait davantage les amateurs de romans
policiers.

Pour les plus jeunes (cycle 3, 6e, 5e, 4e), nous proposons une activité similaire : étudier le paratexte éditorial d'un roman, en essayant de deviner
les intentions de l'éditeur. Prenons le livre d'Alain Wagneur : *La classe*
connaît la musique (Gallimard, « Folio junior », 2000). Les principaux
éléments du paratexte éditorial sont : la couverture et la quatrième de
couverture, la page de titre intérieure, le dos et la présentation d'autres
romans de la même collection, à la fin du livre. On demandera aux élèves
de chercher ce qui peut prouver que *La classe connaît la musique* appartient au genre policier.

Le premier constat, c'est que seule la collection générale « Folio junior »
est indiquée. Ce roman n'appartient donc pas à une collection policière
identifiée comme telle. Gallimard et Milan paraissent avoir fait des choix
inverses. Alors que Milan passe d'une collection généraliste, « Zanzibar »,
à une sous-collection spécifiée, « Polar », Gallimard, qui a créé en 1995
une collection policière, « Page noire », l'a abandonnée pour revenir à sa
collection généraliste.

Le second constat, c'est que ni la couverture, ni le dos, ni la page de titre
n'indiquent le genre. En revanche, dans le texte de la quatrième de couverture, cinq mots écrits en plus gros caractères apparaissent en jaune, tandis
que le reste est en blanc sur fond noir : « *professeur* », « *enlevée* », « *détec-*
tives », « *piano* », « *disparition* ». Ces mots connotent le genre policier, et
l'on peut même se demander s'ils ne renvoient pas à la victime, au délit,
à l'enquête, au mobile et au mode opératoire.

Mais ce n'est qu'en lisant l'introduction à la liste des œuvres signalées en
fin de livre que l'on peut véritablement conclure que *La classe connaît la*
musique est un roman policier : « *Amateurs de frissons et de mystères, ne*
manquez pas les derniers romans policiers parus en Folio junior. »

Cette liste donnera l'occasion aux élèves de rechercher les titres en bibliothèque et de pouvoir alors en tirer des conclusions. Par exemple, dans
Callaghan prend les commandes de Paul Gadriel et Bruno Sergent, paru
dans la même collection et avec la même maquette, la liste de titres finale

ne renvoie pas au genre policier, puisqu'elle est introduite par la phrase suivante : « *Si vous aimez les énigmes, vous vous passionnerez pour les titres suivants dans la collection Folio junior.* »

Les élèves trouveront sans doute aussi l'ancienne édition des romans de Jean-Philippe Arrou-Vignod, dans la même collection, mais avec une maquette différente. Ils constateront que le genre policier n'apparaît qu'au détour d'une phrase, en quatrième de couverture. Pour *Le professeur a disparu*, on lit : « *Rassurez-vous, nous sommes sur la piste des ravisseurs...* » ; pour *Enquête au collège*, on lit : « *Les trois amis mènent à nouveau l'enquête.* »

Mais la plus grosse surprise concerne les quatre « Kamo » de Daniel Pennac, répertoriés à la fin de *La classe connaît la musique*, parmi les « séries policières ». L'idée de cette appartenance au genre policier leur est venue bien tardivement ! Ces romans, parus initialement dans la revue *Je bouquine* (Bayard), ont été repris par Gallimard, en 1992-1993, dans la collection « Lecture junior ». Dans le premier catalogue de cette collection, six pages sont consacrées aux « Kamo » et à leur auteur. Rien ne signale qu'il s'agit de romans policiers, ni le témoignage de l'auteur, ni les textes de l'éditeur, ni les nombreux extraits de presse. Et pour cause, puisqu'ils ne ressortissent pas à ce genre : aucun crime n'y est commis !

Daniel Pennac est l'un des auteurs de romans policiers (pour adultes) les plus connus et, manifestement, l'éditeur, en intégrant les « Kamo » dans les « séries policières », veut profiter de sa notoriété pour promouvoir le genre, quitte à gauchir un peu la vérité. Ce constat permet de percevoir que, même si la stratégie choisie par Gallimard est l'inverse de celle de Milan, leur conviction que les acheteurs cherchent aujourd'hui des polars est similaire.

Pour les plus âgés, nous proposons une activité centrée sur un paratexte éditorial inconnu du grand public : tout ce que l'éditeur joint au livre quand il l'adresse au service de presse. Il peut s'agir d'un « Prière d'insérer », de renseignements sur l'auteur et son œuvre, d'explications sur le choix de l'éditeur, d'articles de presse – auquel cas ces articles sont considérés comme appartenant au paratexte éditorial. Ces documents d'accompagnement présentent le livre dans sa singularité ou, au contraire, le restituent dans une collection. Naturellement, les éditeurs ont à cœur de présenter le livre sous son meilleur jour, aux yeux des critiques, des journalistes, ou des membres de jurys littéraires.

En mars 2000, les éditions Viviane Hamy ont envoyé au service de presse le roman de Dominique Sylvain, *Vox* (« Chemins nocturnes »), qui appartient à la catégorie « serial killer ». L'éditeur a joint à cet envoi une feuille donnant des informations sur l'auteur et sur ses quatre romans antérieurs, citant deux opinions de journalistes sur l'écrivain, et résumant le roman.

Ont été également communiquées les photocopies de deux articles de presse sur *Vox*, parus respectivement dans *Le Monde des livres* et dans *Libération*.

Nous reproduisons, ci-dessous, quelques extraits de ce dossier. L'activité consiste à faire lire le roman et à décider alors si l'interprétation des lecteurs est en accord avec la présentation du livre par l'éditeur.

À propos de l'auteur :

« [...] *une écriture inscrite dans le contemporain, puisque ses thèmes de prédilection sont le devenir de l'homme confronté aux nouvelles technologies, les transformations de l'art face à l'émergence d'un monde virtuel, la façon dont l'humain s'imagine pouvoir apprivoiser l'éternité en utilisant les outils de la science la plus pointue.* »

Résumé du roman :

« *Le commandant Bruce, de la brigade criminelle, et l'inspecteur Lévine se rencontrent pour la première fois à la suite de l'assassinat d'Isabelle Castro, la star de la radio, l'animatrice des* nuits tabous*.*

« *Depuis trois ans, le commandant Alex Bruce est sur les traces du serial killer qui a tué 7 jeunes femmes. Il a dupliqué ses dossiers sur son ordinateur personnel pour pouvoir les consulter à toute heure, sait tout des meurtriers en série, a réussi à préciser la catégorie à laquelle appartient le tueur. Il en a acquis une connaissance aiguë, obsessionnelle ; il appelle les victimes par leur prénom, connaît à fond le rituel qui doit précéder leur mort : on les étrangle tout en les violant, tandis qu'on enregistre leurs cris d'agonie et une phrase étrange qu'on leur fait répéter plusieurs fois avant de les achever. Le meurtrier introduit alors dans leur gorge la mini-cassette enregistrée lors de son précédent meurtre. Cette perception intime qu'il possède du psychopathe lui a fait faire un faux pas : devant une équipe de télévision, il a lâché le nom qu'il a donné à "son" tueur. Depuis, un lien encore plus fort s'est instauré entre Bruce et le meurtrier, qui a choisi son nom : il est devenu "Vox", parce que Bruce l'a baptisé "Vox".*

« *L'inspecteur Lévine rencontre le commandant Bruce car après étude des cassettes, on a déterminé le type de voix auquel Vox réagit ; et le spectre vocal de Martine Lévine correspond à ce type de voix...* »

Extrait de l'article de Sabrina Champenois dans *Libération*[1] :

« "Prêt à montrer son âme noire à la femme qui l'attendait dans le salon, Vox se sentait l'esprit au plus clair"... *Pour une phrase de cet acabit, combien de livres a-t-on laissé tomber ? Alors, pourquoi pas* Vox, *qui s'ouvre quasiment (quatrième ligne) sur ce clair-obscur clinquant ? Parce qu'il n'y a pas là maladresse mais choix : Dominique Sylvain est adepte du registre coup de poing, de l'aspérité, des montées d'adrénaline et des personnages très marqués. Et comme dans ses quatre parutions précédentes, elle mène crânement son affaire. Donc, il y a des descriptions poético-dramatiques ou/et définitives, dont certaines pourraient faire carrément rire – comme* "Le seul intérieur qu'elle avait jamais trouvé sympathique était

---

1. « Les filles du calvaire », 8 juin 2000.

celui de son instituteur de CM2. Déco virile et systématique". *Elles alternent avec des passages "action", hachés, où le verbe saute* ("Projection à l'horizontale. Gueulement bref. Elle et lui. Synchro. Pied droit pile dans le plexus, à un dixième de seconde du pied gauche"), *et des dialogues supposément hyperréalistes* ("T'as jamais eu envie de faire autre chose que flic, Victor? Prof, avocat, romancier?" ; – "Je suis comme toi : accro à la réalité, Alex" *; ou, plus tard :* "C'est une drôle de nana ; – Elle est comme... un puits" ; "– Mais on ne sait pas s'il est asséché ou pas" ; – "Exact" ; – "Ne frappe pas trop dur!" ; – "Je ne m'y risquerai pas. C'est une as du kung-fu" ; – "Et de l'embrouille, Alex"). »

PORTRAITS DE VICTIMES

Pour les activités 45 à 48, nous proposons de travailler plus particuliè-rement sur deux séries de romans récents qui pourront donc être explorés en profondeur.

Cinq romans pour les plus jeunes :

– *Piège à la verticale*, de Jean-Hugues Oppel, Albin Michel, « Le Furet enquête », 1998.
– *La Peur au ventre*, de Hervé Mestron, Syros, « Souris noire », 1999.
– *Mongo et les sorciers*, de George Chesbro, trad. Jean Esch, Syros, « Souris noire », 1999.
– *Jusqu'au cou*, de Dick Francis, trad. Évelyne Châtelain, 10-18, « Grands détectives », 2000.
– *Prise d'otage au soleil*, de Franck Pavloff, Nathan, « Lune noire », 2000.

Cinq romans pour les plus âgés :

– *Du bruit sous le silence*, de Pascal Dessaint, Rivages, « Noir », 1999.
– *Combustion*, de Patricia Cornwell, trad. Hélène Narbonne, LGF, « Le Livre de poche », 2000.
– *Protège-moi de mes amis...*, de Nicholas Coleridge, trad. Philippe Rouard, LGF, « Le Livre de poche », 2000.
– *Le chat qui volait une banque*, de Lilian Jackson Braun, trad. Marie-Louise Navarro, 10-18, « Grands détectives », 2000.
– *La Pension Myosotis*, de Dominique Pénide, Climats, « Sombres climats », 2000.

La question de fond qui se pose à propos des victimes, dans la littérature policière (comme dans la vie, peut-être !), est celle-ci : certains person-nages sont-ils prédéterminés comme victimes ? Autrement dit, certains traits de caractère sont-ils communs à toutes les victimes ?

L'hypothèse que nous avançons, et qui a déjà été abordée dans l'activité 36, est que, chez les victimes, on trouve toujours une faille, une faiblesse de caractère qui va permettre au coupable d'agir.

Le travail que nous proposons est de faire répertorier par les élèves un certain nombre de victimes, de rechercher leur faille et de la qualifier.

▲ Quelques exemples

Dans *Jusqu'au cou*, le principal délit est un détournement de fonds qui entraîne, ultérieurement, un meurtre et deux tabassages du héros. La victime est le propriétaire de la brasserie dont les fonds ont été détournés. Il tombe malade, étant stressé par les événements, puis décède. La faiblesse de cet homme concerne la confiance qu'il accorde aux autres. Tout au long du roman, la manifestation de cette faiblesse est à l'origine de péripéties. D'abord, il a fait entièrement confiance à son directeur financier, qui l'a « grugé ». Ensuite, il s'avère que c'est son avocat, son homme de confiance, qui est le véritable coupable de toutes les exactions. Enfin, alors qu'il accordait sa confiance à son beau-fils (celui qui enquête), il commence à s'en méfier, sous la pression de sa propre fille qui craint un détournement d'héritage. Comme cela est dit dans le texte, le propriétaire de la brasserie est quelqu'un qui fait « *confiance aux comptables, aux avocats, aux formalités* » (p. 141) et à sa fille, et de là viennent tous ses malheurs.

Dans *Piège à la verticale*, la victime, Vincent, est un moniteur d'escalade qui a failli se tuer en tombant, son matériel ayant été saboté. Sa faiblesse de caractère, c'est d'avoir laissé triompher l'esprit de compétition sur l'amitié. Il a rompu avec son meilleur ami, également moniteur d'escalade, qui est devenu son rival. C'est pour cette raison que Vincent était seul le jour où il a fait une chute. Il explorait secrètement une nouvelle voie d'escalade : « *Il la défrichait tout seul et sans l'équiper pour qu'on ne lui souffle pas sa trouvaille, au mépris de la plus élémentaire sécurité* » ; tout ceci pour « *clouer le bec à son rival* » (p. 50).

Dans *Mongo et les sorciers*, un roman qui associe le genre policier (le détective privé, Mongo, un nain, mène son enquête comme dans n'importe quel « hard boiled ») et le genre fantastique, il y a de vrais morts. Les victimes sont brûlées, dans leur lit, et le coupable est manifestement Belial, le démon qu'elles ont invoqué par la sorcellerie. Naturellement, c'est en pratiquant la sorcellerie (leur faiblesse) que ces personnages se mettent à la merci du démon. Comme le dit l'un des protagonistes, parlant d'une des victimes : « *Bref, Jim Marsten en était venu à s'intéresser à la magie noire, la démonologie, depuis deux ans. Il était averti des conséquences éventuelles pour lui et les siens. Il a choisi d'ignorer ces mises en garde.* » (p. 49)

Dans *Prise d'otage au soleil*, les victimes sont deux chiens assassinés (ceux de Mariette), des enfants roumains (que Mariette essaie de rendre à leurs familles, alors qu'ils sont destinés à travailler dans des ateliers clandestins, en Espagne), et naturellement Mariette (que les malfrats tentent d'intimider pour récupérer les enfants roumains). Or Mariette se trompe d'adversaire : comme un conflit d'ordre écologique l'oppose à la municipalité du village, elle pense que le meurtre de ses chiens en est la conséquence, et de ce fait elle s'attaque à la vitrine d'un honnête commerçant, le maire-adjoint. Cette méprise constitue une faiblesse dont bénéficient, pendant un temps, les véritables adversaires de Mariette.

Dans *La Peur au ventre*, la véritable victime est Ludivine, une enfant de 12 ans assassinée, mais la focalisation narrative ne se fait pas sur l'enquête concernant ce meurtre. Elle se fait sur les relations entre Loïc, le narrateur, et Jean-Marc, le nouveau copain de sa mère, que Loïc trouve très sympathique au début, mais qu'il soupçonne ensuite de tromper sa mère (parce qu'il l'a vu en compagnie d'une autre femme, qui se révèle être son ex-épouse). Loïc pense également que Jean-Marc est le meurtrier de Ludivine (parce qu'il l'a vu plusieurs fois parler secrètement avec une autre fillette, qui se révèle être sa fille). Jean-Marc devient donc la victime de Loïc, qui tente même de le tuer. La faiblesse de Jean-Marc, c'est la dissimulation : il a omis de dire à Loïc qu'il avait une fille !

Dans *Du bruit sous le silence*, la principale victime est un célèbre rugbyman toulousain, dont l'assassinat traumatise toute la ville. Sa faiblesse est patente : il avait une maîtresse, refusait de divorcer, et celle-ci s'est suicidée. Le père de la défunte a remonté la piste et a vengé sa fille en assassinant celui qu'il jugeait responsable de cette mort.

Dans *Le chat qui volait une banque*, un roman ethnologique où la vie d'un comté apparaît au premier plan, le meurtre concerne un négociant en bijoux anciens, qui vient du « Pays d'En Bas ». Son comportement (il organise des réceptions sur invitation exclusivement, pratique le baise-main...) tranche totalement avec les mœurs locales, ce qui constitue sa faiblesse, comme le révèle une réflexion du shérif : « *Quand vous vous conduisez comme ce type, vous ne vous étonnez pas qu'un meurtre se produise.* » (p. 140) La suite révèle une autre faiblesse de la victime : il est le père de son assassin, mais ce dernier l'ignore, ayant été abandonné bébé par sa mère, qui s'est ainsi débarrassée d'un enfant non désiré et non reconnu par le père.

Dans *Protège-moi de mes amis...*, la principale victime est une jeune femme, journaliste de talent, qui meurt étranglée parce qu'elle détient des informations qui risquent de nuire à l'assassin. Le narrateur est amoureux de cette femme, si bien qu'il a tendance à la décrire comme angélique. Or, au fur et à mesure qu'il la découvre – et le lecteur avec lui –, il s'avère que la jeune journaliste est une « femme facile », comme on dit pudiquement. C'est d'ailleurs pour cette raison que l'assassin peut entrer chez elle sans effraction. Le narrateur est profondément choqué quand l'un de ses amis, qui connaissait bien la victime, la qualifie de « *Miss-saute-au-paf* »

(p. 192). Comme ce roman est un thriller, il y a une autre victime : le narrateur, harcelé par l'assassin qui le menace et qui tente de tuer sa fille, est aussi poursuivi par la police qui le prend pour le meurtrier. Or le narrateur a une faiblesse : sa femme et lui se sont séparés récemment, et cet échec a occasionné chez lui une perte de confiance. Ainsi, certains de ses actes le mettent à la merci de ses poursuivants. S'il triomphe à la fin, c'est qu'il a retrouvé confiance en lui, grâce à une jeune femme qui est entrée dans sa vie affective.

Dans *Combustion*, les victimes meurent dans des incendies criminels. La première victime est ainsi décrite : « *C'était plutôt une artiste ratée. Elle aurait voulu être actrice, mais elle passait le plus clair de son temps à surfer ou à se balader sur la plage.* » (p. 100) Plus tard, c'est le cadavre de Benton que l'on trouve dans une maison incendiée. Profileur de son métier, Benton était présent dans tous les précédents romans de Patricia Cornwell. Depuis longtemps, il était l'amant de l'héroïne, le docteur Scarpetta, et là était sa faille : avoir trompé sa femme.

46

PORTRAITS DE COUPABLES

Tout comme les victimes ont une faille qui les prédestine à leur rôle, on peut se demander si les coupables ne sont pas pareillement prédéterminés. En effet, beaucoup d'entre eux se révèlent pervers, souvent complètement sadiques, même si cela va contre leurs intérêts. Qu'on se rappelle le cynisme et la perversité du docteur Chenet, dans la première nouvelle du recueil de Sarah Cohen-Scali étudié dans la deuxième partie de cet ouvrage !

On proposera aux élèves de s'intéresser aux coupables, dans les différents romans proposés, en répertoriant leurs actes et en les qualifiant. Le débat qui s'ensuivra pourra mettre en évidence le fait que les comportements excessifs des coupables provoquent fréquemment leur perte.

▲ Quelques exemples

Dans *Jusqu'au cou*, le coupable, révélé à la fin, est Oliver Grantchester, l'avocat de la victime. Il commet un délit par appât du gain, naturellement, mais un trait de son caractère le désigne davantage encore comme coupable : il est manifestement sadique, et poursuit ses forfaits même lorsqu'ils lui sont défavorables. Ainsi, il torture le directeur financier qui a détourné des fonds pour lui faire avouer où l'argent a été entreposé. Celui-ci, effrayé, se dit prêt à parler. Pourtant, Oliver continue à le torturer jusqu'à ce qu'il meure.

Dans *Mongo et les sorciers*, le coupable étant un vrai démon, il n'y a pas à épiloguer sur son sadisme.

Dans *Prise d'otage au soleil*, les chiens de Mariette sont assommés, empoisonnés, et l'un d'eux est pendu, bien en évidence. Ensuite, Mariette reçoit à plusieurs reprises, par fax, les photos de cet assassinat. Ces actes sadiques, destinés à intimider l'héroïne, se retournent contre les malfrats car, horrifiés, tous les autres personnages se liguent contre les trafiquants d'enfants.

Dans *Protège-moi de mes amis...*, l'habileté de l'écrivain est de mettre en scène trois suspects qui se révèlent tous pervers. Le premier, un grand financier, qui a des méthodes parfois brutales, a jadis racheté une entreprise dirigée par le père de la jeune femme qui soutient le héros (et lui redonne confiance en lui). Le père en question, pour se protéger, avait demandé au financier d'être le parrain de sa fille. Le financier avait accepté, s'était rendu au baptême de l'enfant et, en partant, avait lancé au père qui lui disait « *À demain, au bureau* » : « *Ne vous donnez pas la peine de venir, Gérald, car nous nous séparons de vous.* » (p. 166) À la fin du roman, cet homme devient l'allié du narrateur et de sa filleule. Le deuxième suspect est un homme puissant, quelque peu ridiculisé dans un article de la jeune journaliste. Au cours de son enquête, le narrateur apprend que cet homme a sans doute fait écraser par des comparses l'amant de sa femme, en toute impunité. Le troisième suspect, et le véritable coupable, est le propriétaire d'un groupe de presse dont le narrateur est directeur général. Il revend son groupe subrepticement à un ennemi du narrateur, sans l'en avertir. Ce dernier l'apprend donc au dernier moment et, dès le lendemain, se trouve renvoyé.

Dans *Combustion*, on retrouve Carrie Grethen, une authentique psychopathe qui, dans les romans précédents, a été l'inspiratrice d'un serial killer. Elle s'évade de sa prison et se met à harceler l'héroïne de Cornwell, le docteur Scarpetta, ainsi que la nièce de cette dernière, Lucy. Le lecteur apprend, par la suite, qu'elle s'est alliée à un autre serial killer. À la fin de l'histoire, les deux coupables montent une opération destinée à faire découvrir aux enquêteurs (tout particulièrement au docteur Scarpetta et à sa nièce) les visages congelés de leurs victimes, dont Benton (l'amant de Scarpetta) – comble du sadisme !

Dans *La Pension Myosotis*, il est plus difficile de démêler les fils du récit, car tout fonctionne sur l'illusion. Une romancière décide de passer quelque temps dans une pension accueillant des vieillards, parce qu'elle désire écrire un livre sur le « *grand âge* », comme elle dit pudiquement. Or, à son arrivée, elle trouve dans sa chambre un recueil de lettres écrites par une des pensionnaires, ainsi qu'un journal intime, celui de la fille des propriétaires de la pension Myosotis. La romancière passe sa nuit à les lire et découvre un complot collectif, associant tous les pensionnaires, destiné à tuer le mari de la propriétaire, un « coureur » notoire qui a été totalement séduit par une intrigante, la nouvelle infirmière, ce qui menace la pérennité de la pension. Cependant, à la fin, la romancière – et le lecteur – découvrent ensemble que les lettres et le journal sont l'œuvre d'un écrivain qui réside à la pension Myosotis. La romancière a donc été flouée en croyant à ces personnages et au complot. Néanmoins, dans les dernières pages, plusieurs éléments accréditent la véracité des faits rapportés dans le journal et la correspondance, et le dernier texte est un article de presse annonçant la mort « accidentelle » de la victime prévue par le complot. Même s'il n'y a qu'une partie seulement des faits rapportés dans le faux journal et la fausse correspondance qui soit vraie fictionnellement, alors tous les personnages (coupable collectif du meurtre final, s'il s'agit d'un meurtre !) ont, à un moment ou à un autre, montré un comportement pervers. En particulier l'écrivain, dont l'opération consistant à produire de faux documents pour tromper la romancière confine au sadisme.

MODES OPÉRATOIRES

On demandera aux élèves de dresser un catalogue des modes opératoires utilisés dans la littérature policière, à l'exclusion des meurtres en chambre close qui font l'objet d'une autre activité. Ils se rendront compte que, de ce point de vue, la littérature de jeunesse est souvent plus imaginative que les romans policiers pour adultes. En effet, dans ces derniers, il y a assassinat, le plus souvent ; la victime est étouffée *(Le chat qui volait une banque)*, étranglée *(Protège-moi de mes amis...)*, « revolverisée » *(Du bruit sous le silence)*, empoisonnée, noyée... sans la moindre sophistication (hormis dans le genre « serial killer », naturellement). L'inventivité concerne plutôt les moyens utilisés par l'assassin pour échapper à la justice.

Au contraire, dans les livres destinés aux jeunes, où les cadavres humains sont rares, il faut inventer des modes opératoires plus sophistiqués, afin de nourrir le récit. Et ce de façon compensatoire, en quelque sorte, puisque l'auteur ne peut s'appuyer sur la description d'un « beau meurtre » pour tétaniser le lecteur.

Mais naturellement, ce n'est pas une loi générale. Dans *Combustion*, par exemple, le mode opératoire du meurtre est fort sophistiqué. Et il l'est bien davantage encore dans un roman de Jean-Hugues Oppel, *Cartago* (Rivages, « Noir », 2000), où de faux attentats sont organisés contre le chef de l'État, de façon qu'une équipe de protection rapprochée se mette en place. Or il s'agit d'assassiner une future visiteuse du président de la République, et le meurtrier fait partie de l'équipe de protection ! Ce leurre n'est pas seulement une astuce technique, car en concentrant l'attention du lecteur sur la victime désignée, l'auteur introduit une dimension ethno-politique bien plus vaste que les seules coulisses du pouvoir, en France. La visiteuse se révèle être Taslima Nasreen[1], contre qui, à l'instar de Salman Rushdie, des fondamentalistes islamistes du Bangladesh ont lancé une *fatwa*, en 1993,

---

1. Pour permettre aux élèves de connaître cette femme exceptionnelle, on leur fera découvrir un excellent documentaire : *Contre le fanatisme : Taslima Nasreen*, PEMF ados, « Regards sur le monde », 2000.

appelant publiquement à assassiner cette femme écrivain. Heureusement, dans le roman, le complot est déjoué *in extremis* par une femme qui a su percevoir la manipulation et passer outre les règlements rigides des institutions.

▲ Quelques exemples

Le sabotage

Dans *Piège à la verticale*, un petit avion transportant de la fausse monnaie s'est écrasé. Son épave n'est visible que des airs, mais accessible en escaladant une paroi rocheuse fort difficile. Les coupables, qui ont pu y arriver en parapente et qui espèrent utiliser la fausse monnaie plus tard, ont planté, en haut de la paroi rocheuse qui permet d'accéder à l'avion, des pitons de « *camelote* » (p. 106), qui cèdent facilement, sans se soucier des « accidents » mortels qu'ils peuvent ainsi provoquer…

L'intimidation

Dans *Prise d'otage au soleil*, les malfrats tentent d'intimider Mariette, non en s'attaquant directement à elle, mais en tuant ses chiens, en lui envoyant des fax, et en menaçant de mort les enfants qu'elle tente de protéger.

La combustion

Dans *Mongo et les sorciers*, la nature fantastique de l'histoire se traduit par un feu allumé à distance, qui brûle vives les victimes. Il faut être un démon pour utiliser pareil procédé. Cependant, on rapprochera ce roman de celui de Cornwell, *Combustion*, où des serial killers véritablement démoniaques brûlent leurs victimes pour dissimuler un acte de barbarie, à savoir le fait qu'ils découpent la peau de leur visage, la remettent en forme sur des têtes de mannequins, et congèlent le tout, en guise de souvenirs.

Internet

Ces dernières années, Internet est devenu un mode opératoire courant dans la littérature policière. Il est aisé de l'utiliser pour de multiples opérations, tout en préservant son anonymat. C'est ainsi que, dans *Jusqu'au cou*, un détournement de fonds peut être effectué, l'argent étant transféré de banque en banque, jusqu'à ce qu'on perde sa trace, grâce à l'informatique. Un procédé similaire est utilisé dans *L'Escrocœur*, de Joseph Périgot (Bayard, « Poche », 1994). Toutefois, Internet est aussi présent dans les romans pour adultes. Dans *Nécro-processeurs*, de Jacques Vettier (Métailié, 1999), par exemple, les victimes de meurtres en série, filmées en vidéo, ont été auparavant recrutées par Internet.

MOBILES

Les grands détectives des romans à énigme avaient coutume de dire que le mobile d'un délit était presque toujours l'appât du gain, la vengeance ou la jalousie (amoureuse ou professionnelle). Cela n'a guère changé depuis, et le mobile est sans doute l'élément le moins imaginatif du genre policier. Pour le démontrer, on demandera aux élèves de décrire le mobile des coupables, dans les cinq romans cités précédemment, s'adressant à leur classe d'âge. Ils constateront que la jalousie est devenue peu fréquente (du moins dans les livres), sans doute parce que le « crime passionnel », trop stéréotypé, ne permet pas à l'imagination de l'auteur de se déployer. Si la jalousie existe encore, en tant que mobile, dans la littérature policière, c'est sous une forme particulière : par exemple, dans *The End*, la deuxième nouvelle du recueil de Sarah Cohen-Scali étudié dans la deuxième partie de cet ouvrage, le lecteur peut conclure que le brillant acteur est tué à cause d'une jalousie professionnelle, mais ce n'est qu'une hypothèse, les sentiments du meurtrier étant fort ambigus.

▲ Quelques exemples

L'appât du gain

Dans *Piège à la verticale*, c'est uniquement parce qu'ils espèrent profiter de la fausse monnaie que les coupables n'hésitent pas à prendre le risque de tuer.

Dans *Prise d'otage au soleil*, c'est une bande mafieuse qui tente de profiter financièrement d'enfants réduits à l'esclavage :

> « *Ils étaient d'un autre monde, celui de mafieux capables pour le fric de mettre en jeu la vie d'enfants de leur propre pays.* » (p. 152)

Dans *Le chat qui volait une banque*, l'assassin est manipulé par une jeune femme qui ne s'intéresse, elle, qu'à l'argent de la victime.

Dans *Protège-moi de mes amis...*, la jeune journaliste est tuée parce que ses révélations risquent de nuire aux intérêts financiers de l'assassin.

La vengeance

Dans *La Peur au ventre*, Loïc tente de tuer l'ami de sa mère par vengeance, car il pense que celui-ci la trompe et qu'il est par ailleurs un assassin.

Dans *Du bruit sous le silence*, le père venge sa fille suicidée en tuant celui qu'il juge responsable de sa mort.

Dans *Combustion*, Carrie, la psychopathe évadée de prison, s'attaque aux quatre personnages principaux (le Dr Scarpetta, sa nièce Lucy, Marino l'enquêteur, et Benton le profileur) par vengeance. Ce sont eux qui l'ont arrêtée dans un précédent roman, et qui ont tué son complice, un serial killer.

DÉLITS

Les nouvelles et romans policiers destinés aux adultes privilégient certains délits et n'exploitent guère les autres. Dans la littérature de jeunesse, comme nous l'avons vu, les délits pris en compte sont encore plus restreints.

Nous proposons donc de faire travailler les élèves, dans un premier temps, sur la presse régionale, afin de répertorier les délits qui y sont signalés.

Puis, dans un second temps, on pourra chercher des romans ou nouvelles du genre policier qui mettent en scène certains de ces délits.

Un débat final permettra d'en tirer des conclusions.

Par exemple, dans trois quotidiens régionaux du 27 septembre 2000, nous avons pu relever de nombreux délits.

Dans *Le Télégramme de Brest* :

– violence volontaire ;
– outrage à agent ;
– irrégularités sur les fiches de paie (également signalé dans *Sud-Ouest* et dans *La Nouvelle République*, sous le titre de « travail dissimulé ») ;
– profanation dans un cimetière (également signalé dans *La Nouvelle République*) ;
– vol d'explosifs ;
– attentat contre le McDonald's de Quévert ;
– conduite en état d'ivresse ;
– cambriolages ;
– violences et brimades.

Dans *La Nouvelle République* :

– délit de fuite ;
– violence volontaire par agent dépositaire de l'autorité publique ;
– assassinat ;
– viol ;
– violences sexuelles.

Dans *Sud-Ouest* :

– meurtre ;
– assassinat ;
– blanchiment ;
– trafic de faux billets ;
– bagarre à l'arme blanche ;
– vol ;
– incendie d'origine criminelle ;
– trafic de stupéfiants.

Les meurtres, vols, violences et brimades (y compris de la part de policiers), délits de fuite, incendies volontaires sont présents dans de très nombreux livres policiers. Le trafic de faux billets est plus rare *(Piège à la verticale)* ; le viol est fréquent dans le genre « serial killer » ; le blanchiment apparaît souvent en relation avec le trafic de drogue (voir les romans de Grisham) ; le vol est présent dans une série de Lawrence Block, où est mis en scène un sympathique cambrioleur, Bernie Rhodenbarr, qui d'ailleurs se retrouve toujours au centre d'un imbroglio.

Le débat permettra de mettre en évidence certaines caractéristiques des délits, comme, par exemple, le fait qu'un cambriolage n'a d'intérêt que s'il s'agit d'une machinerie complexe ; ou l'hypothèse selon laquelle certains délits sont liés à une catégorie du genre (le viol dans les « serial killer », les profanations ou les attentats dans le « noir », etc.) ; ou encore le constat que certains délits impliquent certains mobiles (la vengeance pour le délit de fuite, l'appât du gain pour le trafic de stupéfiants ou le blanchiment).

LE CHAMP LEXICAL

Dans un roman, on trouve fréquemment de nombreux mots et expressions renvoyant au même champ lexical (ou notionnel). Cela fonctionne, pour le lecteur, comme un discours répétitif implicite, qui rappelle constamment un élément important, ou même annonce une péripétie. Dans un texte policier, ce procédé peut être mis au service d'une atmosphère oppressante, du suspense, ou rappeler le caractère criminogène d'une société, etc.

Dans *Une incroyable histoire* de William Irish (Syros, « Souris noire », 1998), Buddy, le jeune héros, dort dehors, sur l'escalier de secours, parce qu'il fait trop chaud dans sa chambre. Dans ces conditions, il assiste à un crime, puis devient la cible des assassins qui tentent de l'éliminer. On remarque que le champ lexical de la chaleur est présent tout au long du roman :

> *« Et puis ça avait été cette nuit... On avait l'impression qu'elle était faite de goudron fondu qui vous dégoulinait dessus. En ce mois de juillet, il faisait chaud partout, mais dans Holt Street, c'était vraiment l'enfer. »* (p. 7)

> *« [...] pour aussi chaude que la nuit ait pu lui paraître un quart d'heure plus tôt, il eut la chair de poule et se mit à grelotter comme au milieu de décembre. »* (pp. 24-25)

> *« Buddy entendit sa mère partir enfin au travail et il resta seul dans l'appartement étouffant [...]. »* (p. 63)

> *« La brûlante journée se consuma irrésistiblement et, quand le soleil descendit derrière les maisons, la peur s'approcha [...]. »* (p. 64)

> *« Mais, brusquement, le feu rouge surgit dans la nuit, maléfique, sanglant, symbole de mort. De la mort du petit garçon. »* (pp. 89-90)

> *Etc.*

Cela fonctionne comme un leitmotiv qui rappelle périodiquement que Buddy vit réellement un enfer. De la même façon, dans de nombreux romans noirs, le champ lexical du mauvais temps (pluie, orage, brouillard, humidité, grisaille...) rappelle constamment que le monde est pourri !

On proposera aux élèves de répertorier, dans un autre roman, le champ lexical des mots et expressions ressortissant à la lumière. On identifiera ensuite le rôle que joue ce champ.

Le roman de Virginie Lou, *Le Miniaturiste* (Gallimard, « Page noire », 1996), est singulier, à la limite des genres policier et fantastique. Un mystérieux asiatique, Lei Tchang, tient commerce, à Londres, de miniatures qu'il sculpte lui-même. Les adolescents sont fascinés par ces miniatures, trois d'entre eux en particulier : Edmund, Lil et Alicia la narratrice. Or il semble que la fréquentation réitérée de Lei Tchang provoque, chez les trois adolescents, un désir de meurtre. La narratrice parvient à le réfréner, mais pas Edmund : à deux reprises, en faisant voler des avions miniaturisés qui le fascinent, il tente de tuer des spectateurs et, la seconde fois, blesse des gens.

L'aspect fantastique concerne les personnages miniaturisés : ils semblent partiellement vivants, et d'ailleurs les jeunes héros surprennent l'Asiatique en train de couper les ongles d'une figurine, preuve qu'ils poussent ! Lil, en particulier, qui a réussi à obtenir la figurine de bébé (nommé Tom) dont elle rêvait, est convaincue qu'il est vivant. Quand elle décide de rompre avec la vie infernale qu'elle s'est créée en adoptant ce « bébé », et qu'elle le jette à la poubelle, c'est un véritable meurtre qu'elle commet, et devient folle :

> « *En jetant Tom dans la benne des éboueurs, elle s'était précipitée d'un même geste dans la folie. Elle avait voulu croire que la figurine n'était qu'une poupée, comme Edmund s'était persuadé que son B 52 n'était qu'une miniature. Elle ne pouvait ni avouer son meurtre ni en demander pardon.* » (p. 120)

Quant au miniaturiste, il est coupable d'un triple délit fantastique : il dérobe à Edmund la lumière de son regard, à Lil son sourire, et à Alicia l'éclat de ses joues. Et ce par vengeance, parce que sa propre petite fille a été tuée, au Viêtnam, par les bombardements de B 52.

Le champ lexical de la lumière permet de relier tous les éléments de cette intrigue singulière.

En premier lieu, la lumière est liée à la notion de danger, et constitue fréquemment un avertissement :

> « *[...] à l'extrémité d'un paratonnerre, brillait une étoile rouge singulièrement posée, comme celles qu'on place au sommet des sapins de Noël [...]. Qu'est-ce que c'était, cette étoile ? un reflet du crépuscule ? un projecteur ? un avertissement ?* » (p. 14)

> « *Debout à la fenêtre j'ai regardé la rue vide, les lueurs des réverbères auréolés de brouillard sous lesquels couraient, pliés par la bise, de longs fantômes nuageux.* » (p. 31)

> « *Sur la piste devenue, à mesure que tombait le crépuscule, le seul point éclairé dans l'ombre de la cathédrale, les trois avions formaient un triangle isocèle.* » (p. 37. Ce sont les avions miniatures qui vont tenter de tuer les spectateurs, guidés par Edmund.)

« [...] un éclair d'angoisse a serré toutes les gorges. » (p. 41)

« J'ai encore regardé Edmund. La lumière de la boîte éclairait sa mâchoire et projetait l'ombre de ses pommettes sur ses orbites. Je connaissais cette blague qui consiste à déformer ses traits en plaçant une pile électrique sous le menton. Pourtant je n'ai pu m'empêcher de tressaillir.

« Le rire qui déformait ses lèvres faisait de sa bouche, dans cet éclairage ignoble, un trou. Edmund ressemblait à la mort en personne. » (p. 42)

Etc.

En second lieu, ce que Lei Tchang dérobe réellement aux trois héros, c'est la lumière qu'ils portent en eux, comme en témoignent ces passages :

« [Edmund] n'avait pas réussi à gommer son unique particularité : ses yeux. Non qu'ils fussent remarquablement grands ou bien dessinés, quoique d'une eau limpide, avec des cils noirs. Mais leur étrangeté venait surtout de leur éclat. » (p. 8)

« Lil si belle et dont le sourire éclairait dès qu'elle y pénétrait la triste salle de classe [...]. » (pp. 23-24)

« – Douce, douce Alicia, approche-toi. Ton teint transparent est le reflet de ton âme. » (p. 59)

Etc.

Et le regard d'Edmund, ambivalent, renvoie tout autant à la notion de danger :

« [...] ce feu mortel [...]. » (p. 8)

« Ses yeux ont aussitôt pris cet éclat menaçant dont j'ai déjà parlé. » (p. 10)

« Ses yeux luisaient dans la pénombre, étincelaient d'éclats rouges et rappelaient ceux des chiens, la nuit. » (p. 18)

Etc.

Enfin, la lumière est liée à la guerre, et relie donc les citations précédentes au mobile de la vengeance du Vietnamien :

« J'avais vu au cinéma, dans une bande d'actualité sur la guerre au Viêtnam, ces avions-là décoller à une vitesse vertigineuse, lâcher leurs bombes sur des villes et des villages dont on montrait à terre les habitants fuyant à la recherche d'un abri [...]. D'imaginer des êtres humains sous les bombes, cette étoile de mort qui leur tombait dessus sans qu'ils y puissent rien me terrassait de révolte impuissante. » (pp. 32-33)

« – [...] tu as vu la petite fille sur la photo ? C'était ma petite-fille [...]. On me l'a tuée. Pourquoi ? Pour posséder un coin de terre, notre coin de terre, notre misérable village infesté de moustiques ! [...]

« Dans ses yeux il y a une lumière que je ne connais pas, que je n'ai pas revue depuis, dont même la violence d'Edmund n'était qu'une approximation. » (pp. 115-116)

LE CHAMP RÉFÉRENTIEL

Dans de nombreuses œuvres policières, en particulier du type « procédurier », l'arrière-plan professionnel constitue un véritable champ référentiel. Hormis les informations qu'il apporte sur un domaine particulier, ce champ référentiel induit des effets de réception chez le lecteur. Par exemple, la minutie des actes de médecine légale pratiqués par le docteur Scarpetta, dans les romans de Patricia Cornwell, dramatise les histoires en rendant la mort omniprésente, dans les différentes façons de l'appréhender, et renforce l'illusion de réalité.

À l'inverse, dans les romans de Stuart M. Kaminski, le fait que les employeurs du privé Toby Peters soient des vedettes de cinéma (Gary Cooper, dans *Pour qui sonne le clap*; les Marx Brothers, dans *Chico, banco, bobo*; Gary Cooper et Charlie Chaplin, dans *L'Homme tranquille en pétard*; Alfred Hitchcock, dans *Un clown en cage*, etc.), au lieu de renforcer l'illusion de réalité, produit un effet inverse : c'est comme au cinéma ! Les romans de Kaminski sont alors dédramatisés – ce qui est en accord avec des situations souvent humoristiques –, alors même que l'assassinat y est une pratique coutumière.

Le champ référentiel du cinéma est utilisé dans d'autres romans. On proposera aux élèves de relever ces références dans deux romans pour la jeunesse, et de décider si ces allusions dramatisent ou dédramatisent le récit.

Dans *Mon papa flingueur* d'Amélie Cantin (Milan, « Poche cadet », 2000), Arnaud soupçonne son père d'être à la tête d'un gang, parce qu'il le voit étudier des plans et des cartes routières avec des copains (le jeune héros pense qu'ils sont « *complices* »; en fait, son père et ses amis préparent une partie de pêche, mais Arnaud, même à la fin, n'en est toujours pas convaincu). Le jeune narrateur réfère constamment ceux qu'il observe à des acteurs jouant dans des films policiers : « *Alain Belon dans* Le Casse du siècle » (p. 3), « *Jean Babin dans* Les Flics aux trousses » (p. 4), « *Jean-Paul Delmondo dans* Le Magot du casino » (p. 8), « La Cavale infernale*, le seul film où Jean Babin a joué avec Alain Belon* » (p. 11), « *Jean-Paul Delmondo dans* L'Attaque du fourgon postal » (p. 17), « *Lino Tentura dans* Le Dernier Hold-up » (p. 19).

Les élèves n'auront aucun mal à retrouver les véritables noms des acteurs. En revanche, même en surfant sur Internet, il paraît impossible de décider si les titres font allusion à des films réels, ou s'ils sont totalement fabriqués. Peut-être est-ce une collection de titres faisant référence à de vrais films. Par exemple, *Le Magot du casino* pourrait renvoyer à *Mélodie en sous-sol*, d'Henri Verneuil (1963), où jouaient Gabin et Delon, mais pas Belmondo ! *L'Attaque du fourgon postal* peut faire songer au *Cerveau*, de Gérard Oury (1969), qui raconte l'attaque d'un train postal, avec Belmondo. *Le Dernier Hold-up* peut rappeler *Le Deuxième Souffle*, de Jean-Pierre Melville (1966), avec Lino Ventura. Quant à *La Cavale infernale*, ce pourrait être *Deux hommes dans la ville*, de José Giovanni (1973), qui rassemblait effectivement Delon et Gabin (mais on les retrouve ensemble dans plusieurs autres films). Même si l'on fait ces rapprochements, rien ne permet d'étayer véritablement l'hypothèse de nouveaux titres donnés à des films existants.

Cela dit, le recours à des titres fortement connotés « policiers » dramatise le récit qui, sans cela, apparaîtrait trop clairement comme le délire d'un enfant imaginatif.

Dans *Les Assassins du cercle rouge* de Jean-Paul Nozière (Flammarion, « Castor poche, mystère policier senior », 1997), Charlotte et Simon, témoins d'un crime, jouent les détectives. Mal leur en prend car ils se trouvent traqués par des groupes armés néo-nazis. Or, comme en avertissait l'auteur dans la première édition de ce roman (sous le titre *Le Ventre du Bouddha*, Hachette, « Verte aventure policière », 1990) : « *Ce n'est pas l'effet du hasard si tous les personnages de ce roman ont des noms de cinéma.* » De fait, ils se nomment Palance, Chico, Ryan, Téchiné... En outre, tout au long du roman, de vrais titres de films sont cités : *La Petite Voleuse* (p. 7), *Le Bal des vampires* et *Un monde à part* (p. 12), *L'Étrangleur de Boston* et *Le Grand Sommeil* (p. 15), *Les Enchaînés* (p. 21 et p. 24), *Les Aventuriers de l'Arche perdue* (p. 65), etc.

Cette fois, dans une histoire authentiquement dramatique, avec cadavres et menaces de mort, la constante référence au monde imaginaire du cinéma contribue à dédramatiser le récit.

De la même façon, on pourra faire étudier le champ référentiel du rap dans les romans policiers de Marie-Aude Murail : la série « Nils Hazard », éditée par L'École des loisirs, dans la collection « Médium » : *Dinky rouge-sang*, *L'assassin est au collège*, *La dame qui tue*, *Tête à rap*, *Scénario catastrophe*, *Qui veut la peau de Maori Cannell ?*, *Rendez-vous avec Monsieur X*. L'un des personnages récurrents de ces romans est rappeur, et certaines paroles de ses chansons reviennent régulièrement, de manière signifiante[1].

---

1. En relation avec le champ référentiel du rap, on pourra faire découvrir l'album documentaire de François Goalec : *Rap ton tag*, PEMF, « Paroles en stock », 2000.

TON DRAMATIQUE, TON HUMORISTIQUE

Dans l'activité précédente, nous avons montré que, selon le cas, l'utilisation d'un champ référentiel ne provoque pas les mêmes effets sur le lecteur. Cela dépend, en particulier, du ton délibérément adopté par l'auteur. L'écrivain a le choix entre le ton dramatique, humoristique, sarcastique, naïf, comique, tragique, parodique, etc., voire grand-guignolesque ou larmoyant. Les *Exercices de style* de Queneau ont montré, en particulier, comment on pouvait varier les tons sur un même thème.

Marie-Aude Murail, dans ses romans policiers, utilise un ton humoristique facile à mettre en évidence, car les déviances par rapport au sens commun, voire au cliché, sont patentes et recourent à un lexique qui, bien qu'ayant un point commun avec ce qui est décrit, en est cependant fort éloigné.

Par exemple, évoquant sa compagne enceinte qu'il recherche, le narrateur de *Rendez-vous avec Monsieur X* s'exclame intérieurement : « *Catherine ! Catherine ! On ne disparaît pas comme ça, avec huit kilos de matos dans le ventre !*[1] » Un bébé et du « *matos* » ont certes en commun d'être précieux, mais la comparaison est hardie.

Plus loin, le narrateur dit :

> *« Je ne crois pas qu'aucun père de famille ait jamais exulté autant que moi en donnant le biberon à sa fille. J'étais le chasseur revenant de tuer l'aurochs pour nourrir sa petite famille. C'est pourquoi je fus déçu qu'en guise de remerciement, Juliette se reprît à hurler, une fois le biberon vide. Elle réclamait le deuxième aurochs.*[2] »

L'activité que nous proposons consiste à faire transposer, par les élèves, des textes à tonalité tragique en textes à tonalité humoristique, et réciproquement.

---

1. L'École des loisirs, « Médium », 1998, p. 90.
2. *Ibid.*, p. 215.

Dans *L'Aventure du pied du diable* de Conan Doyle, le ton dramatique est constant. Ainsi en est-il dans le passage suivant, décrivant un lieu en Cornouailles :

> « *C'était un lieu singulier, particulièrement adapté à l'humeur lugubre de mon patient. Par les fenêtres de notre petite maison blanchie à la chaux, qui se dressait sur un promontoire herbeux, nous dominions le demi-cercle sinistre de Mounts Bay, vieux piège mortel pour les voiliers, avec sa bordure de falaises noires et ses récifs balayés par les flots sur lesquels d'innombrables marins ont trouvé la mort [...]. Le marin avisé reste à l'écart de ce lieu maudit.*[1] »

Transposer dans une veine humoristique le ton utilisé pour décrire pareil décor revient à appliquer au texte, sans contrainte, les procédés de Marie-Aude Murail, évoqués à la page précédente. Cela pourrait donner ceci, par exemple :

> C'était un lieu singulier, particulièrement adapté à l'humeur noire de mon patient. Par les fenêtres de notre petite maison blanchie à la chaux, qui se dressait sur le gradin d'un promontoire herbeux, nous dominions l'arène de Mounts Bay, où tant de voiliers avaient effectué leur dernière corrida contre les récifs, avec sa bordure de falaises dentelées, immense mâchoire bavant des flots salés, qui avait grignoté d'innombrables marins. Le marin avisé reste à terre quand il aperçoit ce lieu maudit.

Le thème peut être dramatique et, en même temps, manifester un ton humoristique, ce qui modifie l'effet produit sur le lecteur.

À l'inverse, on proposera aux élèves de transposer dans un ton dramatique un passage de *Tirez pas sur le scarabée !*, de Paul Shipton[2]. Dans ce roman policier, un détective privé recherche une personne qui a été enlevée. Il se comporte de la même façon que les « durs à cuire » de Chandler ou Hammett. Seulement, tous les personnages sont des animaux du jardin, anthropomorphisés. Le ton humoristique naît précisément de la double nature des personnages :

> « *Jake est une mouche des plus ordinaires. Et complètement accro au sucre [...]. Et lorsqu'il n'en trouve pas, il se met à trembler comme une feuille.* » (p. 13)

> « *Dixie est un brave type, mais il est un peu gluant [...]. Normal : c'est une limace.* » (p. 22)

> « *La fourmi secoua la tête. "Les décisions sont superflues. Il n'y en a qu'une seule envisageable, celle d'obéir aux ordres et de servir la communauté."* » (p. 39)

> « *C'était un asticot. Il devait être en train de dévorer gaillardement la chair du fruit lorsque j'avais fait irruption dans son garde-manger.* » (p. 113)

---

1. Syros, « Souris noire », 1999, pp. 8-9.
2. Trad. Thomas Bauduret, Hachette, « Verte aventure policière », 1996.

FIGURES DE STYLE

On peut considérer les figures de style comme les signes les plus apparents de l'écriture littéraire. Le fait que des romanciers aient tenté de réaliser « le degré zéro de l'écriture » ne le dément pas, car c'était une façon de se situer par rapport à des éléments perçus comme stylistiques.

Dans *Vérité littéraire* (Grasset, 1981), Marthe Robert dénonce les métaphores de Chase ou Chandler qui, selon elle, ralentissent l'action et n'ajoutent rien au récit. C'est un parti pris, une façon de rejeter le genre policier dans la paralittérature, car, dans le même livre, elle cite avec respect les figures de style de John Cooper Powys qui, aujourd'hui, ne peuvent que nous faire rire tant elles sont boursouflées et clinquantes[1]. La « vérité », c'est que l'arsenal rhétorique de la littérature a été largement renouvelé par Chandler, Chase et, d'une façon générale, par les auteurs du genre policier. Lourdes, riches de langue et surtout descriptives, les figures de style d'antan sont devenues aujourd'hui légères, familières et surtout émotionnelles dans le genre policier.

Bien qu'il s'agisse de traductions, on perçoit facilement ce renouvellement des images dans les passages suivants :

> *« Je vais ouvrir le tiroir du bureau en rotin et j'en extrais une photo qui gisait là toute seule au fond, et qui me fixait de ses calmes yeux noirs. »*
>
> Raymond Chandler, *La Grande Fenêtre*, trad. R. Levasseur et M. Duhamel, Gallimard, « Série noire », 1949 ; « Folio policier », 1999.

> *« C'était une femme mince, d'âge incertain, aux cheveux châtains en désordre, à la bouche rouge comme un champ de bataille [...]. »*
>
> Raymond Chandler, *La Dame du lac*, trad. Michèle et Boris Vian, Gallimard, « Série noire », 1948, rééd. 1998.

---

1. Voir : Christian Poslaniec, *De la lecture à la littérature*, Le Sorbier, 1992, pp. 37-38.

« *Chaque fois que vous posez une question, ils vous flanquent tout bonnement le parquet à la figure.* »

Raymond Chandler, *Fais pas ta rosière !*, trad. S. Jacquemont et J.-G. Marquet, Gallimard, « Série noire », 1950 ; « Folio policier », 1998.

« *L'ascenseur nous parut ramper jusqu'au troisième étage.* »

James Hadley Chase, *Couche-la dans le muguet*, trad. C. Grégoire et H. Collard, Gallimard, « Série noire », 1950, rééd. 1998.

« *Il escalada trois marches d'un bond et balança un poing de la taille d'un melon. Don manqua d'être décapité, mais il réussit à esquiver de justesse.* »

James Hadley Chase, *Voir Venise et crever*, trad. Noël Grison, Gallimard, « Série noire », 1954, rééd. 1998.

Ce type de figures de style est tout aussi présent dans les livres policiers destinés à la jeunesse :

« *[...] deux boudins trapus juchés sur des escarpins imprimés léopard à talons vertigineux.* »

Carlo Lucarelli, *Jolies Jambes Nikita*, trad. Marianne Costa, Hachette, « Éclipse », 1998.

« *C'est beau, un fragment de tôle, quand on y regarde de près : la rouille a dessiné des continents, des îles et des océans. Tout un planisphère imaginaire.* »

Colin-Thibert, *Balade à Crèvecœur*, Hachette, « Verte aventure policière », 1990.

« *Aldo, Mario, Tonio, des grandes gueules au cœur de laitue [...].* »

Franck Pavloff, *Pinguino*, Syros, « Souris noire », 1994, rééd. 1997.

« *La musique s'était aplatie sur mon crâne comme une déferlante.* »

Marie-Aude Murail, *Rendez-vous avec Monsieur X*, L'École des loisirs, « Médium », 1998.

D'une façon générale, les figures de style contribuent à la polysémie de l'écriture et affirment le rôle du lecteur dans le processus d'interprétation. Par exemple, *Le Châtiment de la déesse*, de Monique Agénor (Syros, « Souris noire », 2000), commence par ces mots :

« *La case menaçait de s'écrouler sous l'étreinte du vent et de la pluie.*
« *C'était comme si une grosse gueule de dinosaure s'était faufilée sous la charpente de bois, soufflant de toute son énergie sur le léger toit de tôle.* » (pp. 5-6)

Le lecteur peut songer aux films de Spielberg, *Jurassik Park* et *Le Monde perdu*. L'image évoque une tempête tropicale (l'histoire se déroule dans l'île de la Réunion) et met en évidence les forces incontrôlables de la nature. Mais cela n'exclut pas de connoter, en même temps, le fait que la Réunion a peut-être quelque chose à voir avec l'époque primitive évoquée. Et, puisque l'image décrit un animal soufflant sur un toit, le lecteur peut fort bien penser au loup des *Trois petits cochons*. La référence au conte se justifie car, d'une part, ce livre s'adresse à des jeunes et, d'autre part, l'histoire concerne les mythes et légendes des sorciers hindous.

Une figure de style ne joue pas seulement un rôle esthétique et polysémique ; elle contribue au sens général du récit, annonce fréquemment des événements ultérieurs, à sa manière, ou suggère l'atmosphère, le ton.

Dans les premières pages du roman de Dominique Pénide, *La Pension Myosotis* (Climats, « Sombres climats », 2000), on trouve le passage suivant :

> « *Le jour s'engourdissait et glissait vers le rêve. La nuit hésitait à entrer en scène. C'était l'heure des chasseurs, l'heure bleue des écrivains en mal d'inspiration* [...]. »
> (p. 14)

A posteriori, quand on connaît l'histoire (voir le résumé de ce livre dans l'activité « Portraits de coupables »), on se rend compte que cette évocation du crépuscule n'est pas seulement esthétique : elle annonce ce qui va suivre. En effet, l'héroïne est une romancière qui est dupée par un écrivain, auteur de fausses lettres et d'un faux journal intime. Il s'agit donc véritablement d'une mise en scène de l'image de la nuit.

Comme activité, nous proposons de faire rechercher, dans de nombreux romans, les figures de style concernant, par exemple, la lune (mais on peut choisir aussi la nuit, la pluie, les arbres, les rues, ou n'importe quel autre élément). Certes, elle peut être ronde, en croissant, gibbeuse, rousse... mais dans les romans, elle est fréquemment l'objet d'une figure de style (comparaison, métaphore, métonymie...).

On demandera donc aux élèves de relever les figures concernant la lune, et de mettre ensuite les points sur les *i* (pour faire référence à *Ballade à la lune*, de Musset), c'est-à-dire de montrer comment cette figure contribue à l'interprétation de l'histoire.

En voici quelques exemples :

> « *La pleine lune montait paresseusement dans un ciel sans nuages* [...]. »
>
> James Hadley Chase, *Ça ira mieux demain*, trad. F.-M. Watkins,
> Gallimard, « Série noire », 1983, rééd. 1998, p. 112.

« *Paresseusement* », mais avec obstination, c'est la façon dont le héros mène son enquête. Son adversaire, c'est la Mafia ; il ne peut donc pas attaquer de front. Alors il adopte une démarche similaire à celle de la lune, en apparence, attendant son heure.

> « *La lune ne répandait plus son halo argenté. Elle était maintenant ronde et pesante comme un ventre de femme gravide.* »
>
> Dominique Pénide, *La Pension Myosotis*, Climats,
> « Sombres climats », 2000, p. 117.

Dans ce roman, une employée de la pension accouche et refuse de révéler qui est le père. Cela dit, tout le monde soupçonne le propriétaire, un « coureur » invétéré, qui meurt à la fin, sans doute assassiné en raison de son comportement dépravé, qui menaçait l'existence même de la pension.

> *« Par la fenêtre, on voyait la lune pâle et translucide comme une tranche de citron. »*
>
> Patricia McDonald, *La Double Mort de Linda*, trad. W. O. Desmond, LGF, « Le Livre de poche », 1999, p. 170.

Cette lune acidulée n'est pas sans rapport avec ce que ressent l'héroïne tout au long du roman, les catastrophes s'accumulant dans sa vie privée. Au moment où elle contemple la lune, elle estime même n'avoir plus d'avenir.

> *« La lune avait fondu dans l'océan. »*
>
> Alain Demouzon, *La Promesse de Melchior*, Calmann-Lévy, 2000, p. 99.

Tout comme la lune, le héros, Melchior, se fond dans le terroir pour mener son enquête.

> *« Au-dessus du marché Jefferson se dresse, tel un bras levé vers le ciel, une haute tour avec une horloge. Celle-ci est une grosse boule jaune brillante qu'on croirait clouée au ciel, comme si la tour était parvenue à attraper la lune. »*
>
> Linda Stewart, *Sam s'en mêle*, trad. M. Manin, Flammarion, « Castor poche, mystère policier junior », 1997, p. 35.

Une actrice a été enlevée. Sam enquête. Le temps presse (l'horloge). Mais la retrouvera-t-il à temps ? N'est-ce pas une gageure (attraper la lune) ?

> *« La lune jouait à cache-cache avec les arbres, découvrant par intermittence un pan de la maison prise en étau par les branches. »*
>
> Franck Pavloff, *Prise d'otage au soleil*, Nathan, « Lune noire », 2000, p. 82.

Les victimes de ce roman, des enfants roumains clandestins, semblent jouer aussi à cache-cache avec les jeunes héros. Ces derniers vont enfin les découvrir, quelques pages après cette évocation de la lune.

> *« Par la petite fenêtre latérale du camping-car, on apercevait un carré de ciel tout noir, où la lune s'obstinait à ne pas vouloir paraître. »*
>
> Michel Grisolia, *Menace dans la nuit*, Bayard Poche, « Je bouquine », 1991, p. 74.

Il n'y a donc aucune lueur d'espoir ! Les héros sont traqués par une ombre mystérieuse qui vient de les rattraper. L'homme a déjà tué ; la menace est réelle, et les deux héros n'ont aucune chance de s'échapper !

Lorsqu'on fait écrire des histoires policières par les élèves, on se rend compte qu'ils ont beaucoup de mal à inventer des figures de style, et que leur écriture reste plate. Le travail qui précède peut les aider à percevoir comment les écrivains procèdent. Toutefois, on peut leur recommander, dans un premier temps, de partir d'expressions figées, puis de les transformer. Un petit coup de syntaxe suffit souvent à rénover un cliché. En voici deux exemples :

> « *Quand est-ce que j'en aurais fini avec ces maudites rougeurs qui me faisaient pivoine à la moindre occasion ?* »

Virginie Lou, *Le Miniaturiste*, Gallimard,
« Page noire », 1996, p. 56.

> « *Je connus alors la couleur de la nuit qui s'annonçait. Blanche.* »

Dominique Pénide, *La Pension Myosotis*, Climats,
« Sombres climats », 2000, p. 18.

NÉGOCIER LE SENS D'UN TEXTE

Un texte littéraire est polysémique par définition. Quelle est la part des effets programmés par le texte, et celle des interprétations du lecteur ? Les sémioticiens[1] et les théoriciens de la réception[2] en discutent encore. Les pédagogues préfèrent parler de négociation entre le texte et le lecteur. Le plus souvent, cette négociation aboutit à des interprétations différentes selon les lecteurs, mais les variations mettent rarement en cause le genre du texte. Cela arrive pourtant parfois. Yves Reuter en a donné un exemple[3] à partir de la nouvelle *Quand Angèle fut seule*, de Pascal Mérigeau. S'agit-il d'une nouvelle policière ou d'une nouvelle « réaliste-psychologique » ? Selon la façon dont le lecteur négocie les implicites du texte, il est possible d'opter pour l'une ou l'autre.

L'activité proposée s'inspire de la démarche de Reuter. Pour qu'une nouvelle appartienne au genre policier, il faut qu'il y ait crime, au sens juridique du terme, et fréquemment homicide. Après lecture de la nouvelle *Les Gens d'à côté* de Pauline C. Smith[4], on demandera donc aux élèves de définir s'il y a crime ou non, genre policier ou non. Ils devront naturellement argumenter en s'appuyant sur le texte.

▲ Nouvelle policière ou nouvelle psychologique ?

La première interprétation dépend de la perception, par Évelyne (l'un des personnages), de ce qui se passe chez les voisins. Elle perçoit d'abord, chez sa voisine, une certaine violence dans sa manière d'étendre les

---

1. Voir, par exemple : Umberto Eco, *Les Limites de l'interprétation*, Grasset, 1992.
2. Voir, par exemple : Wolfgang Iser, *L'Acte de lecture. Théorie de l'effet esthétique*, Bruxelles, Mardaga, 1985.
3. Yves Reuter, « Comprendre, interpréter, expliquer des textes en situation scolaire. À propos d'*Angèle* », *Pratiques*, n° 76, 1992.
4. Dans *Crimes parfaits*, L'École des loisirs, « Médium », 1999.

chemises de son mari. Ce dernier disparaît alors, présumé en voyage. Puis la voisine se procure deux gros chiens, les affame en les promenant longuement, et les nourrit la nuit. La façon dont Évelyne interprète ces faits est tout entière contenue dans la dernière phrase de la nouvelle ; quand Edmond, le mari d'Évelyne, déclare au sujet de la voisine : « *Ça a dû lui coûter cher de nourrir ces molosses* » (p. 185), Évelyne donne son avis : « *Je ne pense pas que ça lui ait coûté quoi que ce soit. À vue de nez, combien pesait son mari ?* » (p. 186)

La seconde interprétation dépend de la perception d'Évelyne par Edmond. Il rappelle qu'elle a toujours tendance à « *imaginer des choses comme ça* » (p. 178). Quant à lui, il donne une interprétation non dramatique des faits rapportés par Évelyne.

▲ Argumenter

De nombreux passages confortent l'interprétation d'Évelyne, mais c'est elle qui les énonce. Par exemple : « *Elle étend sa lessive comme si elle était en colère contre elle. Lorsqu'elle met les épingles à linge sur les chemises, on croirait qu'elle les poignarde.* » (pp. 177-178) Poignarder les chemises, c'est symboliquement tuer le mari. Et ce verbe annonce en même temps la profession du mari de la voisine : « *Il vend de la coutellerie dans les restaurants – des couteaux, des couperets et d'autres choses.* » (p. 179) C'est une phrase dont le lecteur doit garder le souvenir, car, du coup, la voisine dispose de tous les outils nécessaires pour dépecer son mari.

Par la suite, ayant été sermonnée par son époux, Évelyne n'exprime plus aussi clairement ses sous-entendus, toujours présents cependant. À propos des chiens, elle précise d'abord : « *deux grands chiens maigres* » (p. 183) ; puis, au sujet de la voisine : « *Elle n'aime pas les chiens.* » (p. 184) Les deux animaux ont donc un rôle autre qu'affectif. Enfin, on peut lire : « *Aujourd'hui elle a emmené les chiens dans la voiture [...]. Et elle est revenue seule.* » (p. 185) La tâche des chiens était donc terminée !

Quant à Edmond, il témoigne à plusieurs reprises que sa femme n'est pas « normale » :

> « *Évelyne, dit-il, il ne faut pas aller imaginer des choses comme ça ! Il ne faut pas chercher des manies et des névroses dans tout ce que les gens font. C'est malsain. Je pensais que tu en aurais eu assez d'analyser et d'être analysée durant toute cette dernière année, depuis ton accident. [...] Évelyne, tu es presque rétablie maintenant [...]. Tu ne peux pas te permettre de laisser ton imagination courir après n'importe quelle broutille. C'est malsain. Tu feras une rechute.* » (p. 178)

Et Edmond contredit toutes les interprétations d'Évelyne. Quand celle-ci parle des chemises poignardées, Edmond se contente d'essayer de l'arrêter : « *Évelyne!* » (p. 178) (« *son ton était sec* », précise le narrateur). En vain, car elle poursuit et répète le verbe « poignarder », comme lui-même répète la phrase « *C'est malsain* ». « *C'est une brave femme* » (p. 179), conclut Edmond, opposant ainsi cette interprétation à celle d'Évelyne, qui vient d'évoquer la violence contenue de la voisine.

Quand Évelyne parle des chiens maigres, Edmond ne perçoit pas le sous-entendu, mais propose cependant une explication logique : « *Elle a peut-être peur, en l'absence de son mari. Et elle les a pris comme chiens de garde.* » (p. 183) En réponse à la remarque d'Évelyne sur le fait que la voisine n'aime pas les chiens, Edmond rétorque : « *Elle n'a pas à les aimer* [...]. *Ce sont des chiens de garde et non des chiens de salon.* » (p. 184) Et quand Évelyne souligne que la voisine s'est débarrassée des chiens, puis est partie, Edmond suppose : « *C'est probablement pour ça qu'elle s'est débarrassée des chiens. Elle partait en voyage.* » (p. 185)

Le narrateur à la troisième personne paraît tenir la balance égale entre les deux interprétations. De nombreux passages confortent alternativement l'interprétation d'Évelyne et celle d'Edmond.

LES DÉBUTS DE ROMANS

Nous empruntons ce titre d'activité à Jean Verrier qui, manifestement, le préfère au terme savant d'*incipit*[1], et qui intitule le deuxième chapitre de son ouvrage : « Quand ? Où ? Qui ? » – on se croirait dans un polar, alors que ces questions, en l'occurrence, concernent la littérature en général.

Cette interrogation propre au début de roman contribue certainement au succès du genre policier, car il existe alors une homologie entre le lecteur et l'enquêteur : ils se posent nécessairement les mêmes questions.

En ce qui concerne le lecteur, le début de roman est la première étape de la réception d'une œuvre fictionnelle. Dans la communication réelle, l'auditeur perçoit directement qui parle (il le voit), où se passe la scène (ils sont dans le même lieu), et quand cela se déroule (ils partagent le même temps). Dans la réception de la fiction, le lecteur doit reconstruire tout l'univers de référence à partir des éléments fournis par le texte.

Le roman de Marie Saint-Dizier, *Qui veut tuer l'écrivain ?*, commence par cette phrase : « *Ce matin, le proviseur, M. Lansquenet, a surgi en plein cours, pâle dans son noir pardessus.*[2] » Cela permet tout au plus d'émettre l'hypothèse que le récit se déroule dans un lycée, mais ne donne aucune indication sur l'énonciateur de cette phrase (il dit « *moi* » ensuite, se révélant narrateur à la première personne, mais il faut glaner des détails tout au long du roman pour spécifier ce personnage), ni sur l'époque du récit.

Le roman d'Olivier Seigneur, *Des lapins et des hommes*, commence par ces phrases :

> « *Le nain s'affole. Il étouffe. Sa tête, privée d'air, lui paraît sur le point d'exploser. Il sent ses yeux gonfler et s'emplir de sang, la peau de ses tempes se tendre et durcir. Et, surtout, il y a le lien que son assaillant silencieux lui a passé autour du cou [...].*[3] »

---

1. Jean Verrier, *Les Débuts de romans*, Bertrand-Lacoste, « Parcours de lecture », 1992.
2. Marie Saint-Dizier, *Qui veut tuer l'écrivain ?*, Hachette, « Vertige policier », 1997.
3. Olivier Seigneur, *Des lapins et des hommes*, LCE, « Le Masque », 1994.

Et cette description de mise à mort se poursuit durant tout le premier chapitre, sans que le lecteur puisse répondre aux trois questions clés[1].

On peut donc dire que le lecteur se fait initialement enquêteur pour extraire d'une écriture fictionnelle les éléments qui lui permettront de reconstituer l'univers de référence, d'entrer dans le récit. On peut ajouter que, pour un texte policier, surtout dans la catégorie « énigme », le lecteur devient de nouveau enquêteur, à l'intérieur de l'histoire cette fois, en concurrence avec le détective fictionnel.

Au-delà de ces observations essentielles qui permettent aux jeunes d'aborder les théories de l'énonciation, de la réception et de la négociation avec le texte, nous proposons une activité qui les mettra dans la position d'un chercheur travaillant sur la littérature.

Avançons une hypothèse de recherche : les débuts de romans policiers varient selon l'appartenance du livre à une catégorie particulière.

Nous pouvons développer ainsi cette hypothèse :

– le roman à énigme étant le plus classique, il y a des chances que son début soit également classique, autrement dit que tous les éléments soient fournis au lecteur pour lui permettre de reconstituer l'univers de référence ;

– le roman noir mettant au premier plan une société criminogène (en France, le plus souvent, la ville tentaculaire ou la banlieue ghetto), on peut supposer qu'un texte d'atmosphère (glauque !) servira d'*incipit* ;

– le roman à suspense reposant sur la menace et la traque, on peut penser qu'il commencera au milieu d'une action.

Naturellement, il ne s'agit que d'une hypothèse, que les élèves auront donc à confirmer ou à infirmer, comme le font les chercheurs, à partir de nombreux exemples.

▲ Quelques exemples confirmant l'hypothèse

Romans à énigme

« *J'ai mon bureau dans un coin snob : rue Edmond-Valentin. Je ne sais toujours pas ce qu'il faisait dans la vie, Edmond-Valentin. Député du parti de la Vieille France peut-être, avec un nom pareil. Ou bien éternel fiancé non déclaré de la fleuriste du coin. La rue relie l'avenue Bosquet à l'avenue Rapp, et vu le quartier, elle est étrangement animée, voire bruyante.* »

Jean-Pierre Maurel, *Malaver s'en mêle*, Viviane Hamy,
« Chemins nocturnes », 1994.

---

1. On comparera ce début de roman à celui de *À feu et à sang*, de Olivier Thiébaut (Syros, « Mini souris noire », 2000), décrivant l'égorgement d'un cochon, que nous avons cité dans le dernier chapitre de la première partie.

« *Ça fait plusieurs années que M. Sherlock Holmes fait appel à mes services régulièrement. C'est plutôt drôle d'ailleurs, de dire* régulièrement, *parce que moi et ma bande, on s'appelle* Les Irréguliers de Baker Street*... Et c'est moi qui dirige toutes les opérations.* »

Béatrice Nicodème, *Wiggins et le perroquet muet*, Syros,
« Souris noire », 1997.

« *Dans un hameau du sud-est de Villefranche-sur-Saône, près de Jarnioux, rien ne distingue la typique maison beaujolaise des Rampon.* »

Philippe Bouin, *Implacables Vendanges*, Viviane Hamy,
« Chemins nocturnes », 2000.

Romans noirs

« *Les nuages se chargèrent de pluie et le vent se leva.* »

Marc Villard, *Les Doigts rouges*, Syros, « Mini souris noire », 1997.

« *La vie coule comme une traînée de miel sur la concavité d'une bétonneuse et puis, tout à coup, d'absurdes événements en changent le cours et la teneur.* »

Jean-Bernard Pouy, *Larchmütz 5632*, Gallimard,
« Série noire », 1999.

« *Entre quatre murs on croit pouvoir réfléchir. On se dit : au moins ça. Crucifié par le temps qui ne passe jamais et les jours qui s'enfuient. En dedans, on pleurniche : ma vie, ma vie...* »

Jean-Paul Demure, *Les Jours défaits*, Rivages,
« Noir », 2000.

Romans à suspense

« *– Il a disparu !*
« *C'était un de ces jours nuageux et sans vent du début de l'été, lorsque le temps semble suspendu, que tout est calme et tranquille... Comme dans l'attente d'un événement.*
« *– Mon vélo ! On a volé mon vélo tout neuf ! gémit Nicolas Quinn.* »

Hugh Galt, *La Folle Poursuite*, trad. Smahann Joliet,
Flammarion, « Castor poche », 1992.

« *La grosse main calleuse plaquée sur la bouche d'Arthur sent une odeur qu'il ne connaît pas. Habituellement, celles qui le tripotent sont parfumées à la rose, au lilas, à l'eau de Cologne. Ni son père ni sa mère ni la nourrice ne fume, il ne peut donc pas connaître le goût âcre de la gauloise froide.* »

Pascal Garnier, *Nono*, Syros, « Mini souris noire », 1997.

« *Nu devant le miroir, il enfila les gants de chirurgien et fixa sur son torse la sacoche contenant le matériel. Menottes, magnétophone, cassettes, préservatif, corde de violoncelle. Prêt à montrer son âme noire à la femme qui l'attendait dans le salon, Vox se sentait l'esprit au plus clair.* »

Dominique Sylvain, *Vox*, Viviane Hamy, « Chemins nocturnes », 2000
(le roman appartient aussi au genre « serial killer »).

▲ Quelques exemples infirmant l'hypothèse

Romans à énigme

« Il y a des jours où il vaudrait mieux rester au lit.
« Je ne dis pas ça par amour pour les polochons de l'internat. Quand la cloche a sonné, ce matin, j'ai cru un instant que j'avais été transformé en sardine à l'huile marinant dans une boîte de fer-blanc. »

Jean-Philippe Arrou-Vignod, *Enquête au collège*,
Gallimard, « Folio junior », 1991.

« Montez donc à bord ! lança mon patron, sur un ton ambigu. »

Dick Francis, *Vol dans le van*, trad. Jacques Hall,
10-18, « Grands détectives », 1995.

« Le temps semblait marcher au ralenti, elle ignorait s'il s'était écoulé seulement quelques minutes ou davantage depuis qu'elle avait enfoncé le couteau. »

Liliane Korb, Laurence Lefèvre, *Sang dessus dessous*,
Viviane Hamy, « Chemins nocturnes », 1999.

Romans noirs

« Les portes du fourgon claquent brutalement, l'une après l'autre, dans le dos de Gaël. Un des gendarmes qui l'ont arrêté ce matin le prend par le bras, l'entraîne vers le palais de justice de Créteil à grandes enjambées. »

Giorda, *L'Incendiaire*, LGF, « Le Livre de poche jeunesse », 1995.

« Paris, 20 juillet 1942... Sans ce jour-là, rien ne serait arrivé. Il était 5 heures du matin et, déjà, le jour se diluait dans la nuit. Dans la luminosité naissante qui annonçait l'aube d'été, le physicien Paul Duvivier tentait à grand-peine de faire démarrer sa Traction avant. »

Jean-Marie Villemot, *L'Œil mort*, Gallimard, « Série noire », 2000.

(Dans ce dernier texte, toutefois, des éléments d'atmosphère se mêlent aux indications de narration classique.)

« Mathilde n'avait jamais eu beaucoup de chance avec les hommes. Le premier qui lui avait promis la lune avait vite décroché, les autres étaient restés évasifs et même Jean-Pierre, le musicien qui l'avait convaincue de se marier sur un coup de tête sous prétexte qu'ils étaient assez jeunes pour s'en donner, avait impitoyablement démissionné en cours de contrat pour les bras d'une blonde aux yeux bleus qui n'avait sûrement pas son bac. »

Caryl Férey, *Les Causes du Larzac*, éditions Lignes noires, 2000.

Romans à suspense

« Cette année, avec la sécheresse, une épaisse poussière recouvrait le champ de foire et formait un nuage opaque. Deux garçons d'une douzaine d'années en émergeaient ; ils jouaient derrière les voitures garées sur le parking. »

Joan Phipson, *La Chasse*, trad. Jackie Valabrègue,
Hachette, « Aventure policière », 1991.

« *Je marchais dans l'eau. La mer, cela faisait des siècles que je n'y avais pas goûté et maintenant j'avais l'océan à mes pieds.*

« *Là-bas, à la limite du macadam, Schlosser s'énervait sur le klaxon.* »

Pierre Filoche, *Lucky Rapt*, Canaille, « Revolver », 1994.

« *Les enfants étaient quinze, assis l'un près de l'autre, sur des tabourets identiques, ronds et en bois sombre, devant quinze bancs identiques. La pièce, étroite et obscure, était éclairée par un néon, à l'aveuglante blancheur, qui s'étirait le long du mur. L'odeur de cuir stagnait, puissante, presque insupportable, parce qu'il n'y avait qu'une seule fenêtre, toujours ouverte, été comme hiver.* »

Carlo Lucarelli, *Fièvre jaune*, trad. Anne-Céline Bernard,
Hachette, « Vertige policier », 1998.

HÉROÏNES DE POLARS

Les héroïnes de romans policiers sont intéressantes et attachantes, qu'elles soient détectives ou non. Du reste, force est de constater que, la plupart du temps, elles ne le sont pas, comme si le métier de détective – unisexe, grammaticalement parlant – n'était pas suffisamment emblématique de la représentation littéraire des personnages féminins. Au demeurant, la première d'entre elles, Miss Marple, est une dame avant d'être une enquêtrice, et ce, par hasard, tout comme Miss Seeton qui, elle, ne se rend même pas compte qu'elle enquête !

Depuis la création de Miss Marple, par une femme, nombreuses ont été les héroïnes de polars. L'une des plus connues, le Dʳ Kay Scarpetta, résume bien le modèle de personnage principal féminin en disant d'elle-même : *« J'avais le corps et les sensibilités d'une femme, mais l'énergie et la volonté d'un homme.*[1] *»*

Il y aurait beaucoup de recherches à faire sur les personnages féminins des romans policiers : usent-elles de la prétendue « intuition féminine » ? Doivent-elles se comporter comme un homme, dans certains cas ? Mènent-elles une enquête comme le ferait un détective masculin ? Sont-elles plus souvent victimes que leurs homologues de l'autre sexe ? Quelle relation ont-elles à la séduction ? Etc.

Pour donner une idée de ce qu'elles sont, nous avons choisi de fouiller dans la vie (fictive) de trois d'entre elles, américaines, Vic Warshawski, Maggie Fraser et Kay Scarpetta.

La première est une « dure à cuire », héroïne d'une série imaginée par Sara Paretsky, dans la collection « Les Reines du crime », aux éditions LCE-Le Masque. Le titre retenu est *Sous le feu des protecteurs* (1993). La deuxième est la victime d'un thriller de Patricia MacDonald, *Expiation* (LGF, « Le Livre de poche thriller », 1998), et la troisième est le médecin

---

1. Patricia Cornwell, *La Séquence des corps*, LCE, « Le Masque », 1995 ; LGF, « Le Livre de poche », 1999, p. 331.

légiste d'une série de Patricia Cornwell ; le titre retenu est *Combustion* (LGF, « Le Livre de poche », 1999).

La lecture de chacun de ces trois livres laisse au lecteur une impression extrêmement forte, mais différente pour chaque héroïne ; c'est cette impression que nous avons voulu rendre plus claire. Pour ce faire, nous avons mis nos trois personnages féminins à l'épreuve des « cinq A », de la manière dont sont présentées les stars préférées des jeunes dans leurs revues. Les « cinq A » sont les initiales des mots « Action », « Agressivité », « Alcool », « Amour » et « À bout de nerf ». Pour chacun de ces mots, nous avons trouvé un ou plusieurs extraits des livres cités, qui peignent le mieux chaque héroïne en situation.

▲ Action

Vic Warshawski échappe à un tueur :

> *« Une fois sur la rampe d'accès, j'ouvris ma portière, braquai sur la droite, accélérai, traversai la palissade telle une cascadeuse et sautai dans l'herbe – deux mètres plus bas.*
>
> *« C'est là que j'entendis un bruit de métal hurlant et que je vis jaillir un geyser d'étincelles. Le semi-remorque avait foncé droit sur l'Impala – qui était restée fichée sous la palissade – puis l'avait écrasée de tout son poids, en piquant en tête dans l'herbe. La cabine avait un très vilain aspect. Je me relevai, et en escaladant la palissade, je déchirai ma chemise et m'ouvris l'estomac. Je me demandai si Hulk était encore en état de nuire. »* (*Sous les feux des protecteurs,* p. 300.)

Maggie Fraser est menacée d'être pendue par Évy, une frêle jeune fille prise d'une folie meurtrière :

> *« Et Évy arma le pistolet avec un déclic qui glaça le sang de Maggie. Son regard alla du visage impitoyable à la corde qui se balançait sous la poutre. Il n'y avait rien à faire pour la dissuader. Du coin de l'œil, elle aperçut une lampe avec un pied métallique qui se trouvait à moins d'un mètre d'elle. Sans réfléchir, elle plongea en avant pour s'en emparer.*
>
> *« – Ne bouge pas ! hurla Évy devant sa tentative désespérée. Tu vas voir ! Visant Maggie à la tête, elle pressa la détente. Il y eut un déclic, suivi d'un silence. Incrédule, Évy fixa l'arme inutile dans sa main. Momentanément paralysée, Maggie saisit la lampe et la lança de toutes ses forces en direction d'Évy. »* (*Expiation,* p. 312.)

Kay Scarpetta, en hélicoptère piloté par sa nièce Lucie, tente d'abattre un second hélicoptère dans lequel se trouvent deux tueurs en série :

> *« Lucy me tendit son arme et s'empara du fusil d'assaut AR-15 fixé derrière elle. Le Schweizer nous contourna pour nous pousser vers la terre, sachant qu'il nous acculait car nous ne pouvions pas risquer la vie des gens au sol.*
>
> *« – Il faut qu'on retourne sur l'eau ! dit Lucy. On ne peut pas leur tirer dessus ici. Enfonce ta porte, sors-là des gonds et laisse-là tomber !*
>
> *« J'y réussis, je ne sais pas comment. La portière s'arracha et l'air me gifla tandis que le sol se rapprochait brutalement [...]. »* (*Combustion,* p. 440.)

Vic agit seule, en femme d'action. Elle entretient sa forme physique par un jogging quotidien, ce qui fait qu'en cas de combat inégal, elle s'en tire par la fuite à pied ou à la nage. En revanche, Maggie ne supporte pas la violence : elle doit la vie sauve au hasard, comme ici, grâce au pistolet enrayé. Dans les circonstances où il faudrait qu'elle agisse, au contraire, son corps se paralyse. Elle porte en elle la culpabilité ressentie parfois par les femmes victimes de la violence masculine. Quant à Kay, elle ne se bat jamais. Elle a recours à la ruse pour échapper aux tueurs *in extremis*. Dans cet exemple, c'est Lucie qui tire sur l'hélicoptère, après avoir passé le manche à Kay.

▲ Agressivité

Vic Warshawski réagit aux mots malencontreux d'un voisin qu'elle déteste :

> *« Mon envie de le frapper fut telle que j'arrêtai mon poing juste avant de le lui écraser dans la figure. » (Sous les feux des protecteurs, p. 77.)*

Maggie Fraser est certaine qu'Évy a mis des morceaux de verre dans une tarte qu'elle-même a préparée pour des enfants, et ce dans le but de la faire accuser :

> *« Maggie la secoua [...].*
> *« La tête d'Évy roulait d'avant en arrière. "Dites-leur. Dites-leur ce que vous m'avez fait. Je ne vous lâcherai pas tant que vous ne l'aurez pas dit." La jeune fille s'affaissa soudain entre ses bras. Maggie administra à son corps inerte une dernière secousse et fixa, sans la relâcher, ses yeux pâles. Leurs regards se rencontrèrent un court instant : celui, furieux, de Maggie, et celui, vague et hébété, d'Évy [...].*
> *« – Pourquoi l'avez-vous malmenée ainsi ? lui reprocha la blonde frisée. Elle ne vous a rien fait.*
> *« – Ce n'est pas ma faute. Je ne voulais pas lui faire de mal... Sa voix fut étouffée par les larmes qu'elle tentait de contenir. » (Expiation, p. 154.)*

Kay Scarpetta s'emporte pour la énième fois contre son co-enquêteur, Marino :

> *« Je me retournai en braquant sur lui mon index comme un revolver :*
> *« – Pas un mot de plus, l'avertis-je. Restez en dehors de mes affaires et ne vous avisez pas de douter de mon professionnalisme, Marino. Vous n'êtes pas si bête que cela, bon Dieu ! » (Combustion, p. 262.)*

Kay ne réagit jamais de façon primaire, tout au plus lui arrive-t-il de brusquer son interlocuteur. Les deux autres personnages sont diamétralement opposés, comme on s'en rend compte dans les exemples : Vic Warshawski aimerait frapper son voisin pour répondre à une simple parole déplacée, alors que Maggie Fraser est incapable de décharger la dose d'adrénaline qui lui permettrait de se libérer de sa culpabilité.

▲ Alcool

Vic Warshawski :

> « *Une fois chez moi, je résistai à l'envie de prendre un bain et un double whisky.* »
> (*Sous le feu des protecteurs*, p. 72.)

Mais le lendemain, en arrivant chez elle, elle se sert un grand whisky et se fait couler un bain (p. 77).

Maggie Fraser :

> « *Dans cinq minutes, se dit Maggie, je vais me lever, aller dans la cuisine et manger un morceau. Puis je prendrai un bain chaud et un doigt de whisky, et j'irai me coucher.*
> « *Pour la centième fois de la soirée, elle regarda la pendule. Minuit moins dix. C'est trop tard, se dit-elle. Aussitôt, elle se reprit. Non, il n'était pas trop tard. Si elle ne mangeait pas, ne se déshabillait pas, ne buvait pas une gorgée de whisky, elle passerait la nuit à grelotter entre la couette et le couvre-lit. Et la migraine qui la torturait déjà ne faisait qu'empirer. Elle pensa à tout cela, mais ne bougea pas.* »
> (*Expiation*, p. 169.)

Kay Scarpetta :

> « *Je restai sous la douche le temps de me réchauffer et de faire disparaître l'odeur de brûlé et de mort.* [...] *J'ouvris une bouteille de bière.* » (*Combustion*, p. 77.)

> « *Ma bouteille de bière pendait dans ma main, oubliée.* » (p. 88)

> « *Le visage qui me regardait dans le miroir avait l'air angoissé et fatigué. Je dormais mal, je mangeais mal, je me laissais aller sur le café et l'alcool, et cela se voyait à mes cernes.* » (p. 264)

Whisky, bain et douche permettent de surmonter les moments difficiles, comme c'est le cas pour les personnages masculins de polars. Exception faite de Maggie qui ne supporte pas l'alcool et ne trouve jamais en elle « *l'énergie et la volonté d'un homme* ».

▲ Amour

Vic Warshawski se confie brièvement sur ses amours d'un soir à un vieil ami qui lui dit :

> « *Alors c'est pour ça que tu tiens tous les hommes qui t'approchent sur des charbons ardents ? Je pense à ce pauvre type, en bas. Tu ne veux pas qu'on ait suffisamment de prise sur toi pour pouvoir te lâcher, c'est ça ?* (*Sous les feux des protecteurs*, p. 319.)

Maggie Fraser suscite l'amour d'un homme « bien », qui est son patron :

> « *Elle noua les bras autour de Jess, regrettant de le voir partir. "Tu me manqueras. Je me sens tellement flageolante."* » (*Expiation*, p. 184.)

Kay Scarpetta pense aux nuits avec son amoureux :

> « *Autrefois, nous étions capables de passer une nuit blanche à nous dévorer inlassablement, parce que nous travaillions ensemble, qu'il était marié et que nous ne pouvions jamais nous rassasier l'un de l'autre. Cette sensation me manquait.*

Souvent, quand nous étions tous les deux à présent, mon cœur restait comme engourdi ou légèrement douloureux, je me sentais vieillir. » (*Combustion*, p. 288.)

Vic, en héroïne de « hard boiled », ne s'attache pas. Elle aime l'amour physique, apprécie que son soupirant soit de son côté face aux détracteurs qui la mettent en cause verbalement : celui-ci représente la loi, et ses interventions verbales confortent Vic dans ses enquêtes.

Maggie se défend jusqu'au bout d'être amoureuse, comme si le fait de le reconnaître devait faire d'elle une femme agissante et responsable, ce qui est incompatible avec son état d'esprit de victime. Du coup, sa réserve et sa fragilité, qui l'empêchent de se donner, la rendent attirante, ou plutôt attachante, pour l'homme qui tente sincèrement de la protéger et de l'épanouir. Il y réussira.

Kay, au fil des ouvrages de la série, vit enfin un amour serein avec Benton, jusqu'au moment où celui-ci est assassiné par une tueuse, laquelle veut atteindre l'héroïne en s'attaquant d'abord à ceux qu'elle aime. Kay a une vie intérieure importante, mais la narration s'y attarde peu, donnant ainsi l'impression au lecteur que le personnage domine toujours ses faiblesses, même si celles-ci sont bien réelles.

Les trois femmes représentent des modèles amoureux vraiment différents, mais en étroite relation avec le personnage qu'elles incarnent, une « dure », une « faible », une « forte ».

▲ À bout de nerf

Vic Warshawski est allée visiter à l'hôpital sa vieille voisine mourante, dont on vient de tuer le chien. Vic s'est retenue de le lui dire, craignant de la terrasser par cet aveu :

> « *Quand j'arrivai à ma voiture, je baissai le dossier de mon siège au maximum et m'écroulai là, à bout de forces. J'avais vomi en sortant de la salle où était Mrs. Frizell, effet retard de mon pieux mensonge. Et je dus attendre midi, avant de me sentir capable de repartir* [...].
> « *Je pris la direction du nord et du lac Michigan : le soleil brillait, l'eau était bleue, et calme, mais il faisait encore beaucoup trop froid pour se baigner. Il y avait des gens qui pique-niquaient au bord du lac, mais je réussis à me trouver un petit bout de plage désert où je me déshabillai et allai me baigner en petite culotte. Au bout de deux minutes, j'avais les oreilles et les pieds glacés, mais je me forçai à rester dans l'eau, jusqu'à sentir une espèce de bourdonnement dans ma tête. Là, je titubai jusqu'à la rive en voyant des étoiles et me laissai tomber sur le sable.* »
> (*Sous le feu des protecteurs*, p. 85.)

Vic Warshawski va devoir entrer en action après avoir découvert que son ex-mari est « *une ordure* ». Elle échafaude un plan avec son voisin, Mr. Contreras, pour qui elle s'inquiète, alors qu'elle attend son retour, assise dans sa voiture :

> « Quand je le vis apparaître au bout de la rue, je sentis mon foie m'envoyer un jet
> de bile que j'eus tout juste le temps de cracher par la fenêtre.
> « Mr. Contreras, partagé entre l'inquiétude et l'excitation, me proposa son immense
> mouchoir pour m'essuyer la bouche. J'acceptai d'un air piteux. Marlowe, lui, ne
> souffre pas d'hyperémotivité. » (p. 274)

Maggie Fraser vient de découvrir son chien, électrocuté dans la baignoire :

> « "Non !" Elle se mit à secouer la tête, et sa voix monta comme une rivière en crue.
> "Willy, non !" Sa plainte déchirante emplit la pièce, mais le chiot n'entendait rien,
> ne sentait rien. Il ne vit pas sa maîtresse le pleurer, recroquevillée sur elle-même, en
> serrant les poings. » (Expiation, p. 204.)

Kay Scarpetta se réveille le lendemain du jour où elle a découvert les
restes calcinés de Benton, après un incendie :

> « Je ne me souvenais pas de mes rêves. Je pleurais tellement que j'en avais les yeux
> gonflés au point de ne plus pouvoir les ouvrir. Tard dans la matinée du jeudi, je pris
> une longue douche, puis entrai dans la cuisine de McGovern. » (Combustion,
> p. 324.)

Les trois héroïnes réagissent physiquement après un fort choc émotionnel.
Vic se montre sensible à la détresse psychologique d'une vieille dame, et
sa sensibilité se transforme en réaction corporelle violente et brève, qu'elle
se reproche comme une faiblesse féminine, en se comparant à Marlowe.
En extériorisant immédiatement sa souffrance, et en la combattant par un
bain d'eau froide, elle évite la souffrance psychique, longue à disparaître
et empêchant l'action. Elle s'apparente ainsi aux héros masculins : c'est
une combattante.

Kay ne renie pas sa féminité, bien que devant assumer les impératifs de l'action. Elle est ambivalente : ses réactions physiques alternent entre les larmes,
témoins physiques de sa souffrance intérieure, et l'action qui lui est rendue
possible grâce à un entourage affectueux. Kay Scarpetta, contrairement aux
deux autres, n'est pas une héroïne solitaire ; c'est aussi grâce à son réseau
relationnel qu'elle trouve la force d'aller jusqu'au bout de son action.

Recroquevillée en position fœtale, Maggie souffre psychologiquement, et
c'est cette souffrance qui sert de moteur à l'action narrative. Maggie réagit
intérieurement, mais pleure peu. Parallèlement à l'histoire racontée dans
le livre, la lutte intérieure de l'héroïne suit un développement qui en fait
un personnage passionnant, puisque l'action psychologique constitue une
véritable descente aux enfers, jusqu'au retournement final, au cours duquel
la victime est définitivement sauvée du sort qui s'acharne sur elle.

On a pu montrer que ces trois héroïnes représentaient trois types différents : la combattante, l'ambivalente (fragile mais active) et la victime. Les
élèves peuvent pareillement relever des extraits de livres selon la technique
des « cinq A » pour caractériser des personnages féminins. On peut faire
de même pour des héros masculins, puis les comparer.

LA LITTÉRATURE POLICIÈRE AU FÉMININ : LE CHAMP DE RÉFÉRENCE

Nous n'avons pas à notre disposition d'étude concernant les motivations du lectorat féminin pour la lecture des romans policiers. Cependant, comme le disent les éditeurs (voir la partie « Les coulisses du genre policier »), ce sont principalement les femmes qui lisent ce type de romans. Et Didier Imbot, directeur du « Masque », avance même que les écrivaines imaginent des héroïnes à l'intention des lectrices, même si les lectrices que nous avons interrogées disent ne pas lire différemment les romans policiers écrits par des hommes et ceux écrits par des femmes. Toutefois, force est de constater que, depuis une dizaine d'années, il y a de plus en plus de femmes qui écrivent des polars. Comment expliquer ce phénomène ?

Peut-on émettre l'hypothèse qu'entre les écrivaines, leurs héroïnes et les lectrices, il y a une forte connivence, fondée sur une certaine image de la femme ?

L'activité que nous proposons aux adolescents consiste à vérifier cette hypothèse, en utilisant les catégories dont nous donnons des exemples ci-dessous.

Le premier exemple, concernant l'univers de la mère, est pris dans un livre pour la jeunesse. Tous les autres sont tirés de la littérature pour adultes.

▲ La maison, univers maternel

Dans les livres destinés aux jeunes enfants, c'est l'univers de la mère – et non celui de la femme – qui sert de référence. Dans *Le Plus Grand Détective du monde* de Moka (illustration : Jean-François Martin, Milan, « Poche cadet polar », 2000), Gilou Serin est un jeune garçon qui joue les détectives dans sa maison, un espace qui, visiblement, porte la marque maternelle.

Gilou Serin cherche ses rollers :

> « *[Maman] ne les avait pas remis dans mon placard. Ils étaient pleins de boue à cause de la pluie. Il ne me restait plus qu'à obtenir les aveux de la suspecte. Maman les avait mis dans la cave. Maman m'avoua également qu'elle en avait plus qu'assez de ramasser tout ce que je laissais traîner.* » (p. 3)

La question du rangement est conflictuelle entre l'enfant et sa mère :

> « *Caramel, mon chat, joue sur le lit à côté de moi. Je regarde à la loupe les détails de ma couverture. Aucun doute : quelqu'un a mangé des biscuits au lit. Il reste des miettes. Maman ne veut pas que je mange au lit [...]. On frappe à ma porte. Maman n'attend jamais que je dise "Entrez!" C'est très énervant. Elle range ma chambre, aussi. Après, je ne retrouve plus rien. Ou alors, dans la poubelle.* » (p. 7)

Et naturellement, au-delà de l'humour dominant dans ce livre, ce qui est en jeu, c'est l'appropriation de l'espace, de la maison.

▲ La femme et ses objets familiers

Certains objets ressortissent à un univers féminin : le sac à main, ce qui concerne le maquillage..., comme dans les extraits ci-dessous :

> « *En cet instant précis, Gisèle Dambert vidait désespérément, et pour la troisième fois, le contenu de son sac à main devant le guichet de la gare. Elle était sûre, absolument sûre, d'avoir glissé son porte-monnaie dans le deuxième compartiment, celui dont la sécurité était assurée par une fermeture Éclair.* »

> Estelle Monbrun, *Meurtre chez tante Léonie*, Viviane Hamy,
> « Chemins nocturnes », 1994, p. 15.

> « *J'oublie toujours d'acheter des boîtes de mouchoirs en papier quand je fais mes courses, on se servait de papier hygiénique, même Tricia, pour se démaquiller.* »

> Andréa H. Japp, *La Raison des femmes*, LGF,
> « Le Livre de poche », 2000, p. 156.

> « *Adeline Bertrand-Verdon [...] savait, indiscutablement, se maquiller. L'ombre à paupières vert pâle était exactement de la nuance qui convenait pour donner de la profondeur à de fort ordinaires yeux noisette et mettre en valeur la lourde frange de cheveux noirs, teints et coupés à la perfection. Le rouge stratégiquement disposé sur des pommettes un peu trop saillantes détournait l'attention des lèvres un peu trop minces [...].* »

> Estelle Monbrun, *Meurtre chez tante Léonie*, Viviane Hamy,
> « Chemins nocturnes », 1994, p. 75.

▲ La muse

Quand l'homme divinise la femme, il rappelle qu'il lui doit l'existence, et il imagine qu'elle incarne le pouvoir de sa propre créativité :

« *Glover lui sourit et précisa :*

« – *Je suis un homme à femmes, de femmes. Je viens d'elles, elles m'ont fait et elles me calment. Je sais. Vous pouvez dire ce que vous voulez et il y a des exceptions, c'est vrai. Mais elles sont moins tordues que nous, et lorsqu'elles le sont, c'est notre faute.* »

Andréa H. Japp, *La Raison des femmes*, LGF,
« Le Livre de poche », 2000, p. 134.

« – [...] *il fait encore nuit dehors. Le soleil ne va jamais se lever. Je ne vais pas être fichu de travailler. Ma muse ne viendra jamais me visiter par une journée pareille.*

« – *C'est ça, dit Anna en le contournant pour sortir. Mettez tout sur le dos d'une femme.* »

Liza Cody, *Video dupe*, LCE-Le Masque,
« Les Reines du crime », 1994, p. 114.

▲ La femme contrainte dans sa chair et dans son esprit

Au contraire des précédents exemples, la femme est ici la cible préférée des hommes qui exercent sur elle un pouvoir indigne, en la détruisant, par la violence physique et psychologique :

« *Partout où on veut montrer son pouvoir, saccager, pourrir la vie des hommes, on viole les femmes. Partout.*

« *Mais personne ne viole jamais, n'est-ce pas ? Il n'y a que des cuites qui expliquent tout, de mauvaises fréquentations, un passage à vide, un ordre, une guerre, n'est-ce pas ? Ou alors, il y a une petite salope de petite allumeuse en chemise de nuit trop courte. Mais elle était chez elle, elle allait se coucher, le monde était une bulle pour elle, elle était la bulle.* »

Andréa H. Japp, *La Raison des femmes*, LGF,
« Le Livre de poche », 2000, p. 267.

« *Quand elle lui dit qu'elle attendait un enfant, sa réponse lui causa une douleur plus vive qu'aucun enfantement.*

« – *De qui ? interrogea-t-il sérieusement.*

« *Quelques secondes s'écoulèrent avant qu'elle puisse retrouver de quoi articuler des sons. Le café tout entier tournoya autour d'elle. Les roses et les verts des boissons sur les tables se mêlèrent inextricablement. Elle lui demanda s'il plaisantait.*

« – *Non, répondit-il sèchement, je ne plaisante pas. Je n'ai aucune idée de ce que tu fais de tes journées et de la plupart de tes nuits. Je ne passe pas mon temps à te surveiller.*

« *Elle lui dit qu'elle attendait un enfant de lui.* »

Estelle Monbrun, *Meurtre chez tante Léonie*, Viviane Hamy,
« Chemins nocturnes », 1994, p. 233.

▲ La femme, toujours consciente de sa vulnérabilité

Puisque les femmes sont toujours à même de subir les violences de l'homme, il est naturel qu'elles partagent toujours un sentiment de faiblesse, même si elles le combattent. Dans le premier des deux exemples qui suivent, l'héroïne enceinte explique à son ami pourquoi elle n'aimerait pas du tout avoir une fille. Dans le second exemple, trois hommes habitent la même maison ; ils ont conscience que l'accueil d'une femme seule chez eux doit être préparé pour la mettre en confiance.

> « – [...] ces femmes [qui avortent en Chine, jusqu'à ce que l'enfant qu'elles portent soit un mâle] le font parce que c'est ce que la société attend d'elles. Tu ne te rends pas compte. C'est tellement compliqué de construire l'ego d'une fille, de lui apprendre à se battre, de la convaincre qu'elle est importante, unique, aimée. C'est différent pour les petits garçons. La société se charge de leur montrer qu'ils sont merveilleux. Elle les adule, elle les veut. »

> Andréa H. Japp, *La Raison des femmes*, LGF,
> « Le Livre de poche », 2000, p. 218.

> « – [...] on ne va pas laisser une fille et son gosse attendre je ne sais quoi toute la nuit sous la flotte ? Si ? Bon alors, Lucien, file-moi ta cravate. Grouille.
> « – Ma cravate ? Pour quoi faire ? Tu vas l'attraper au lasso ?
> « – Imbécile, dit Marc. C'est pour ne pas faire peur, c'est tout. La cravate, il arrive que ça rassure un peu [...].
> « Marc sortit et Lucien demanda à Mathias comment on faisait pour avoir l'air naturel.
> « – Faut bouffer, dit Mathias. Personne n'a peur de quelqu'un qui bouffe [...].
> « La jeune femme n'avait presque pas peur et beaucoup moins froid. Ça devait être à cause du feu dans la cheminée. Ça fait toujours un bon effet, et sur la peur, et sur le froid [...]. »

> Fred Vargas, *Debout les morts*, Viviane Hamy,
> « Chemins nocturnes », 1995, pp. 88-89.

LECTURE FÉMININE DE POLARS

Puisque les trois quarts des lecteurs de romans policiers sont des lectrices, nous avons eu envie d'en savoir plus sur cet état de fait, en interrogeant quatre d'entre elles : Bernadette, documentaliste en collège ; Françoise, enseignante spécialisée ; Nathalie, directrice de vente ; et Marie-Aimée, journaliste de télévision.

Une première série de questions porte sur leurs goûts en matière de catégories policières, d'auteurs et de personnages. Une deuxième série est destinée à nous renseigner sur leur parcours de lectrices de romans policiers, et une troisième les interroge sur la spécificité possible du statut de « lectrice de polar ».

▲ Les goûts de quatre lectrices de romans policiers

Elles affirment aimer toutes les catégories, avec toutefois un genre de prédilection pour chacune : le roman noir pour « *tremper* » dans le monde actuel du XXᵉ siècle ; le thriller psychologique pour suivre « *des gens ordinaires qui se retrouvent dans des situations extraordinaires* » ; le roman historique « *parce que c'est ailleurs et pas maintenant, et qu'on y découvre une culture différente* ».

Selon Bernadette, pour que le roman policier soit réussi, il ne doit pas « *donner trop de détails sordides, sans tomber dans la mièvrerie ; il doit être bien construit, avoir du suspense et de l'humour* ». Marie-Aimée avoue avoir également peu d'enclin pour les romans trop sanglants : « *Ils me glacent et ne m'apportent rien.* » En revanche, un bon polar offre « *le plaisir de la simple lecture, la détente, la réflexion, l'émotion aussi, comme ce fut le cas pour le livre de Xavier Hanotte,* De secrètes injustices[1]*, prix Michel Lebrun de la ville du Mans en 1998* ».

---

1. Belfond, 1998.

Leurs auteurs fétiches sont très nombreux. Il y a les « *mamies du crime*[1] », Patricia Cornwell, Mary Higgins Clark (citées deux fois), Ruth Rendell et P. D. James. Il y a aussi Agatha Christie, Patricia McDonald, Kate Sedley, Anne de Leseulec et Fred Vargas.

Marie-Aimée :

> « *J'adore Fred Vargas, qui, malgré son nom, est une femme. Lorsque je l'ai découverte, j'ai tout lu. Il y a chez elle une joie, une légèreté et surtout des personnages secondaires magnifiques. Ses constructions sont remarquables, inattendues, jubilatoires. Le polar, c'est aussi cela.* »

Parmi les messieurs du polar, les quatre lectrices apprécient Conan Doyle, Robin Cook, Lawrence Block, Fredric Brown, Tony Hillerman, Robert Van Gulik, Colin Dexter, James D. Doss et, chez les Français, Tonino Benacquista et Sébastien Japrisot.

Elles ont aussi leurs personnages de prédilection : Miss Marple et Hercule Poirot (Agatha Christie), le Juge Ti (Robert Van Gulik), le docteur Scarpetta (Patricia Cornwell), Mattew Scudder (Lawrence Block), Maîtresse Swinbrooke (C.-L. Grace), Roger le Colporteur (Kate Sedley), Carella et Cie (Ed McBain).

▲ Des exemples de parcours de lectrices de romans policiers

Elles ont découvert le roman policier dans des circonstances variées, et dès l'adolescence pour trois d'entre elles : Nathalie, grâce à un professeur de français ; Bernadette, par hasard, peut-être au travers de James Hadley Chase (désormais, cependant, elles ne lisent plus guère de « classiques » policiers, car elles vibrent davantage avec des romans plus récents) ; Marie-Aimée, quant à elle, se souvient précisément :

> « *Je suis arrivée au polar grâce à Agatha Christie. J'avais 13 ans lorsque j'ai lu* Le Meurtre de Roger Ackroyd. *J'ai été fascinée par la construction du livre qui m'avait littéralement embarquée dans une histoire dont je n'avais pas un seul instant perçu l'issue. Pour moi, c'était grandiose. J'ai donc poursuivi mon parcours initiatique avec Agatha Christie et ce cher Hercule Poirot, belge comme moi et qui comme moi ne supporte pas que les tableaux soient de guingois. Ce que j'aimais beaucoup chez Agatha Christie, c'était la fin, le moment où Hercule Poirot démontait toute la mécanique et donnait toutes les clés. Magicien sublime, intelligence lumineuse, logicien démoniaque, faisant semblant d'accuser l'un pour mieux confondre l'autre, ce Poirot me fascinait avec son physique débonnaire qui n'avait pourtant rien pour séduire l'adolescente que j'étais. J'étais séduite par son intelligence avant tout.*
> « *Deuxième rencontre décisive : Georges Simenon et Maigret. Là encore, je suis époustouflée par la manière placide dont Maigret résout les problèmes. Nous*

---

1. Voir : « Six mamies du crime prises la main dans le sac », *Marianne*, 24-30 juillet 2000.

sommes loin de la suffisance d'Hercule Poirot. Maigret est un homme solide physiquement, inébranlable, impressionnant par le calme qu'il dégage. Mais Maigret doute, s'interroge, admet qu'il puisse être dans l'erreur. C'est cela qui est important dans l'approche que j'ai eue de ce personnage. Cette capacité de remise en cause de soi. Magnifique. Le commissaire fait partie du commun des mortels. Et puis n'oublions pas le style. Simenon a une telle capacité d'évocation que lorsqu'il écrit "il pleut", je vois la pluie sur les pavés luisants. Lui seul est capable de cela.

« J'ai changé de style lorsqu'un peu plus âgée j'ai rencontré Dashiel Hammet. Je suis arrivée à cet écrivain par le cinéma. J'avais vu Julia *avec Jane Fonda et Vanessa Redgrave. Ce film parlait de Hammet et je me suis mise à le lire. J'entrais dans une nouvelle sorte de littérature sans renier mes lectures précédentes. J'ai tout lu car lorsqu'un auteur me plaît, je lis tous ses livres d'un seul trait, avec délice, voire obsession. Comme j'ai fait pour Conan Doyle, Fred Vargas, James Ellroy... comme je le fais pour tout auteur. J'ai lu tout Duras d'un seul coup... Je suis une lectrice éclectique. Avec Hammet, je prenais tout à coup conscience qu'un roman policier, qui n'était au départ pour moi qu'un bon moment à passer pour fuir le quotidien, pouvait être militant, porteur d'idées sociales, politiques. Une porte s'ouvrait [...]. »*

Françoise, elle aussi, est entrée dans le monde de l'énigme grâce à Agatha Christie, qui l'a fait voyager en Europe, en Inde et sur la Riviera. Elle aime toujours cet auteur pour l'image qu'elle donne de l'Angleterre, un pays qu'elle affectionne particulièrement.

▲ Lire des polars quand on est une femme a-t-il quelque chose de particulier ?

Nos amatrices de polars choisissent leurs lectures de toutes les manières possibles : grâce aux critiques des médias, en achetant en librairie les nouveautés de leurs auteurs préférés, en furetant, mais surtout grâce aux recommandations des amis qui connaissent leurs goûts et leur prêtent des ouvrages, ou leur en offrent. En outre, Marie-Aimée fait partie de l'association « 813 » et est membre du jury décernant le prix du polar Michel Lebrun de la ville du Mans.

Malgré toutes ces passions partagées, les quatre lectrices n'ont pas du tout l'impression de faire partie d'un lectorat de polars que l'on pourrait qualifier de féminin.

De plus, elles n'ont pas le sentiment qu'il existe une écriture féminine du polar, même si deux d'entre elles disent apprécier particulièrement les romans policiers des écrivaines.

Françoise explique pourquoi, à son avis, il y a tant de lectrices de polars : *« Elles aiment le "mystère psychologique", elles cherchent à expliquer le comportement des personnages en relation avec leur caractère. La part psychologique intervient largement dans la résolution de l'enquête. Elles aiment s'identifier aux personnages principaux. »* Bernadette, quant à elle, suppose qu'il existe pour les lectrices de polars un « *attrait pour une lecture à connotation masculine* », tandis que Marie-Aimée croit « *que le polar permet de faire sauter, par le biais de la littérature, les garde-fous posés par notre éducation. Mais ce n'est là qu'un début de réponse, parce que je n'aime pas avoir peur, je n'aime pas le sang* ».

Les réponses des quatre lectrices à nos questions montrent combien la discussion serait riche si elle se poursuivait au cours d'un débat, en particulier pour tenter de percer le mystère de la forte symbiose entre le genre policier et son lectorat féminin.

Avec les élèves, il est intéressant de pratiquer un tel questionnement, qui incite à réfléchir sur ses propres pratiques de lecteur. Dans un premier temps, on leur proposera de mener une enquête auprès de lectrices de romans policiers. Le questionnaire peut prendre la forme suivante :

1. Quel est le dernier roman policier que vous avez lu et qui vous a plu ? Pourquoi vous a-t-il plu ?
2. De quelle(s) manière(s) choisissez-vous les polars que vous allez lire ?
3. Quels sont vos auteurs préférés ?
4. Quels sont vos personnages préférés ?
5. Que demandez-vous à un roman policier pour qu'il vous plaise ?
6. Comment en êtes-vous venue à lire des romans policiers ?
7. Pensez-vous que les filles et les garçons lisent les romans policiers de la même façon ?
8. Lisez-vous d'autres genres que du policier ? Si oui, lesquels ?

Dans un second temps, les réponses au questionnaire (enregistrées ou rédigées) seront synthétisées selon les catégories suivantes : les goûts des lectrices de romans policiers ; des exemples de parcours de lectrices de romans policiers ; lire des polars quand on est une fille a-t-il quelque chose de particulier ?

Enfin, après communication de la synthèse de l'enquête, un débat collectif pourra être organisé.

LE MODE DE NARRATION

La narration à la troisième personne, sans doute dominante dans le genre policier, est probablement héritée du genre « aventures ». C'est une forme de narration bien commode, puisque le narrateur est extérieur à l'action, omniscient, et qu'il peut donc choisir de montrer ou dévoiler n'importe quel élément concernant les actes ou les pensées d'un personnage, un fait, un indice... Contrairement au narrateur en « je », le narrateur à la troisième personne n'est pas limité aux seuls faits dont il est témoin ou qu'on lui rapporte. En outre, son éloignement vis-à-vis du lecteur ne lui impose pas l'obligation de tout dire. Le contrat de lecture est différent pour le narrateur à la première personne, plus proche du lecteur, qui se doit d'être aussi sincère que possible.

Toutes les aventures d'Arsène Lupin sont ainsi narrées à la troisième personne, et de nombreux romans policiers contemporains manifestent le même type de narration, par exemple *Meurtres à la cathédrale*, de Martine Pouchain (Gallimard, « Folio junior », 2000), ou *La Raison des femmes*, d'Andréa H. Japp (LGF, « Le Livre de poche », 2000). Cependant, dans une sorte de préface à *La Demeure mystérieuse*, Maurice Leblanc donne directement la parole à Arsène Lupin, ce qui établit une sorte de tension entre les deux principales formes de narration :

> *« En relisant les livres où sont racontées, aussi fidèlement que possible, quelques-unes de mes aventures, je m'aperçois que, somme toute, chacune d'elles résulta d'un élan spontané qui me jetait à la poursuite d'une femme [...]. »*

Néanmoins, la narration du roman qui suit, supposé être un *« extrait des mémoires inédit d'Arsène Lupin »*, est à la troisième personne.

Pareillement, alors que toutes les nouvelles de Jacques Futrelle mettant en scène La Machine à Penser sont narrées à la troisième personne, l'une d'entre elles, *La Machine à Penser entre en scène*, est narrée par un « je » qui reste anonyme.

Il est vrai que la narration en « je » présente bien des avantages. D'abord, elle rapproche le lecteur de la scène fictionnelle et lui permet d'établir une certaine complicité avec le narrateur-personnage (ce pourquoi, sans doute, elle est devenue dominante, ces dernières années, dans la littérature de jeunesse) ; ensuite, elle offre davantage l'occasion de mettre le lecteur en concurrence avec le détective pour la résolution de l'énigme ; enfin, elle permet au narrateur-personnage d'adopter plus facilement un ton particulier, ironique ou dramatique.

Les premiers auteurs du genre policier ont trouvé une solution intermédiaire en confiant la narration à un tiers. *La Lettre volée*, d'Edgar Allan Poe, commence par ces mots :

> « *J'étais à Paris en 18... Après une sombre et orageuse soirée d'automne, je jouissais de la double volupté de la méditation et d'une pipe d'écume de mer en compagnie de mon ami Dupin [...].*[(1)] »

Le héros, le détective exceptionnel, c'est Dupin, et non le narrateur à la première personne qui a décrit sa rencontre avec Dupin dans *Double Assassinat dans la rue Morgue*.

Le Ruban moucheté, de Conan Doyle, commence ainsi :

> « *En feuilletant les notes prises lors des soixante-dix et plus enquêtes étranges qui me permettent depuis huit ans d'étudier les méthodes de mon ami Sherlock Holmes, je retrouve des affaires tragiques, certaines comiques ou simplement bizarres, mais aucune n'est banale.*[(2)] »

C'est le docteur Watson qui raconte les aventures du détective exceptionnel qu'est Sherlock Holmes.

Ce procédé permet d'obtenir à la fois les avantages de la narration à la première personne et de la narration à la troisième personne. Il est toujours utilisé aujourd'hui, par exemple dans les quatre romans où Daniel Pennac raconte les aventures de Kamo (Gallimard), dont le narrateur est un ami du héros. Cela dit, ces œuvres ne ressortissent pas au genre policier.

Dès les origines du genre, des auteurs ont néanmoins choisi de faire parler leur héros à la première personne. *Le Petit Vieux des Batignolles*, d'Émile Gaboriau, commence par cette phrase :

> « *Lorsque j'achevais mes études pour devenir officier de santé – c'était le bon temps, j'avais vingt-trois ans –, je demeurais rue Monsieur-le-Prince, presque au coin de la rue Racine.* »

Le narrateur se confond alors avec l'enquêteur.

Pour faire percevoir aux élèves les différences entre les modes de narration, on leur proposera d'étudier un roman de Pierre Véry, *Les Héritiers d'Avril* (Hachette, « Verte aventure policière », 1993), dans lequel l'auteur parvient à mettre au service du suspense les modifications du mode de

---

1. *La Lettre volée*, trad. Charles Baudelaire, Hachette, « Côté court », 2000.
2. *Le Ruban moucheté et autres aventures de Sherlock Holmes* (nouvelles), trad. Bernard Tourville, Gallimard, « Folio junior », 1999.

narration. On leur demandera de démontrer comment le héros adolescent, Grand Chef, apparaît progressivement dans la narration, pour finir par occuper la première place.

Le roman est construit en trois parties. Dans la première, qui expose les faits et présente les personnages, Grand Chef reste à l'arrière-plan et n'agit pas. Elle est rédigée à la troisième personne. La deuxième partie est également rédigée à la troisième personne, mais cette fois, Grand Chef agit, enquête, fait des hypothèses, apparaît comme le personnage principal. Quant à la troisième partie, c'est un extrait du « journal » de Grand Chef, où naturellement il s'exprime à la première personne, ce qui lui permet de donner des explications détaillées qui, sous couvert du journal, s'adressent directement aux lecteurs : « *Comme je l'ai déjà expliqué* [...] » (p. 195); « *En deux mots, voici ce qui s'était passé* [...] » (p. 200); « *J'ai déjà noté dans mon carnet que* [...] » (p. 204).

LES HÉROS NE MEURENT JAMAIS

Tout le monde a entendu parler de Fantômas, ce héros de feuilleton à succès inventé juste avant la Première Guerre mondiale. Ses aventures sont encore disponibles chez Robert Laffont qui les a publiées en trois volumes, entre 1987 et 1989. Mais combien se souviennent que les auteurs de *Fantômas* sont Pierre Souvestre et Marcel Allain ?

Les héros survivent souvent à leurs auteurs ! En l'occurrence, Fantômas a continué sa vie autonome en film, adapté par Louis Feuillade, en bandes dessinées, par exemple celles de Luc Dellisse et Claude Laverdure, parues dans la collection « B Détectives » (C. Lefrancq) ; « *On prétend que Fantômas est mort...* », annonce la présentation des albums. Le héros survit également de manière référentielle, comme dans le livre de Julio Cortazar : *Fantômas contre les vampires de multinationales* (La Différence, « Les Voies du Sud », 1991). Et Robert Desnos le célébra même sous forme poétique, radiophoniquement, en 1933, dans « La complainte de Fantômas » :

> « *Écoutez... Faites silence...*
> *La triste énumération*
> *De tous les forfaits sans nom,*
> *Des tortures, des violences*
> *Toujours impunis, hélas !*
> *Du criminel Fantômas* [...]. »

Dans certains cas, faire survivre le héros à son auteur consiste simplement à écrire la fin du dernier manuscrit inachevé. C'est ainsi que Robert B. Parker, célèbre auteur américain de romans policiers, né en 1932, achève le dernier texte de Raymond Chandler, décédé en 1959, et cela donne *Marlowe emménage* (trad. Janine Hérisson, Gallimard, 1990).

Parfois, plusieurs auteurs se succèdent pour prolonger les aventures d'un héros ou d'une héroïne, comme Miss Seeton, une vieille fille qui a le don de saisir, dans les dessins qu'elle réalise, certains détails qui mettent la police sur la piste des criminels (elle est d'ailleurs appointée pour cela, par New Scotland Yard). Elle-même ne s'en rend pourtant pas compte, de même qu'elle est inconsciente des ravages que provoque le maniement de son parapluie (ce sont les malfrats qui en sont victimes). Ce personnage a été inventé par Heron Carvic, qui a écrit cinq romans. *« Et que faire lorsqu'il décède en laissant derrière lui, après cinq aventures, une héroïne excentrique et déjà célèbre qui ne demande qu'à vivre ? »*, s'interroge l'éditeur. La solution consiste à confier l'écriture à d'autres auteurs : d'abord Hampton Charles, qui écrit trois romans, puis Hamilton Crane, déjà auteur de dix épisodes[1].

Aujourd'hui, ce que l'on voit fréquemment, ce sont les héros de papier qui se prolongent en personnages de séries télévisées. Par exemple, Alexis Lecaye, qui signe également Alexandre Terrel et qui, par ailleurs, écrit parfois pour la jeunesse, a publié un roman, un seul, intitulé *Julie Lescaut* (LCE, « Le Masque », 1992). Cela suffit à donner naissance à de nombreux scénarios dont il est aussi l'auteur.

Toutefois, le héros du genre policier qui a survécu – et survit encore aujourd'hui – le plus longtemps à la disparition de son créateur est Sherlock Holmes. On sait que Conan Doyle lui-même, en 1894, a tenté de « tuer » son personnage *(Le Problème final)* qui, selon lui, nuisait au succès du reste de son œuvre qu'il estimait plus intéressante. Il a dû le ressusciter, dix ans après *(La Maison vide)*, sous la pression des lecteurs. En tout, Conan Doyle a écrit quatre romans et cinquante-six nouvelles mettant en scène Sherlock Holmes.

Bien d'autres auteurs, par la suite, tant en direction des adultes que des jeunes, ont inventé de nouvelles aventures où intervient Sherlock Holmes. Dans une anthologie malheureusement épuisée, intitulée *Le Nouveau Musée de l'Holmes* (Néo, 1989), Jacques Baudou et Paul Gayot ont rassemblé dix nouvelles d'auteurs contemporains mettant en scène le célèbre héros. Dans n'importe quelle bibliothèque, on peut facilement trouver d'autres aventures de Sherlock Holmes écrites bien après la mort de Sir Arthur Conan Doyle.

L'activité proposée consiste, dans un premier temps, à faire trouver ces livres par les adolescents.

En voici quelques exemples.

Livres parus dans des collections pour la jeunesse :
– Béatrice Nicodème, *Un rival pour Sherlock Holmes*, Hachette, « Vertige policier », 1996.
– Béatrice Nicodème, *Wiggins et le perroquet muet*, Syros, « Souris noire », 1997.

---

1. Tous ces romans sont publiés, en France, dans la collection « Grands détectives », chez 10-18.

– Béatrice Nicodème, *Wiggins et la ligne chocolat*, Syros, « Souris noire », 1997.

– Allen Sharp, *L'Héritière terrorisée*, trad. Jackie Landreaux-Valabrègue, Hachette, « Bibliothèque verte », 1990.

– Allen Sharp, *L'Ombre de Julius Baroncourt*, trad. Philippe Rouard, Hachette, « Bibliothèque verte », 1991.

– Allen Sharp, *Poussière mortelle*, trad. Sandrine Verspieren, Hachette, « Bibliothèque verte », 1992.

– Allen Sharp, *La Maison évanouie*, trad. Sandrine Vespieren, Hachette, « Bibliothèque verte », 1992.

Livres parus dans des collections pour adultes :

– Michael Dibbin, *L'Ultime Défi de Sherlock Holmes*, trad. Jean-Paul Gratias, Rivages, « Poche mystère », 1995.

– Alexis Lecaye, *Marx et Sherlock Holmes*, Fayard, 1981 ; LGF, « Le Livre de poche », 1985.

– Alexis Lecaye, *Einstein et Sherlock Holmes*, Payot, « Romans », 1989 ; Rivages, « Poche mystère », 1996.

– Béatrice Nicodème, *Défi à Sherlock Holmes*, Fleuve noir, 1993.

– René Réouven, *Le Détective volé : Edgar Poe et Sherlock Holmes*, Denoël, 1988.

– René Réouven, *Histoires secrètes de Sherlock Holmes*, Denoël, « Sueurs froides », 1993.

– Yves Varende, *Sherlock Holmes et les fantômes*, Fleuve noir, « Bibliothèque du fantastique », 1999.

– *Sherlock Holmes en orbite*, anthologie de vingt-six nouvelles d'auteurs différents, L'Atalante, « La Dentelle du cygne », 1999.

Dans un second temps, après lecture des livres de Conan Doyle et des imitations trouvées en bibliothèque, on demandera aux adolescents de déterminer les constantes de ces livres.

René Réouven, dans ses *Histoires secrètes de Sherlock Holmes*, note que le Dr Watson, narrateur des livres de Conan Doyle, fait souvent allusion à des aventures qui ne sont pas racontées. Le projet de Réouven consiste précisément à les narrer. Or, c'est une constante de la plupart des imitations : ancrer le nouveau texte dans les authentiques. Alors, on fait allusion à des aventures précédentes, référées à l'œuvre de Conan Doyle.

Par ailleurs, le lieu, l'Angleterre du XIXe siècle, est le même. Une partie des personnages viennent de l'œuvre originelle. Les méthodes de détection utilisées par le héros sont reprises aussi naturellement que toutes ses caractéristiques propres, ou celles du Dr Watson.

Dans la dernière décennie du XXe siècle, un phénomène nouveau a vu le jour : des collections de romans policiers d'auteurs différents, reprenant le même héros. C'est le Poulpe, inventé par Jean-Bernard Pouy, qui a été le premier personnage de ce type. Plusieurs dizaines d'écrivains lui ont déjà prêté vie, dans la collection inventée par les éditions Baleine. On peut penser que ce phénomène est né de l'imitation des séries télévisées où, pour une même série, les scénaristes et les réalisateurs sont multiples ; une « bible » répertorie toutes les caractéristiques des personnages, des lieux, servant ainsi de guide aux nouveaux auteurs. Pareillement, une « bible » existe pour le Poulpe.

Ce phénomène a également trouvé un écho dans l'édition jeunesse, à l'instigation de Franck Pavloff. Chez Albin Michel, dans la collection « Le Furet enquête », figurent de nombreux auteurs qui écrivent soit pour les adultes, comme Gérard Delteil, Maud Tabachnik, Michel Chevron, Brigitte Aubert, soit pour les jeunes, comme Yves Pinguilly, soit pour les deux, comme Stéphanie Benson, Yves-Marie Clément. Ainsi que le précise l'argumentaire : « *L'enfant, sécurisé par le plaisir de retrouver les personnages d'un titre à l'autre, fera néanmoins l'expérience de styles d'écritures différents.* »

QUATRIÈME PARTIE

LES COULISSES
DU GENRE POLICIER

AVANT-PROPOS

Nous avons rassemblé ici des compléments d'information sur le genre policier ou sur les activités proposées dans les parties qui précèdent.

En premier lieu figurent les interviews de deux éditeurs publiant une collection d'œuvres policières, l'une s'adressant aux adultes, « Le Masque », l'autre aux enfants, « Souris noire ». « Le Masque » est la plus ancienne collection française de romans policiers, et « Souris noire », la première collection de « noir » pour la jeunesse. Les propos de ces deux éditeurs sont à mettre en perspective avec l'évolution du genre, abordée dans la première partie.

En second lieu, Sarah Cohen-Scali, l'auteur du livre étudié dans la deuxième partie, a accepté de répondre à nos questions, sans connaître les activités que nous avons proposées à partir de ses nouvelles. Il est intéressant de constater que l'analyse des lecteurs experts et celle de l'auteur divergent parfois, mais que, le plus souvent, elles coïncident.

Puis nous reproduisons l'une des nouvelles écrites dans le cadre d'un « mystère en kit », ainsi que des extraits de textes produits suite à la visite de lieux réels.

Le document suivant est un texte de Jean-Hugues Oppel, paru initialement dans la revue *813*, puis repris en volume. Ce texte constitue un véritable répertoire des clichés que l'on trouve dans la littérature policière.

Enfin, l'un des auteurs du présent ouvrage étant co-créateur d'un prix annuel décerné à un roman policier français, il a été possible de révéler la façon dont celui-ci a été créé, et ce qui se passe dans les coulisses, lors des débats entre les membres du jury.

Les textes cités sont référés aux passages du présent ouvrage qu'ils permettent d'éclairer, afin de faciliter la mise en relation.

LA PLUS ANCIENNE COLLECTION FRANÇAISE DU GENRE POLICIER : « LE MASQUE »

(En relation avec la première partie.)

Albert Pigasse a créé « Le Masque » en 1927, en publiant, comme premier titre, *Le Meurtre de Roger Ackroyd* d'Agatha Christie, qui allait très vite devenir l'auteur vedette de la collection.

Trois quarts de siècle plus tard, « Le Masque » (éditions de la Librairie des Champs-Élysées, faisant partie du groupe Hachette) est en bonne santé et demeure la première collection du genre policier, en parts de marché.

Cette longévité étonne. Nous avons donc interviewé Didier Imbot, directeur du « Masque », pour en savoir plus.

Question

« Le Masque » est la plus ancienne collection française, encore vivante, du genre policier. Comment expliquez-vous cette longévité ?

Didier Imbot

Je pense que la longévité du « Masque » tient au fait que cette collection a toujours voulu incarner la totalité du genre policier, éviter au maximum les effets de mode ; et je crois que cela est aussi lié à la longévité d'un auteur particulier, Agatha Christie, qui reste l'auteur phare du « Masque ». C'est ce qui a permis au « Masque » de passer le cap de la « ringardisation », qui aurait pu le menacer dans les années 70.

Agatha Christie, qui est l'auteur de référence de l'énigme classique, a échappé aux modes et au phénomène de « ringardisation », en devenant un auteur classique, surtout en France. Il se vend chaque année environ cinq millions d'Agatha Christie dans le monde, dont deux millions en France. Ici, Agatha Christie est un auteur prescrit ; aux yeux des enseignants, c'est l'auteur de policiers à lire ; si l'on doit lire un seul policier, c'est un Agatha Christie ; elle est considérée comme un classique. Ce qui n'est pas le cas en Angleterre, notamment parce qu'il y a, pour les Français, un certain exotisme, dans ses romans, qui ne fonctionne naturellement pas en Angleterre.

Question

Comment définiriez-vous le statut du genre policier dans la société, aujourd'hui ?

Didier Imbot

Il y a deux points de vue à considérer, celui de l'auteur et celui du lecteur. Du point de vue du lecteur, je dirais que c'est l'ultime refuge des amateurs de littérature. Ils sont probablement désemparés par la tournure que prend la littérature générale, à savoir que, depuis plusieurs décennies, on y considère qu'il n'y a de progrès que dans la destruction de l'histoire. Aux yeux de beaucoup, la littérature française a démarré par l'histoire, et se termine, dans la littérature contemporaine, par la négation totale de l'histoire. C'est cette vision de la littérature qui a probablement désemparé un certain nombre de lecteurs français qui sont avides de narration, la narration étant, selon moi, le premier attrait de la littérature. Je pense donc que la littérature policière reste le refuge des amateurs de narration. Qu'offre la littérature policière ? Avant tout, la garantie d'avoir une belle histoire, bien construite, avec un début, un milieu et une fin, une évolution des personnages.

Question

Y compris dans le « noir » ?

Didier Imbot

C'est là que se pose un certain nombre de problèmes, et on en revient aux raisons de la pérennité du « Masque ». Parce que, en ayant toujours privilégié les romans à histoires sur les romans d'atmosphère, « Le Masque » répond parfaitement à cette exigence du lecteur actuel qui veut de la narration.

C'est vrai que le roman noir, tel qu'il a pu être par le passé – un peu moins maintenant – (soit le roman noir américain, soit le roman noir à la française), qui privilégiait l'atmosphère sur l'histoire, pouvait ne pas répondre à cette exigence ; et ce n'est pas un hasard si l'examen des parts de marché montre que le roman noir occupe une toute petite place. Le roman noir ne touche qu'un public très spécifique, et très masculin, puisque les études de la SOFRES montrent que les lecteurs de collections comme « Rivages/Noir » sont à 70 % masculins, alors que la tendance générale du genre est l'inverse : c'est un genre qui est lu à 70 % par les femmes. D'ailleurs, plus on va vers la narration, vers les romans à histoires, plus on se trouve devant un public féminin. Des collections comme « Labyrinthe » (le roman policier historique), qu'on vient de lancer, ou comme « 10-18 », ont un lectorat féminin à 82 % ou 85 %. Une collection comme « Le Masque », un peu moins, 65 % seulement.

Question

Tout à l'heure, vous avez parlé de deux points de vue, celui du lecteur et celui de l'auteur. Qu'en est-il de ce dernier ?

Didier Imbot
Là, c'est peut-être un peu plus complexe. En France, on voit que tous les auteurs qui ont, à un moment donné, obtenu une notoriété dans le policier, ont malheureusement tendance à partir vers la « blanche », la littérature générale. On a vu ça avec Pennac, Benacquista..., je pense aussi à des auteurs du « Masque », Japp, par exemple, qui publie des thrillers au « Masque », mais aussi des romans de littérature chez Flammarion. Alors même que la plupart de ces auteurs, et leurs éditeurs, tiennent un discours du type : « Foin de ces clivages entre littérature et littérature policière ! Un auteur est un auteur, quel que soit le genre dans lequel il écrit ! », les auteurs eux-mêmes entretiennent ce clivage, en préférant s'épanouir dans une collection de littérature générale, plutôt que dans leur collection policière d'origine.

Et puis, il y a un autre phénomène qui concerne les auteurs, à propos de ce que les Anglais appellent *« commercial fiction »*, en quelque sorte la littérature populaire, dont le genre policier fait partie, ainsi que tout ce qu'on appelle « littérature de genre » : la science-fiction, le sentimental... De plus en plus, les auteurs de littérature de genre ont une espèce d'aspiration vers la littérature générale, qui se traduit parfois, d'une manière formelle, par un passage dans une collection de littérature générale, mais qui peut trouver aussi une forme compensatoire dans l'écriture elle-même. Et inversement, la littérature générale utilise de plus en plus les ressorts de la littérature de genre. Si l'on veut vendre un livre de littérature générale, on dit : « Ça ressemble à un policier ! » Il y a donc aussi un phénomène de convergence entre la « blanche » et la « noire », qui se retrouve à la lisière des deux. C'est une situation que l'on pourrait trouver satisfaisante, en espérant qu'à terme elle va abolir le clivage qui existe, en France, entre les deux genres, mais n'est-ce pas plutôt une déficience fondamentale de la littérature générale ?

Question
Comment gérez-vous le fonds gigantesque du « Masque » ?

Didier Imbot
La réponse actuelle, c'est qu'on le gère par un système de jachère : on essaie de faire tourner les auteurs du fonds en les réimprimant régulièrement comme des nouveautés, et ça constitue une part non négligeable de la collection du « Masque ». En grand format, on ne publie que des nouveautés, mais au format poche, on peut considérer que, pour une nouveauté, il y a quatre remises en vente.

Ce rapport va se modifier, puisqu'on voudrait accentuer les nouveautés dans les années à venir ; mais on maintiendra toujours une présence importante des réimpressions. Il y a un public avide de mystère, de tout ce qui fait la tradition du « Masque », et il n'est pas question de le spolier.

Question
Justement, quelle est l'attente du lectorat vis-à-vis du « Masque » ?

Didier Imbot

La réponse est compliquée car cela dépend des collections. Il y a, par exemple, un phénomène de captation d'un lectorat très jeune, à partir d'Agatha Christie, qui est prescrite scolairement. Ces jeunes lecteurs, ou plutôt lectrices, lisent ensuite tous les titres d'Agatha Christie, puis passent à des auteurs différents. 75 % du lectorat du « Masque » a moins de 49 ans, et 66 %, moins de 34 ans. Ce lectorat est essentiellement féminin sur la tranche 11/18 ans, puis se masculinise un peu par la suite.

Question

« Les Reines du crime », ça signifie quoi pour vous ? Y a-t-il une demande plus forte du lectorat pour des auteurs femmes ?

Didier Imbot

Je pense que s'il y a une demande pour des auteurs femmes, c'est probablement parce que l'histoire du genre a mis en avant des auteures prestigieuses et que les femmes ont acquis une réputation certaine dans ce genre. Mais je crois surtout que les gens sont à la recherche d'héroïnes et, de nos jours, ce sont surtout les auteurs femmes qui créent des héroïnes. C'est la dominante actuelle : des auteures, créant des héroïnes, pour un public de femmes. Certes, les hommes sont aussi capables de créer de beaux personnages féminins, mais c'est plus rare. La féminisation du lectorat et du roman policier ne passe donc pas nécessairement par des auteurs féminins.

Question

Quelle place accordez-vous aux auteurs français ? Je pense, en particulier, à Alexandre Terrel, qui n'a pas été réédité.

Didier Imbot

Justement, Alexandre Terrel, *alias* Alexis Lecaye, a fait bouger un peu la littérature policière en inventant le personnage de Julie Lescaut. Avant lui, il n'y avait pas de commissaire femme. Mais Alexis a dû délaisser un peu la littérature au profit de scénarios pour la télévision. Et beaucoup d'auteurs, pareillement, se laissent capter par la télévision.

Mais pour répondre avec précision à la question, la part des auteurs français a considérablement évolué au « Masque ». Il y a quelques années, 85 % étaient des auteurs anglo-saxons ; maintenant, un tiers des titres publiés sont d'auteurs français – même si certains d'entre eux publient sous pseudonyme anglo-saxon.

Question

Comment faites-vous pour dénicher de nouveaux talents ?

Didier Imbot

Là, il n'y a pas de mystère, il faut beaucoup lire. Comme il y a beaucoup de manuscrits à lire, je n'ai pas l'intention de le faire tout seul, et je me suis entouré d'un certain nombre de conseillers littéraires : Serge Brussolo, François Rivière, Marie-Caroline Aubert. On reçoit des manuscrits par la poste, et il nous arrive d'en publier. Le prix Cognac, décerné chaque année, récompense souvent un manuscrit arrivé par la poste. La proportion est faible, c'est vrai, mais on peut dire que tous les deux ans surgit un auteur nouveau arrivé par la poste. Il y a des auteurs devenus des classiques du « Masque », qui sont arrivés par la poste, Paul Halter par exemple.

Question
L'analyse des ventes du « Masque » vous permet-elle de tirer quelques conclusions sur la lecture du genre policier en France ?

Didier Imbot
J'en ai déjà largement parlé, mais il y a un point que je n'ai pas abordé, ce que j'appellerai le parisianisme. « Le Masque » est le premier éditeur de romans policiers, en France, mais ça ne se voit pas toujours, notamment dans certaines librairies parisiennes qui préfèrent mettre en avant d'autres collections. La force du « Masque », c'est d'être présent partout en France, mais on n'est pas nécessairement les premiers partout. Si vous allez dans certaines librairies parisiennes et que vous regardez le rayon des romans policiers, vous allez vous dire que la « Série noire » ou Rivages, c'est aussi important que « Le Masque », alors que dans les librairies du deuxième niveau, vous allez trouver « Le Masque », « J'ai lu » ou « Pocket ». Cette position omniprésente du « Masque » fait qu'on domine le marché. Être présent partout, c'est un peu l'ambition du « Masque », et ça rejoint aussi la politique éditoriale qui veut rassembler tous les types de lecteurs en leur offrant un panorama un peu complet du genre policier.

Question
« Le Masque » se propose-t-il de surprendre ses lecteurs dans l'avenir ?

Didier Imbot
La surprise, c'est une ambition de l'éditeur, et la surprise, je l'aurai moi-même le premier, donc je peux difficilement l'annoncer. Mais c'est vrai qu'au « Masque », tous les quinze ans, on trouve une perle qui s'avère rare. Il y a eu Agatha Christie, Exbrayat, Ruth Rendell, Patricia Cornwell... Et d'autre part, la surprise peut également venir du fait que nous allons renouer avec nos racines.

LA PREMIÈRE COLLECTION DE « NOIR » POUR LA JEUNESSE : « SOURIS NOIRE »

(En relation avec le dernier chapitre de la première partie.)

La collection « Souris noire » a été créée en 1986. Elle a été dirigée successivement par Joseph Périgot, Patrick Mosconi, Virginie Lou, Franck Pavloff, François Guérif. Nous avons montré, dans la première partie de cet ouvrage, l'impact de cette collection, qui a certainement aidé à faire évoluer l'édition jeunesse en ce qui concerne le genre policier. Quinze ans après, nous avons voulu savoir quelle est la situation du polar pour enfants aux éditions Syros, et nous avons interrogé Françoise Mateu, directrice éditoriale.

Question
Les éditions Syros ont été le chef de file des collections de romans policiers pour la jeunesse. La venue de vos concurrents sur le même créneau a-t-elle orienté vos choix éditoriaux ?

Françoise Mateu
En aucune façon.

Question
En tant qu'éditrice, que demandez-vous à un bon roman policier pour la jeunesse ?

Françoise Mateu
D'être bon. C'est-à-dire d'avoir des qualités d'écriture, de construction, de suspense, d'épaisseur des personnages, qui rendent attrayant ce genre populaire.

Question
La plupart des auteurs que vous avez publiés écrivent aussi pour les adultes. Quelles sont, à vos yeux, les principales différences entre les romans policiers destinés aux enfants et ceux destinés aux adultes ?

Françoise Mateu
Pas de sexe, et parfois la volonté de s'exprimer dans un vocabulaire plus simple et accessible à tous.

Question
Les auteurs de littérature de jeunesse parlent parfois d'autocensure. Est-ce le cas pour les auteurs de romans policiers destinés à la jeunesse ?

Françoise Mateu
Probablement qu'ils ne perdent pas de vue qu'ils s'adressent à des enfants. Quand il y a des méchants, ceux-ci doivent pouvoir être qualifiés comme tels par le jeune lecteur. Le point de vue de l'auteur est dit sans ambiguïté.

Question
Ces dernières années, vous avez réédité de nombreux titres parus dans « Souris noire » ou « Souris noire plus ». Avez-vous du mal à trouver de nouveaux auteurs ?

Françoise Mateu
Non, mais le rôle d'un éditeur, c'est aussi de constituer un fonds et de le faire vivre tant qu'il trouve des lecteurs.

Question
Pouvez-vous nous livrer quelques informations sur le lectorat de « Souris noire » ? Filles ou garçons ? Quel âge ? Grands lecteurs ou non ?

Françoise Mateu
Le lectorat de la « Souris » est essentiellement constitué de filles, comme pour toute autre collection qui s'adresse à des pré-ados.

Question
Ce lectorat a-t-il beaucoup changé depuis la création de « Souris noire », en 1986 ?

Françoise Mateu
Oui. Au tout début de la collection, les adultes prescripteurs la considéraient comme une collection pour faibles lecteurs. Aujourd'hui, je crois qu'elle est lue par des petits comme par de gros lecteurs, indifféremment.

Question
Pourquoi ne publiez-vous pas de traductions ?

Françoise Mateu
Nous publions des traductions depuis que François Guérif dirige cette collection. Il est par ailleurs directeur de « Rivages/Noir », aux éditions Rivages. Comme spécialiste du roman noir anglo-saxon, il nous a proposé quelques courtes nouvelles de Irish, Chesbro, Futrelle, Amstrong...

Question
La Fête des mères, de Didier Daeninckx, a donné lieu à de violentes polémiques dans le système scolaire. Avez-vous connu d'autres problèmes de ce genre ?

Françoise Mateu
Non, plus de polémiques aussi virulentes.

Question
Pensez-vous que les enseignants peuvent être des médiateurs de lecture pour la littérature policière, ou qu'il s'agit d'une lecture privée ?

Françoise Mateu
Bien sûr, et ils le sont avec nos meilleurs titres et auteurs.

Question
Les éditions Syros nous réservent-elles des surprises éditoriales, prochainement, dans le domaine des livres policiers ?

Françoise Mateu
C'est le « prochainement » qui me fait hésiter. Nous sommes une petite structure, et les nouveaux projets mettent du temps à poindre.

INTERVIEW
DE SARAH COHEN-SCALI

(En relation avec la deuxième partie.)

Nous avons réalisé, dans cet ouvrage, une étude systématique d'un recueil de nouvelles policières de Sarah Cohen-Scali. Il nous a paru intéressant de questionner l'auteur sur ses textes.

Question
La forme de la nouvelle (forcément elliptique) que vous adoptez pour ces textes pose-t-elle des problèmes particuliers quand il s'agit du genre policier?

Sarah Cohen-Scali
Je m'excuse par avance de la réponse que je vais faire à cette question, puisqu'il s'agit d'une réponse de Normand : « Oui et non. »
Oui, parce que lorsqu'on pense « policier », on pense « enquête », et qu'une enquête est une espèce de route sinueuse, parsemée de virages, bordée de précipices, qui mène à nombre d'impasses avant d'aboutir à destination : le dénouement. Or la forme elliptique impose que l'on trouve le bon chemin du premier coup. De plus, l'enquête policière, de nos jours en tout cas, n'est plus dissociable d'une enquête psychologique, d'une plongée au cœur de l'esprit, de la logique, voire des fantasmes des protagonistes. Et là encore, il faut aller vite, alors qu'adopter la logique d'un criminel ne se fait pas en deux temps trois mouvements.
Non, parce que le genre policier implique une force, une tension extrême qui, elle, se voit soutenue par la forme elliptique. Et la fin, pour le lecteur – passez-moi l'expression – doit faire l'effet d'une grande claque dans la gueule. La nouvelle est la voie royale pour infliger ce sévice au lecteur.

Question
L'une des nouvelles se situe dans un théâtre, et la scène du crime se confond avec la scène théâtrale. Mais la théâtralité est tout aussi présente dans un procès, et la façon dont le lecteur découvre, dans *Mauvais Plan*, le résultat de l'opération esthétique, est fort théâtrale aussi. Quelles sont vos relations avec le théâtre?

Sarah Cohen-Scali

Il se trouve que ma première vocation était le théâtre et que j'ai suivi une formation de comédienne. J'ai même sévi quelque temps – pas très long-temps – dans le métier. Mais il me semble que c'est là pure coïncidence. Un auteur, même s'il n'a jamais respiré le parfum des planches, est une sorte de metteur en scène qui orchestre et régit les pensées, les sentiments, la vie de ses personnages.

En ce qui concerne mon écriture, je déplacerai le parallèle du théâtre vers le cinéma. Je suis cinéphile, très souvent scotchée à mon magnétoscope quand je ne peux pas bénéficier du grand écran, et mon écriture se construit à partir d'une succession d'images que j'ai en tête. Que ce soient nouvelles, contes ou romans (mes trois genres préférés), mon procédé d'écriture fait toujours référence à l'image.

Si j'ai moi-même « des images plein la tête », j'en susciterai forcément quelques-unes chez mon lecteur.

Question

Dans les trois nouvelles, la narration est prise en charge par un personnage (même si la première partie de *The End* est narrée à la troisième personne). Avez-vous fait ce choix narratif en raison du genre policier, ou de la forme de la nouvelle, ou préférez-vous, d'une façon générale, écrire à la première personne ? Et si oui, pourquoi ?

Sarah Cohen-Scali

C'est une question particulièrement intéressante : le parti pris de narration. Il est tellement important ! Capital ! Je n'ai pas de préférence particulière pour la narration à la première personne. Néanmoins, c'est la première question que je me pose avant de commencer la rédaction d'un texte, nouvelle ou roman : « je ou il ? » Certains sujets ordonnent, de manière réellement impérative, une narration à la première personne, d'autres pas. Et je ne saurais l'expliquer : le choix est purement instinctif. Mais ce dont je me rends compte à chaque fois, c'est que ce choix modifie le récit.

Question

Ces trois nouvelles pourraient illustrer le proverbe : « Tel est pris qui croyait prendre » ou « Qui gagne perd ». Est-ce une parenté volontaire, afin de donner une homogénéité à un recueil de nouvelles ?

Sarah Cohen-Scali

La parenté n'est pas volontaire, dans le sens où la couleur « noire » du recueil me donnait déjà une homogénéité. Non, je crois que c'est bien plus grave que ça, docteur ! Je crois que le proverbe que vous citez pourrait figurer en exergue de chacun de mes textes (policiers, en tout cas).

C'est que je déteste les happy ends ! C'est que j'adore mêler le blanc et le noir, les bons et les méchants. Les gentils sont noirs, les méchants sont blancs. La neige est sale, le caniveau sent bon... Au final, tout le monde est gris. Ainsi, mes personnages ne sont pas enfermés dans des cases précises ; ils ne portent pas d'étiquettes autour du cou et peuvent changer de camp à leur guise.

Question

Dans *Justice*, le docteur Chenet est d'un cynisme extrême, qui confine au sadisme. Est-ce pour cette raison qu'il est puni, à la fin ?

Sarah Cohen-Scali

Je n'interprète pas la mort du docteur Chenet comme une punition. Cette question est directement liée à la précédente. « Il croyait prendre, il est pris. » Et en même temps, il gagne sur toute la ligne car il fait de l'avocat, qui commandite son assassinat, une crapule aussi redoutable que lui-même.

Quant au sadisme, au cynisme, ce sont sans doute des traits de mon caractère que je jugule dans la réalité – je n'ai encore tué personne, bien que l'envie quelquefois... bref ! – et que je lâche dans mon écriture.

Question

Dans *The End*, les relations amour/haine entre les deux personnages principaux sont constamment ambivalentes, au point qu'on ne peut déterminer exactement le mobile du narrateur-assassin. Alors, quel est son mobile, selon vous ?

Sarah Cohen-Scali

Les relations entre les deux personnages, dans *The End*, ne sont pas ambivalentes pour moi. Ou alors, si l'ambivalence apparaît pour le lecteur, j'ai dû quelque part rater mon coup !

Le narrateur assassin éprouve une admiration sans borne pour le jeune acteur. Cette admiration se double d'une amitié sincère, car le jeune acteur le considère comme un véritable comédien, et non comme un simple figurant. C'est la première fois, de toute sa carrière, qu'un collègue le traite ainsi. De surcroît, le jeune acteur surdoué lui fait comprendre que son propre talent, dans la dernière scène, dépend directement de lui. Là, peut-être, mes anciennes compétences d'actrice me donnent un plus : le théâtre, comme le cinéma, est un travail de groupe ; un acteur ne peut pas être bon si autour de lui ne figurent que des nullités.

Des liens très forts se tissent ainsi entre les deux personnages. Mais le narrateur assassin, s'il nourrit des sentiments sincères, les porte aussi à l'extrême. Il veut tellement que le jeune acteur soit parfait dans sa scène finale qu'il choisit le moyen le plus sûr : il le tue réellement.

En raccourci, pour aller très vite, et en ajoutant des paquets de guillemets à ce terme, le narrateur assassin sombre dans la « folie ». Là seulement se trouve l'ambivalence.

Question

Dans *Mauvais Plan*, c'est presque ironique que le malfrat se repente et décide de changer de vie juste avant d'être à son tour victime du chirurgien.

Mais l'ironie est présente aussi dans *Justice*, puisque Chenet est tué par un professionnel du crime, alors même que le mode de chantage qu'il exerçait sur l'avocat s'appuyait précisément sur les relations privilégiées entre celui-ci et les coupables innocentés. Et l'ironie est également présente dans *The End*, la victime réalisant sa meilleure prestation théâtrale en mourant devant un célèbre metteur en scène qui voulait assurer sa future gloire. L'ironie est-elle, pour vous, un puissant moteur des intrigues policières ?

Sarah Cohen-Scali
Je suis bien tentée de répondre par l'affirmative. L'ironie est bien un moteur de l'intrigue policière, à ceci près qu'il s'agit d'une ironie fort grinçante et qu'elle flirte sérieusement avec la notion de *fatum*, le destin tragique. Et là, je revendique tout à fait le parallèle : le genre policier a quelque chose à voir avec la tragédie grecque, dans le sens où les personnages apparaissent comme des marionnettes entre les mains du destin. Pour prendre un exemple précis et courant : le hasard place une jeune femme sur le chemin d'un psychopathe, d'un serial killer ; pourquoi elle ? Pourquoi précisément ce soir-là ? Pourquoi ne peut-elle rien faire pour échapper à son triste sort ?
Les tragédies classiques – que l'on ne censure pas en vue d'un lecteur jeune, elles ! – mettent en scène une impressionnante succession de macchabées.

Question
Dans les trois textes, la possibilité d'exercer une vengeance est liée à une profession. Avez-vous construit délibérément ce recueil sur cette constante ?

Sarah Cohen-Scali
Il est toujours curieux de découvrir que le lecteur établit des parallèles que l'auteur n'avait pas forcément en tête... La constante liée à la profession et à la vengeance, dans ces trois textes, n'était pas délibérée. Mais maintenant que vous mettez le doigt dessus, elle m'apparaît clairement et se justifie.
Les professions qu'exercent mes personnages dans ces trois textes ne sont pas dissociables d'une manière d'être. Un avocat : il défend ou accuse des hommes ; il met ainsi leur vie en jeu, en quelque sorte. Un acteur : il incarne un personnage ; il vit ou meurt sur scène. Un médecin : il guérit, la plupart du temps. Mais s'il échoue ?... Quant au tueur à gages, point n'est besoin d'explication.

Question
D'une façon générale, comment procédez-vous pour inventer une nouvelle policière ? Pouvez-vous préciser quelles sont les étapes successives d'écriture et de réécriture ?

Sarah Cohen-Scali

L'invention de la nouvelle part d'une toute petite idée, minuscule, insipide même. En ce qui concerne *Mauvais Plan*, l'idée est vraiment toute bête et déjà mille fois rebattue : un homme, sur un lit d'hôpital, après un accident, ses pensées. Je commence à rédiger (sans connaître vraiment la fin, alors que lorsqu'il s'agit d'un roman, j'ai la fin en tête). Et puis, tout à coup, je note un détail qui va prendre une importance capitale et qui va changer tout le cours du récit et l'amener vers la fin. Toujours dans *Mauvais Plan* : les pensées de mon narrateur, ses souffrances physiques, ses flash-backs sur son passé, tout cela était prévu. Mais je n'avais pas prévu qu'il porterait une boucle d'oreille. Cette boucle d'oreille, au départ, n'était rien d'autre qu'un détail supplémentaire. Et puis, en relisant, en poursuivant le récit, j'ai trouvé dans cette petite boucle d'oreille le fil conducteur de la nouvelle. Le héros tient absolument à cette boucle d'oreille, qui équivaut à un fétiche, un porte-bonheur, parce que, de la paire d'origine, il ne lui reste que celle-là. Il se met en tête que sa vie dépend de ce bijou. On découvre à la fin que le chirurgien était en possession de la première boucle d'oreille perdue, pour la bonne et simple raison qu'il l'avait trouvée près du cadavre de sa femme, sa femme assassinée par le héros. Cette découverte se fait au moment crucial où le pansement sur le visage du héros est retiré. On boucle la boucle, sans vouloir faire de jeu de mots...
Quant à la réécriture, elle consiste en majeure partie à élaguer : je coupe, coupe, coupe, pour ne garder que l'essentiel. Dans la nouvelle, le bavardage est banni. Alors que dans le roman, il est permis. La difficulté consiste simplement à ne pas le rendre ennuyeux.
Je terminerai en posant une question à mon tour, une question qui me tient vraiment à cœur. Pourquoi, en France, le genre « nouvelle » est-il si peu à la mode ? Rien n'est en effet plus difficile à publier qu'un recueil de nouvelles... Alors que rien n'est plus agréable à écrire.

Bibliographie de Sarah Cohen-Scali

Pour la jeunesse :

– *Ombres noires pour Noël rouge*, Rageot, « Cascade policier », 1992.
– *En grandes pompes !*, Casterman, « Mystère », 1994.
– *Arthur Rimbaud, le voleur de feu*, LGF, « Le Livre de poche jeunesse », 1994.
– *Le Mot de passe* (d'après la série télévisée *L'Instit'*), Hachette, « Bibliothèque verte », 1995.
– *Agathe, en flagrant délire*, Rageot, « Cascade policier », 1996.
– *Une sirène dans la ville et autres contes de la ville*, Rageot, « Cascade contes », 1996.
– *Meurtre au pays des peluches*, Casterman, « Dix & plus », 1996.
– *La Puce, détective rusé*, Casterman, « Dix & plus », 1996.

– *L'École frissonnière*, Casterman, « Dix & plus », 1996.

– *L'Inconnue de la Seine*, Rageot, « Cascade policier », 1997.

– *Danse avec les spectres*, Rageot, « Cascade fantastique », 1998.

– *Vega, enfant de la nuit*, Magnard, « Les Fantastiques », 1998.

– *Dodo la terreur*, Casterman, « Dix & plus », 1998.

– *Danger d'amour*, Casterman, « Dix & plus », 1998.

– *L'Homme au chapeau*, Nathan, « Pleine lune », 1998.

– *Tête de lune et autres contes de la nuit*, Rageot, « Cascade contes », 1999.

– *Mauvais Sangs*, Flammarion, « Tribal », 2000.

– *Vue sur crime*, Flammarion, « Tribal », 2000.

– *Bleu de peur et autres contes de la peur*, Rageot, « Cascade contes », 2000.

– *Cauchemar à Noël*, Magnard, « Les P'tits policiers », 2000.

Pour adultes :

– *Les Doigts blancs*, Seuil, « Policiers », 2000.

UNE NOUVELLE ÉCRITE PAR DES ÉLÈVES DE CM2, DANS LE CADRE D'UN « MYSTÈRE EN KIT »

(En relation avec la troisième partie, activité 40.)

PLUS DE PARFUM AU CIMETIÈRE

– Elle va finir par gagner ! s'écrie Philippe.

– Sûrement pas, réplique Laurent, j'ai plus d'as qu'elle.

– C'est ce qu'on va voir, dit Sandra en mâchonnant son Carambar.

– Depuis qu'on joue ensemble, c'est toujours toi qui as le jocker, proteste Philippe, un peu envieux.

– Bataille de 7 ! hurle Sandra.

– C'est ma dernière carte, s'attriste Laurent, bousculé par deux camarades qui courent se ranger près de l'entrée du préau.

– On finira demain après-midi, chez nous, dit Philippe.

Sandra aimait beaucoup jouer avec ses copains parce qu'elle était fille unique. Son occupation favorite, cependant, c'était de jouer avec ses animaux. Tous les mercredis, Benjamin la réveillait très tôt avec son chant matinal. Les parents de Sandra refusaient de le faire entrer à la maison.

– Laisse donc ton poulet tranquille ! lui répétait son père.

Sandra les avait vus grandir les uns après les autres : Chocoline, la poule jaune, Roussette, une autre, et Bambette la brebis.

*　*　*

– Sois sage ! Fais attention au gaz ! Ferme la porte, ce soir ! N'ouvre à personne ! Si tu as un problème, téléphone à la mère de Philippe et Laurent, lui avait recommandé sa mère. Quand on arrivera au chalet, on essaiera de te téléphoner d'une cabine.

Les parents de Sandra avaient confiance en elle. Elle se sentait plus grande, et contente de pouvoir regarder « Sam-dynamite » ce soir-là. Elle pensait déjà à sa provision de Carambars et de chewing-gums. Ses parents lui avaient laissé 50 francs. Elle rêvait déjà d'avoir fini l'école pour pouvoir terminer la bataille. Son cartable lui paraissait plus léger que d'habitude.

– Bonjour Sandra, que veux-tu aujourd'hui ? demanda madame Bigot.

– Je voudrais une loupe s'il vous plaît, et des bonbons.

– Combien veux-tu mettre pour la loupe ?

– C'est pour l'école, pour observer les insectes en sciences nat'.

L'affaire fut conclue à 30 francs la loupe et 10 francs de bonbons. Sandra en avait plein les poches.

– Au revoir, Sandra, à bientôt.

– Au revoir, madame.

En passant devant la « boutique », Sandra se rappela l'événement dont tout le monde parlait encore :

« UN POIDS LOURD S'ENCASTRE DANS UNE VITRINE.
LE CHAUFFEUR S'EN TIRE INDEMNE. »

La pauvre marchande de laines s'était installée en face, provisoirement, dans une boutique désaffectée.

Sandra arriva devant la maison de sa mamie, le cœur gros. L'herbe, les ronces, commençaient à envahir le jardin si bien entretenu avant le décès.

MAISON À VENDRE
s'adresser à madame Filon
Tél. 43 21 81 06

Les poupées de collection de Sandra, en vitrine dans sa chambre, c'était sa mamie qui les lui avait offertes, à chaque anniversaire et à chaque fête. C'est elle aussi qui lui avait appris à jouer à la bataille et aux petits chevaux. Chaque fois que Sandra revenait de chez elle, sa tirelire se remplissait. Une fois, elle avait eu 30 francs pour avoir été chercher ses médicaments à la pharmacie ; un autre jour, 10 francs pour avoir tondu la pelouse.

La semaine passée, Sandra était allée déposer sur la tombe des fleurs qu'elle avait cueillies dans le jardin de mamie.

Le carrefour lui parut plus difficile que d'habitude à traverser.

Ce ne serait pas le passage clouté qu'elle prendrait aujourd'hui, mais le chemin du cimetière.

Les roses étaient les fleurs que mamie préférait. Sandra en avait déjà cueillies six blanches et six rouges qu'elle avait placées dans un vase en grès.

Elle se débarrassa de son cartable et poussa de toutes ses forces le portail du cimetière qui finit par s'ouvrir.

À NOTRE FILLE
1978-1989

Cette inscription lui faisait mal au cœur. C'était son repère pour trouver le trajet menant à la tombe de mamie.

Comme d'habitude, elle prit l'arrosoir près du cabanon du jardinier et se dirigea vers la tombe de sa grand-mère.

– Mes fleurs !

Le vase en grès était renversé sur les graviers. Les fleurs avaient disparu.

Sandra commença à chercher d'abord autour de la tombe, puis dans les allées.

– Où sont-elles ?

– Sandra entrouvrit la porte du cabanon. Les outils étaient entassés sur des planches en mauvais état. De la poussière, des toiles d'araignée recouvraient une vieille brouette.

Au fond de la remise, une trappe était restée entrouverte. Sandra descendit cinq marches qui la menèrent dans une cave humide.

– AÏE !

Une marche avait cédé sous ses pieds.

Sa cheville gonfla et l'empêcha de remonter.

Sandra se mit à pleurer.

* * *

– Sais-tu combien la fourmi a de pattes ?

– Oui madame, elle en a... six.

– Ce serait plutôt huit, tu ne crois pas ?

– Euh... oui, répondit Éric.

La classe entière se mit à rire. Philippe et Laurent profitèrent du bruit de la classe pour se passer un mot.

– Donne-moi ce papier, Laurent !

La maîtresse le lui arracha des mains et lut à haute voix :

– « Sais-tu pourquoi elle n'est pas là, Sandra ? »

La place de Sandra était vide.

Philippe et Laurent ne savaient pas s'ils pourraient finir leur bataille.

Six pattes, pour un insecte. La réponse était devant Sandra. Des cloportes grignotaient des planches moisies et des vieux manches.

Un filet de lumière, passant à travers un petit soupirail, lui permettait, à l'aide de sa loupe, de faire la leçon de sciences nat' à distance.

Elle savait que personne n'entendrait ses appels. Son pique-nique forcé l'obligeait à se mettre sous la dent ses seuls Carambars.

« Qui peut venir m'aider ? » Elle souhaitait de tout cœur que quelqu'un vienne se recueillir sur une tombe. Elle regrettait que la Toussaint ne dure pas toute l'année.

J'ai vingt-deux pattes, deux ailes et une tête. Qui suis-je ?

Je ne parle jamais le premier, toujours le dernier. Qui suis-je ?

Elle ne savait que la deuxième : c'était l'écho. Elle demanderait l'autre à Philippe et Laurent.

Des bruits vinrent rompre le silence qu'elle connaissait depuis le matin. Le grincement du portail, des pas sur les graviers lui redonnèrent de l'espoir. Elle rampa avec difficulté jusqu'au soupirail, essaya de s'agripper à des étagères pour s'approcher de la lumière.

– Je fais cette allée, toi tu prends l'autre !

« Encore des personnes qui ont du mal à trouver une tombe », pensa-t-elle.

Les gens se baissaient, cherchaient, fouinaient. Ils avaient peut-être perdu quelque chose de précieux.

De son cabanon, Sandra ne percevait que des silhouettes courbées, occupées à ramasser des pots de fleurs qui étaient rassemblés près du portail. « Sans doute des fleurs fanées ! »

– Au secours ! À l'aide !

Crac ! La planche d'une étagère venait de céder. Son pied endolori était coincé entre l'étagère et des cageots.

Des pas rapides suivirent son appel... Le portail se remit à grincer et un bruit de moteur déchira le silence du soir.

* * *

– Les volets sont ouverts et il n'y a pas de lumière.

– Bizarre, bizarre !

– Si elle était partie avec ses parents au dernier moment ?

– Elle nous aurait prévenus, et ils auraient fermé les volets.

* * *

Le lendemain matin, les deux frères prirent leur petit déjeuner en cinquième vitesse.

– Vous auriez pu ranger vos serviettes avant de sortir de table, cria la mère en les voyant partir à vélo.

Ils interrogèrent madame Bigot :

– Avez-vous vu Sandra hier matin ?

– Oui, oui, elle m'a acheté une loupe et des Carambars.

– Par où est-elle partie ?

– Comme d'habitude, bien sûr.

– Au revoir et merci.

Ils reprirent leur vélo et continuèrent leur chemin.

Devant l'entrée du cimetière, ils virent le cartable de leur copine.

– Qu'est-ce qu'il fait là son cartable ?

– Comment veux-tu que je le sache ?

– Elle a peut-être été enlevée...

– Ou tuée...

– Plutôt une fugue !

– Pourquoi ?

– J'sais pas.

– Au lieu de dire des bêtises, pousse le portail, on ne sait jamais.

– T'as vu tous les pots de fleurs ?

Les frères étaient étonnés par la splendeur des fleurs et pensaient qu'une grande cérémonie devait avoir lieu.
 – Qui ça pourrait être ?
 – L'ancien maire, peut-être ?
 – Tiens, voilà la tombe qu'on avait vue le jour de l'enterrement de la grand-mère de Sandra.

Philippe et Laurent furent intrigués par un Carambar qui se trouvait près d'une tombe proche de celle de la grand-mère de Sandra. Plus de doute, Sandra était passée par là !
 – Sandra ? SANDRA ?

Elle se réveilla en sursaut et reconnut la voix de ses amis.
 – Laurent ! Philippe ! Je suis dans le cabanon !

Ils se précipitèrent et aidèrent Sandra à se dégager de cet enfer. Elle leur expliqua sa mésaventure.

Au retour, ils passèrent devant la maison de mamie et s'arrêtèrent pour soigner la blessure de Sandra.

Ils se dirigèrent facilement vers le robinet du jardin, des traces de véhicules ayant ouvert un passage à travers les hautes herbes.
 – Aïe ! cria Philippe. Quelque chose m'a piqué le pied.

C'était des capsules d'Orangina qui traînaient dans l'herbe. « Tiens ! Si j'avais su que mamie buvait de l'Orangina ! » se dit Sandra.

Installée sur le porte-bagages du vélo de Philippe, elle pensa que ses parents avaient sûrement dû téléphoner.

* * *

GRAND CONCOURS DE MAISONS FLEURIES
1er prix : un terrain de 5 000 m^2 et 100 000 F.
2e et 3e prix : voyage pour 2 personnes à Monaco
4e au 10e prix : un vélo tout-terrain 18 vitesses
DATE LIMITE : LE 30 JUIN

Sandra lut cette annonce à la deuxième page du journal que son père avait oublié.

Ils partirent comme des flèches, à vélo, vers le cimetière, Sandra toujours sur le porte-bagages de Philippe. Cinq minutes après, ils étaient à destination. Toutes les fleurs du matin avaient disparu.

Ils décidèrent d'aller raconter l'histoire de ces pots aux gendarmes qui ne prirent pas cette affaire au sérieux.

* * *

La semaine de classe leur sembla longue. À la fin, il ne restait qu'un tout petit bout mâchonné de leur crayon à papier. Le trou du sous-main de Sandra s'était agrandi.

Elle était impatiente que les employés de la mairie finissent d'installer le podium de la remise des prix. Tout serait pour dimanche.

Le jour arriva. Le maire, entouré des membres du jury, s'approcha du micro.

– Je suis très ému, mesdames, messieurs, de pouvoir remettre les prix aux gagnants de ce concours. Premier prix : monsieur Filon. Nous vous invitons à visiter sa demeure. Vous découvrirez plus d'une centaine de pots de fleurs sur les balcons, la terrasse, les rebords des fenêtres, autour du bassin et même sur les poteaux de la clôture. Monsieur Filon, peut-on savoir où vous vous êtes procuré toutes ces fleurs magnifiques ?

– Euh... Toute ma famille m'a aidé à gagner, répondit-il d'un air embarrassé.

Pendant le discours, Sandra et ses amis en avaient profité pour inspecter les lieux fleuris.

– Regardez ! Sur le balcon de droite, mes fleurs, celles du cimetière, cria Sandra.

Ils décidèrent de rencontrer le gagnant juste après la remise des prix.

– Au fait, pour les fleurs, nous sommes au courant, lui dit Sandra avec une certitude inébranlable.

– De quoi voulez-vous parler ? répondit l'heureux gagnant.

– Eh bien des fleurs que vous stockez dans la maison de ma grand-mère ; celles du cimetière.

– Ah !... Vous le savez !

– Oui, c'est moi qui ai crié dans le cimetière.

– Chut ! Ne dites rien s'il vous plaît.

– À une condition : que vous fassiez la promesse d'aménager votre terrain en parc de jeux pour les enfants du quartier.

– Je n'ai pas le choix, je suis d'accord.

*   *   *

– Au fait, vous savez qui a vingt-deux pattes, deux ailes et une tête ? demanda Sandra du haut d'une balançoire du nouveau terrain de jeux.

– Onze personnes qui prennent des fleurs dans un cimetière, répondit Philippe.

– Mais non, je connais la solution, ajouta Laurent.

– C'est quoi ?

– Une équipe de football.

Stéphane, Frédéric, Caroline, Angélique, Hugo, Olivier, Manuela, Josélito, Mickaël, Frédéric, Miguel, Aurélie, Méhdi, Nicolas, Sandra, Nelu, Yohann, Fabienne, Arnaud, Gladys, Tony, Katy (CM2, école Gérard-Philipe, Arnage, Sarthe).

« OUTREAU SUR POLAR »

(En relation avec la troisième partie, activité 41.)

Nous avons déjà décrit la façon dont a été organisée cette manifestation, à Outreau, dans le Pas-de-Calais. Les jeunes et les intervenants ont commencé par visiter les lieux mal famés de la ville, et ce afin de s'en inspirer lors des ateliers d'écriture de nouvelles policières. Voici comment l'un de ces lieux, la baraque à huile, est exploité dans les textes.

« – Oui, ça ne peut plus durer, Marc. Il faut partir.

« – Partir où ? On est mineurs, figure-toi.

« – N'importe où, ce sera mieux qu'ici. On pourrait s'installer à la baraque à huile, tiens !

« – Il fait froid, là-bas.

« – On fera du feu de bois.

« Mine de rien, cette idée a pris forme. La baraque à huile était notre repaire depuis des années. Une maison en ruines, au milieu des champs. On y avait amené toutes sortes de choses, utiles et inutiles : un poste de radio, un petit magnéto, des oreillers, des couvertures, des assiettes, des fourchettes, etc. Il y avait même une provision de conserves, de biscuits, de chocolat... Comme si on avait senti ce qui allait se passer. »

Came K.-O. (texte écrit par huit adolescents et Joseph Périgot).

« Située en dehors de la ville, plantée sur le bord de la route menant à la plage d'Equihen la baraque à huile est un endroit sinistre qui leur fait froid dans le dos. Tout est sale et délabré. Le climat d'insécurité qui y règne ne fait qu'augmenter la peur qui leur tord le ventre. Il est vrai qu'à douze ans, on voit les choses avec une autre dimension. Pourtant, nos six courageuses filles explorent l'endroit avec attention, et rapidement, elles comprennent qu'il s'y passe des choses anormales.

« Sur un mur, une petite échelle est appuyée. En y grimpant quelques barreaux, Dorothée découvre par une petite trappe des vêtements, des matelas, de la nourriture... Plus loin, sous un appentis, des filets de pêche et des ustensiles destinés à cette activité côtière sont posés dans un coin, avec soin.

« Dans la petite cave, Christelle vient de découvrir une chose importante : le collier de Roby, le chien de la famille Dupont ! »

La famille Dupont a disparu (texte écrit par « six courageuses filles » et Alain-Antoine Lavoye du Vivier).

« *Je n'avais rien trouvé de particulier ni rencontré personne lorsque j'arrivai à proximité de la baraque à huile. La baraque à huile, un poème !*

« *C'est un endroit curieux, une vieille bicoque abandonnée où jadis une dizaine d'ouvriers fabriquaient de l'huile de poisson. Ensuite, des gens bizarres y avaient vécu quelques mois. Depuis, ses portes battent au vent, les tuiles du toit se déchaussent, des bouteilles vides et des restes ménagers traînent dans la petite cour, les chats et les chiens du secteur s'y donnent rendez-vous, les fantômes d'une petite entreprise familiale tombée en faillite y reviennent aussi, peut-être par nostalgie, sûrement par habitude.* »

L'huile se mélange (texte écrit par neuf adolescents et Alain Bellet).

« *Les pseudo-clodos regagnent leur repaire, un truc banal, une baraque abandonnée, une baraque à huile, sans l'huile mais avec le pinard ; parce qu'un clochard sans vin n'est pas crédible.*

« *Ce coincetot n'est pas plus gai que l'usine à gaz. Vieilles pierres et ronces, carcasses de bagnoles et crâne de cheval ne donnent pas l'envie de s'y risquer.*

« *Derrière les vitres empoussiérées d'une fenêtre aux solides barreaux, deux cloches s'engueulent d'impuissance, comme ces rats de laboratoire qui, recevant des décharges électriques, s'attaquent mutuellement pour libérer leur agressivité. C'est ce que l'on appelle une réponse non adaptée...* »

L'Or des braves (texte écrit par huit adolescents et Ivan Lhotellier).

UN TEXTE
DE JEAN-HUGUES OPPEL

(En relation avec la troisième partie, activité 53.)

Le texte suivant, de l'auteur de romans policiers Jean-Hugues Oppel, répertorie, de façon humoristique, les clichés utilisés dans les polars. À méditer pour une activité portant sur les figures de style, ou avant de s'essayer à l'écriture.

PONCIFOTOPSIE

– Les pieds ?
– Menus...
– C'est tout ?
– Cambrés !
– Pas mal... Les chevilles ?
– Délicates...
– Le mollet ?
– Galbé !
– Le genou ?
– Rond !
– Bien... Les cuisses ?
– Fuselées !
– Donc, les jambes, en général ?
– Interminables !
– Et si elles portaient des bas ?
– Elles seraient gainées de soie arachnéenne, non ?
– C'est ça. Ensuite, le bassin...
– Parisien !
– C'est amusant... Les hanches ?
– Larges, je dirais...
– La taille ?
– De guêpe ! Faite au tour ! Avantageuse !
– N'en jetez plus... Les fesses ?
– Pommées, sans aucun doute !

– Et?

– Et... et délicatement fendues!

– Conclusion pour la croupe?

– Poulinière!

– Bravo. Le ventre?

– Plat!

– La toison?

– Triangulaire...

– Non, fournie, mais encore?

– Heu...

– Un vrai nid d'amour, tu le fais exprès?! Le nombril?

– Douillet!

– Les flancs?

– D'albâtre!

– Les seins?

– En... en poire?

– Passe-crassane? Louise-bonne? Beurré-Hardy?

– Tu m'en demandes trop!

– Tant pis... Sinon?

– Sinon... Haut plantés! Et arrogants!

– Tu fais des progrès... Les aréoles?

– Grenues.

– Les tétons?

– Agressifs!

– Les épaules?

– Carrées, non? Très carrées, même... Tu crois qu'elle était catcheuse?

– Dis pas de conneries... Les bras?

– Les bras?

– Oui, les bras...

– Ben... normaux!

– Faits pour l'étreinte, voyons! Les poignets?

– Fins!

– Les doigts?

– Agiles!

– Les ongles?

– En deuil... Pas si soigneuse que ça, dis donc!

– N'empêche, des mains...

– ... de pianiste!

– Bingo! Le cou?

– Gracile...

– J'aurais dit « de cygne », mais ça va... Le port de tête?

– Altier, alors!

– Oui... Le visage?

– Un ovale parfait!

– Le teint ?

– De porcelaine...

– Ou velouté...

– Ou diaphane !

– De mieux en mieux... Le menton ?

– Volontaire !

– La bouche ?

– Purpurine !

– De cheval, bien sûr... Les lèvres ?

– Charnues !

– Le nez ?

– Aquilin !

– Les joues ?

– Rebondies !

– Les yeux ?

– Heu...

– Les yeux ?

– De... De biche ?

– Non.

– De velours ?

– Non !

– Je ne vois pas...

– En amande, triple buse ! Les cils ?

– Recourbés, facile... Fa-cils !

– Elle est bonne... Les sourcils ?

– Arqués ! Et ils ne sont pas tout jeunes...

– Pourquoi donc ?

– Parce que ce sont les cadets de mes sourcils !

– Ouarf, ouarf... Les oreilles ?

– Finement ourlées !

– Le front ?

– Marmoréen ?

– Pourquoi pas... Les cheveux ?

– Je sais, soyeux !

– Tu peux mieux faire...

– Couleur de blés mûrs ?

– Encore un effort...

– Une crinière léonine !

– Voilà ! Bien, on en fait le tour, je crois... En gros, t'en dirais quoi, toi, de cette gonzesse ?

– Qu'elle est banale !

– Ouais... Sauf qu'elle est morte !

– De quoi ?

– On va le savoir, on est là pour ça. Passe-moi les instruments, tu vas m'aider...

– Heu, t'y tiens vraiment ?

– Faut bien que tu apprennes le métier. Enfile tes gants, mets ton masque, on y va... Tu es prêt ? Scalpel... Comme ça, tu vois ?... Abdomen incisé... Pinces, écarteurs... Là ! Eh bien... Les intestins ?

– Merde ! Tu vas pas recommencer ? !

Extrait du recueil *Un tigre chaque matin*,
reproduit avec l'aimable autorisation de l'auteur
et des éditions Lignes noires.

LES COULISSES
D'UN PRIX LITTÉRAIRE :
LE PRIX MICHEL LEBRUN

(En relation avec la cinquième partie.)

Tout a commencé par un déjeuner amical, dans un petit restaurant de la rue de Bellechasse, à Paris, le 20 décembre 1985, entre Pierre Lebedel et Christian Poslaniec. À l'époque, Pierre Lebedel était journaliste au département d'information et de communication du ministère de l'Éducation nationale, et Christian Poslaniec, directeur-adjoint du CLEMI (Centre de liaison entre l'école et les moyens d'information). Mais tous deux avaient un autre point commun que leur rattachement au « Mammouth » : l'un était membre fondateur de l'association « 813 », créée en 1980, qui réunit les amis de la littérature policière ; l'autre, écrivain pour la jeunesse, venait d'achever son premier polar pour adultes, *Punch au sang*, qui parut l'année suivante dans la collection « Série noire ».

Naturellement, la conversation roula beaucoup sur leurs lectures favorites et, peu à peu, émergea l'idée d'un prix de littérature policière qui concernerait davantage les amateurs du genre que ses spécialistes. L'occasion de le créer apparut lorsque François Plet, créateur des « 24 heures du Livre du Mans », un des grands salons du livre en France, dit rechercher un événement littéraire dans le cadre de sa manifestation.

Il s'avéra que les Galeries Lafayette du Mans, désireuses de sponsoriser un événement en rapport avec la littérature, à l'occasion des « 24 heures du Livre », cherchaient une idée. Ainsi naquit ce qui s'appela d'abord le prix Galeries Lafayette du roman policier, créé *« dans un souci de promotion des loisirs et d'aide à la diffusion du roman »*, comme le stipulait le premier article du règlement. Il s'agissait de *« récompenser une œuvre originale de langue française »*, éditée dans l'année, avec un chèque de 7 500 F remis à l'auteur primé.

La véritable originalité de ce prix concerne la composition du jury, qui a peu varié depuis l'origine. L'idée était de réunir quelques amateurs de littérature policière et, surtout, des professionnels ayant un rapport avec ce genre. Ainsi, outre Michel Lebrun, le président de « 813 », membre de droit, participaient au jury : le colonel de la gendarmerie, le directeur des polices urbaines, une femme magistrat, des journalistes, un universitaire, un auteur, un professeur, un libraire.

Deux fois dans le mois qui précède la remise du prix, le jury se réunit. Lors de la première rencontre, cinq œuvres sont retenues parmi la quinzaine participant au prix. La seconde réunion, au cours d'un déjeuner dans un restaurant du Mans, souvent houleuse mais amicale, permet de choisir le lauréat.

Les débats sont souvent vifs et très argumentés. Certains, qui connaissent bien la littérature policière, sont plus sensibles à l'originalité. D'autres, professionnels, déplorent les caricatures d'enquête ou de procès, mettent en lumière les incohérences. L'un(e) est sensible aux références historiques, politiques, idéologiques, qu'un(e) autre trouve systématiques ou fallacieuses. Parfois, le jury se pose des questions éthiques : a-t-on le droit de couronner un livre qui paraît présenter la violence avec complaisance ?

Pour donner une idée de ces prises de position, voici quelques phrases provenant de ces débats (mais nous ne préciserons pas les titres auxquels elles se rapportent !) :

> « *L'énigme est compliquée à souhait et c'est fréquemment invraisemblable. Et c'est long, long ; l'auteur essaie de faire du style et ça se voit. Or, il y a plus de malheurs de style que de bonheurs.* »

> « *La réussite de ce roman tient au fait que l'auteur a réussi à en faire une tragédie grecque. Les terroristes jouent le rôle des Érinyes, jusqu'au moment où ça se retourne contre eux et où ils deviennent victimes du destin qui, lui, reste anonyme (les services secrets).* »

> « *Un style que je trouve insupportable de fatuité et qui ressemble à du hachis Parmentier, c'est-à-dire fait de tous les restes compactés lus un peu partout.* »

> « *La grande réussite de ce roman, c'est l'évocation de l'Afrique, cette atmosphère qui envahit totalement le lecteur et le fait voyager.* »

> « *On dirait un exercice de style : comment faire un "serial killer" aussi bien que les Américains !* »

> « *Une machinerie criminelle bien montée, des personnages attachants, qui ont des préoccupations proches de n'importe quel lecteur, parce que l'auteur sait s'attacher aux grandes questions existentielles, sans flonflon.* »

> « *L'auteur est tellement soucieux d'accumuler des calembours intertextuels qui semblent dire "Regardez, comme j'ai de la culture !", qu'il néglige constamment l'action.* »

> « *Ce roman est aux polars ce que les mangas sont à la BD !* »

> « *Si l'une des fonctions du "noir" est de faire percevoir les dessous de notre société, alors ce roman y parvient pleinement, avec quantité de petites nuances allant de l'eau de rose aux pires atrocités, le tout unifié par un style efficace, un poil d'ironie ou d'humour, et un rythme tambour battant.* »

Participer à pareil jury pendant quinze ans permet de percevoir les évolutions de la littérature policière : le « noir » repoussant peu à peu le roman à énigme ; la psychologie des personnages se substituant au suspense ; l'apparition de la catégorie « serial killer » et sa stéréotypie rapide ; les romans qui, au-delà de l'histoire policière proprement dite, proposent, comme décor, un milieu social fascinant (l'Afrique, la tauromachie, le monde du cinéma...) ; et, plus récemment, l'émergence du roman policier historique de langue française.

Lorsque les Galeries Lafayette ont cessé de financer ce prix, il a été repris par la ville du Mans. Le jury a été longtemps présidé par Michel Lebrun, « le pape du polar » comme il était surnommé, qui y était entré comme président de « 813 », puis y est resté. À sa mort, en 1996, le prix est devenu prix Michel Lebrun, en hommage au grand spécialiste et auteur de littérature policière qu'il était. Depuis, le jury est présidé par Pierre Lebedel.

Lauréats du prix

1986 : Jean-Michel Guenassia, *Pour cent millions*, Liana Levi.

1987 : Daniel Pennac, *La Fée Carabine*, Gallimard.

1988 : Didier Sénécal, *Le Cavalier grec*, Albin Michel.

1989 : Jean-François Vilar, *Les Exagérés*, Seuil.

1990 : Tonino Benacquista, *Trois carrés rouges sur fond noir*, Gallimard.

1991 : Joseph Périgot, *Le Bruit du fleuve*, Calmann-Lévy.

1992 : Marc Villard, *Démons ordinaires*, Rivages.

1993 : Thierry Jonquet, *Les Orpailleurs*, Gallimard.

1994 : Maurice G. Dantec, *La Sirène rouge*, Gallimard.

1995 : Fred Vargas, *Debout les morts*, Viviane Hamy.

1996 : Brigitte Aubert, *La Mort des bois*, Seuil.

1997 : Stéphanie Benson, *Le Loup dans la lune bleue*, L'Atalante.

1998 : Xavier Hanotte, *De secrètes injustices*, Belfond.

1999 : Jean-Bernard Pouy, *Larchmütz 5632*, Gallimard.

2000 : Jean-Marie Villemot, *L'Œil mort*, Gallimard.

CINQUIÈME PARTIE

RESSOURCES

QUELQUES REVUES

De nombreuses revues ou fanzines sont consacrés au genre policier. Mais, comme souvent, beaucoup de ces titres disparaissent très vite, ou ont une parution irrégulière. Parmi les revues que nous citons, trois seulement s'imposent dans la durée : *813*, *Polar* et *Enigmatika* (encore que ces deux dernières aient été plusieurs fois interrompues).

Toutes peuvent être consultées à la Bilipo (Bibliothèque des littératures policières), à Paris.

– *813* (26, rue Poulet, 75018 Paris.)
Revue de l'association du même nom, elle est la seule à avoir été publiée sans interruption depuis vingt ans, à raison de quatre numéros par an. On y trouve des informations diverses (nouvelles parutions, actualité...), des nouvelles policières, des études de fond, des dossiers consacrés à des auteurs, des sélections de polars.

– *Polar* (106, boulevard Saint-Germain, 75006 Paris.)
Publiée trimestriellement depuis 1977, sous la direction de François Guérif, par Néo (Nouvelles Éditions Oswald), cette revue consacre chaque numéro à un auteur : William Irish, Jean Vautrin, Léo Malet..., ou à un personnage : Sherlock Holmes, Philip Marlowe... Après une interruption, elle a été reprise par les éditions Rivages. Le numéro 23 de la nouvelle édition est paru en 2000.

– *Enigmatika* (4, rue de l'Avenir, 51370 Les Mesneux.)
Revue de l'Ouvroir de littérature policière potentielle (Oulipopo), animée par Jacques Baudou, *Enigmatika* est publiée épisodiquement de 1974 à 1993. La publication a repris en 2000, sous forme de fanzine (deux numéros parus).

– *Le crime est notre affaire* (7, impasse Robert, 75018 Paris.)
Publié par l'association des amis d'Agatha Christie et du roman policier (autrement appelée 3ARP), ce « *magazine des amateurs de suspense* », réalisé par Éric Biville, donne des informations sur la production éditoriale, publie des interviews et des études sur Agatha Christie. En 2000, le numéro 30 est paru. Cette association publie également un fanzine exclusivement consacré à Serge Brussolo : *Épreuves non corrigées* (cinq numéros parus en 2000).

– *La vache qui lit* (« Héros de polar », 8, rue Gallieni, 87100 Limoges.) Fanzine publiant des interviews et des informations sur l'actualité du polar. Le numéro 21 est paru en 2000.

– *Le Journal du polar* (28, rue des Petites Écuries, 75010 Paris.) Ce journal, au même format que *Libération*, a suspendu sa parution en 1998 (neuf numéros parus). Il reparaît depuis, animé par Najett Maatongui : le numéro 6 de la nouvelle édition a été publié en juin 2000. Il contient surtout des interviews, des informations d'actualité, des commentaires sur les parutions.

– *Le Monde de San-Antonio* (1, rue des Moissons, 04000 Dignes-les-Bains.) Publiée par l'association « Les Amis de San-Antonio », sous la direction de Daniel Sirach, cette revue trimestrielle, dont le numéro 13 est paru en 2000, se consacre exclusivement à l'univers du héros de Frédéric Dard.

– *La Mandragore verte* (21, rue Aristide Briand, 92240 Cormeilles-en-Parisis.) Un authentique fanzine qui rappelle les publications à la ronéo des années 60. Le numéro 11 est paru en 2000.

– *L'Ours polar* (17, rue Carnot, 33490 Saint-Macaire.) Dirigé par Christophe Dupuis, ce fanzine, dont le numéro 10 est paru en 2000, publie des nouvelles, des interviews et des informations.

– *Ligne noire* (« Horizons noirs », 40, avenue Denis Papin, 45800 Saint-Jean-de-Braye.) Publié par l'association « Horizons noirs », dirigé par Loïc Tessier, ce fanzine, dont le numéro 10 est paru en 2000, publie des informations et des nouvelles sur la catégorie « noir » du genre policier.

– *Carnet de la noir' rôde* (Les Balcons de Vence, 155, chemin du Siège, bât. D, 06140 Vence.) Fanzine publié par l'association de promotion du polar « La noir' rôde ». Le numéro 9 est paru en 2000.

– *La Tête en noir* (3, rue Lenepveu, 49100 Angers.) Ce bulletin d'informations, dirigé par Jean-Paul Guéry, paraît deux fois par trimestre. Il présente un panorama des derniers polars publiés, ainsi que des interviews.

– *Temps noir* (Éditions Joseph K., 21, rue Geoffroy Drouet, 44000 Nantes.) Le premier numéro de cette « *revue des littératures policières* », semestrielle, est paru en 1998, sous la direction de Marc Lhomeau. Le numéro 3 a été publié en 2000 : articles, informations, dossier sur un aspect du genre : le roman policier allemand, par exemple.

QUELQUES SITES INTERNET

Des milliers de sites abordent, d'une façon ou d'une autre, le genre policier. On y trouve fréquemment des romans en ligne (généralement d'auteurs n'ayant pas publié de livres), des bibliographies, des notes critiques, des informations sur l'actualité du polar... Quelques sites sont consacrés à des auteurs (Agatha Christie, Patricia Cornwell, James Ellroy, Paul-André Duchâteau...), et d'autres à l'analyse de romans ou de films.

Nous en indiquons quelques-uns qui nous semblent intéressants.

Adresses répertoriant les sites consacrés au genre policier :
http://www.zazieweb.com/
http://www.republique-des-lettres.com/
http://www.neuronnexion.fr/

Informations générales sur le genre policier :
http://www.ifrance.com/rpolicier/ *(« le roman policier dans tous ses états. »)*
http://www.cas.unt.edu/~sirvent/detective.htm/
http://www.romanpolicier.com/

Analyse du polar en littérature de jeunesse :
http://www.crdp.ac.montpellier.fr/
http://perso.club-internet.fr/saillard/polar/

Ressources de bibliothèques (portraits, bibliographies, critiques, interviews) :
http://www.multimania.com/mauvaisgenres/

Pour les amateurs de Sherlock Holmes :
http://www.sherlock-holmes.org/

Bibliographie québécoise d'ouvrages sur le polar :
http://www.sdm.qc.ca/texdoc/pol/po51/

Analyse interactive des catégories du polar (par mots clés) :
http://www.cafe.edu/genres/n-polar/

Le polar en kit, un parcours diversifié en 5ᵉ, dans un collège de l'Isère :
http://cartable.citeweb.net/outils/

Autre travail pédagogique (réaliser un roman policier qui paraît en feuilleton dans le journal du collège) :
http://www.ac-aix-marseille.fr/etablis/colleges/fontreyne/roman-po.htm/

« 813 »

C'est la principale association regroupant *« les amis de la littérature policière »*. Son nom reprend le titre d'un roman de Maurice Leblanc mettant en scène Arsène Lupin. Originalité du règlement d'adhésion à l'association : le nombre des membres ne peut dépasser 813. La plupart des écrivains de polars contemporains y adhèrent, ainsi que plusieurs centaines d'amateurs du genre.

« 813 » publie, trimestriellement, depuis 1981, une revue du même nom, destinée aux adhérents : 70 pages d'informations, de nouvelles policières inédites et d'études fouillées sur un auteur ou une thématique.

L'association décerne chaque année des trophées (du meilleur roman francophone, du meilleur roman étranger, de la meilleure nouvelle, etc.) remis solennellement aux lauréats lors de l'assemblée générale annuelle (depuis plusieurs années, elle a lieu en octobre, dans le cadre des « 24 heures du Livre du Mans »).

« 813 »,
26, rue Poulet, 75018 Paris.
Tél. : 01 42 64 48 69.
Mèl : Jean-Claude.Keusch@wanadoo.fr

LA BILIPO

La Bilipo (Bibliothèque des littératures policières), créée en 1995, est une bibliothèque de la ville de Paris, spécialisée dans le genre policier, qui organise des expositions, des débats, et publie tous les ans *Les Crimes de l'année*, une sélection critique d'ouvrages policiers. À la fois centre de recherche bibliographique et centre d'information sur le genre policier, elle est la seule bibliothèque française consacrée à la conservation et à la promotion des littératures policières.

Son fonds de références comprend 4 000 ouvrages en accès libre, 2 000 dossiers thématiques, 75 périodiques.

Son fonds de fictions comprend 40 000 titres.

Bilipo,
48-50, rue du Cardinal Lemoine, 75005 Paris.
Tél. : 01 42 34 93 00.

QUELQUES FESTIVALS EXCLUSIVEMENT CONSACRÉS AU GENRE POLICIER

– « Sang d'encre, journées autour du roman policier », Vienne (créé en 1995). A lieu en novembre.

Bureau des festivals,
11, quai Riondet, 38200 Vienne.
Tél. : 04 74 53 21 97.

– « Festival du roman policier et du roman noir », Place de la Bastille, Paris (créé en 1995). A lieu en juin.

Librairie Épigramme,
1, boulevard Richard-Lenoir, 75011 Paris.
Tél. : 06 80 42 83 30.

– « Festival Auber noir », Aubervilliers (créé en 1995). A lieu en septembre.

« Auber noir »,
16, rue des Postes, 93300 Aubervilliers.
Tél. : 01 43 37 12 15.

– « Polar dans la ville », Saint-Quentin-en-Yvelines (créé en 1996). A lieu en janvier.

Le Prisme,
Quartier des 7 mares, 78990 Élancourt.
Tél. : 01 30 51 46 06.

– « Pôles noirs », Saint-Jean-de-Braye (créé en 1997). A lieu en octobre.

« Horizons noirs »,
40, avenue Denis-Papin, 45800 Saint-Jean-de-Braye.
Tél. : 02 38 83 74 70.
Mèl : horizonsnoirs@post.club.internet.fr

– « Salon du polar », Montigny-lès-Cormeilles (créé en 1998). A lieu en décembre.

Centre Picasso,
rue Guy-de-Maupassant, 95370 Montigny-lès-Cormeilles.
Tél. : 01 30 26 30 50.

– « Noir sur la ville », Lamballe (créé en 1998). A lieu en novembre.
Bibliothèque municipale,
rue Père Ange-Le-Proust, 22400 Lamballe.
Tél. : 02 96 50 13 68.

– « Suite pour série noire », Bergerac. A lieu en décembre.
Médiathèque de Bergerac,
espace Bellegarde, 24100 Bergerac.
Tél. : 03 53 57 67 66.

– « Le chien jaune », Concarneau. A lieu en août.
Librairie Épigramme,
1, boulevard Richard-Lenoir, 75011 Paris.
Tél. : 06 80 42 83 30.

– « Autour du roman noir », Frontignan. A lieu en juin.
« Soleil noir »,
21, rue de Verdun, 34000 Montpellier.
Tél. : 04 67 92 53 48.

– « Les visiteurs du noir », Granville. A lieu en janvier.
« La vache noire »,
2, place Cambernon, Hauteville, 50400 Granville.
Tél. : 02 33 50 67 33.

– « Rendez-vous noirs », Lunéville. A lieu en octobre.
Médiathèque de l'Orangerie,
4, rue du Colonel Clarenthal, 54300 Lunéville.
Tél. : 03 83 73 78 78.

– « La cambuse du noir », Valence. A lieu en mars.
« Les travailleurs du noir »,
29, rue Jean-Moulin, 26000 Valence.
Tél. : 04 75 56 13 33.

QUELQUES PRIX LITTÉRAIRES CONSACRÉS AU GENRE POLICIER

- Grand Prix de littérature policière.
- Prix du Quai des Orfèvres.
- Prix du roman d'aventures.
- Prix du roman policier du festival de Cognac.
- Prix Michel Lebrun de la ville du Mans.
- Prix littéraire de la Gendarmerie nationale.
- Prix du meilleur polar francophone de l'année, de Montigny-lès-Cormeilles.
- Prix Mystère de la critique.
- Prix Sang d'encre de la ville de Vienne.
- Trophées 813.

DIVERS

Agenda

Les éditions Stylus éditent chaque année un agenda du polar.
Éditions Stylus,
avenue Henri-Pélegrin, 84500 Bollène.
Tél. : 04 90 30 21 38.

Bibliographie thématique

La médiathèque départementale de prêt du Var a publié, en 1997, *Passeport pour le polar. Périple exotique*, qui propose un tour du monde du genre policier : pays nordiques, pays de l'Est, Méditerranée, Moyen-Orient, Afrique, etc.
Médiathèque départementale de prêt,
bd du Maljournal, 83300 Draguignan.

TABLEAU SYNTHÉTIQUE

Pour permettre de situer temporellement les principaux événements concernant le genre policier, en France, nous les avons regroupés dans un tableau synthétique. Naturellement, l'estimation de leur importance est tout à fait subjective.

1846	Première parution, en français, des trois nouvelles de Poe, fondatrices du genre policier : *Double Assassinat dans la rue Morgue, Le Mystère de Marie Roget, La Lettre volée.*
1855	– Deuxième parution, en français, des trois nouvelles de Poe, traduites par Baudelaire. – Parution de *L'Assassinat du pont Rouge*, de Charles Barbara.
1866	Parution de *L'Affaire Lerouge* d'Émile Gaboriau, suivi, en 1867, de deux autres œuvres : *Le Crime d'Orcival* et *Le Dossier n° 113*, ce qu'on appelle alors des « romans judiciaires ».
1902	Parution, en France, des premières œuvres traduites de Conan Doyle. Le premier texte mettant en scène Sherlock Holmes, *Une affaire en rouge*, était paru originellement en 1887.
1905	Parution de la première histoire avec Arsène Lupin, dans le magazine *Je sais tout* : *L'Arrestation d'Arsène Lupin*, par Maurice Leblanc.
1907	– Une série de fascicules mettant en scène le célèbre détective américain Nick Carter paraît en France. – Début du feuilleton de Gaston Leroux : *Le Mystère de la chambre jaune*, dans *L'Illustration*, première aventure de Rouletabille.
1911	Aux éditions Fayard paraît le premier épisode de *Fantômas*, de Pierre Souvestre et Marcel Allain.
1927	Lancement de la collection « Le Masque », dirigée par Albert Pigasse. Premier titre : *Le Meurtre de Roger Ackroyd*, d'Agatha Christie.
1931	Chez Fayard, parution de la première enquête du commissaire Maigret : *Monsieur Gallet, décédé*, de Georges Simenon.

1932	Chez Gallimard, dans la collection « Les Chefs-d'œuvre du roman d'aventures » (créée en 1927, ayant pris la suite de la collection « Les Chefs-d'œuvre du roman-feuilleton », née en 1925), paraissent les deux premiers romans traduits de Dashiell Hammett, créateur du « hard boiled » (« dur à cuire ») : *La Clé de verre* et *La Moisson rouge*.
1935	Création du prix du roman d'aventures, par Albert Pigasse, remis pour la première fois à Pierre Véry.
1938	– Les éditions Fayard commencent à publier les aventures du Saint, de Leslie Charteris. Premier titre paru : *Le Saint à New York*. En 1955, le même éditeur publiera *Le Saint Détective Magazine*, et fera paraître plus de cent cinquante numéros. – Première publication, en France, d'un épisode de la bande dessinée policière *Dick Tracy*, de Chester Gould, dans *Le Journal de Toto*.
1943	Chez S.E.P.E., dans la collection « Le labyrinthe », paraît le premier roman mettant en scène Nestor Burma : *120, rue de la Gare*, de Léo Malet.
1945	Marcel Duhamel lance la « Série noire », chez Gallimard. Premiers titres : *La Môme vert-de-gris* et *Cet homme est dangereux*, de Peter Cheyney ; *Pas d'orchidées pour Miss Blandish*, de James Hadley Chase. Trois romans de Raymond Chandler, traduits par Boris Vian, paraissent dans les mois qui suivent : *La Dame du lac*, *Adieu ma jolie*, *Le Grand Sommeil*.
1946	– Sous le pseudonyme de Vernon Sullivan, Boris Vian publie *J'irai cracher sur vos tombes*, suivi de trois autres romans similaires, en 1947 et 1948. – Jacques Catineau crée le prix du Quai des Orfèvres.
1948	Maurice-Bernard Endrèbe crée le grand prix de littérature policière.
1949	– Création, par Armand de Caro, des éditions Fleuve noir, ainsi que des collections « Spécial police » et, l'année suivante, « Espionnage ». Cet éditeur publiera Peter Randa, M. G. Braun, et des centaines d'autres auteurs. – Publication, aux éditions Jacquier, de Lyon, du premier roman de San-Antonio : *Réglez-lui son compte* (qui ne sera réédité au Fleuve noir qu'en 1981). Dès 1950, dans la collection « Spécial police », paraîtront régulièrement les aventures du fameux commissaire San-Antonio qui, en 1973, donne son nom à une nouvelle collection. Frédéric Dard publiera également de nombreux romans sous son propre nom, ou sous le pseudonyme de Kaput.
1950	Pierre Boileau et Thomas Narcejac, déjà auteurs, chacun de leur côté, de nombreux romans, nouvelles, articles, essais, s'associent pour écrire des romans policiers. En 1952, paraît aux éditions Denoël *Celle qui n'était plus*, leur deuxième roman en commun, qu'Henri-Georges Clouzot adaptera au cinéma en 1955, sous le titre *Les Diaboliques*.
1962	– Parution, en français, du premier roman de Lawrence Block, dans la « Série noire » : *L'Étouffe-serviette*. – Création de la collection « Sueurs froides », chez Denoël.
1964	Création de la collection « J'ai lu policier ».

1969	Création de la collection « PJ », chez Julliard.
1971	– Parution, dans la « Série noire », de *Laissez bronzer les cadavres*, de Jean-Patrick Manchette (en collaboration avec Jean-Pierre Bastid). Ce premier roman de Manchette donne le ton de ce qu'on a appelé le « néo-polar », dont l'âge d'or fut la décennie 1975-1985. La même année, Manchette publie, dans la même collection, *L'Affaire N'Gustro*, et l'année suivante : *Ô dingos, ô châteaux!* et *Nada*. – Création du prix Mystère de la critique.
1973	À l'initiative de François Le Lionnais est fondé l'Oulipopo, l'Ouvroir de littérature policière potentielle, sous-commission du collège de Pataphysique, comme l'Oulipo. De 1974 à 1993, la revue *Enigmatika*, animée par Jacques Baudou, rendra compte des travaux de l'Oulipopo.
1979	– Premier festival du roman et du film policiers de Reims. – Création de la collection « Spécial suspense », chez Albin Michel.
1980	Création de « 813 », l'association des amis de la littérature policière.
1983	Création de la collection « Grands détectives », par Jean-Claude Zylberstein, chez 10-18, qui publiera ou republiera notamment Isaac Asimov, Colin Dexter, Dick Francis, Lilian Jackson Braun, Stuart Kaminski, Ed McBain, Manuel Vásquez Montalbán, Ellis Peters, Arthur Upfield, Robert Van Gulik, Patricia Wentworth.
1984	– Création, à Paris, de la Bilipo, Bibliothèque de littérature policière. – Création, par les éditions Bayard, de la revue pour adolescents *Je bouquine*, qui publiera de nombreux romans policiers inédits de Boileau-Narcejac, Jean-Paul Nozière, Michel Grisolia, Frédéric H. Fajardie...
1986	– Création de la collection « Rivages/Noir ». – Création de la collection « Souris noire », aux éditions Syros. Premier titre publié : *Qui a tué Minou-Bonbon ?*, de Joseph Périgot, directeur de la collection. – Création du prix du roman policier de la ville du Mans, en coopération avec l'association « 813 ». Le jury de ce prix est longtemps présidé par Michel Lebrun, surnommé « le pape du polar », et prend son nom à la mort de celui-ci, en 1996.
1987	Pour son deuxième roman policier, *La Fée Carabine* (« Série noire »), Daniel Pennac est lauréat de quatre prix du roman policier : prix de la ville du Mans, trophée 813 du roman, prix Grenoble-polar, prix Mystère de la critique.
1988	– Création du festival du crime de Saint-Nazaire, à l'initiative de Sylvette Magne. En 1993, le sous-préfet de Saint-Nazaire menace de supprimer les subventions si le titre de ce festival est maintenu, prétendant que c'est un « appel au meurtre ». Le festival est alors rebaptisé « Délit d'encre ». – Création, à Nantes, des éditions de L'Atalante, qui publieront de nombreux romans policiers, notamment de Stéphanie Benson, Thierry Jonquet, Jean-Bernard Pouy, Marc Villard, Paul Borrelli...

1990	– Daniel Pennac, auteur de *Au bonheur des ogres* (1985) et de *La Fée Carabine* (1987), en « Série noire », publie le troisième roman de la saga « Malaussène », *La Petite Marchande de prose*, dans la collection « Blanche » de Gallimard. – Création de la collection policière « Troubles », aux éditions Métailié.
1991	– Création de la collection pour enfants « Cascade policier », aux éditions Rageot, qui proposera notamment des titres de Boileau-Narcejac, Michel Honaker, Sarah Cohen-Scali, Catherine Missonnier... – Création de la collection « Seuil/policier ».
1992	Création, par Jean-Jacques Reboux, des éditions Canaille, qu'il inaugure par deux de ses romans : *Fondu au noir* et *Pain perdu chez les vilains*, avant de publier des œuvres de Michel Chevron, Pierre Filoche, Jean-Bernard Pouy, Pierre Siniac... Les éditions Baleine absorberont Canaille par la suite, et elles-mêmes seront reprises par le Seuil en 1998.
1994	Création de la collection « Chemins nocturnes », aux éditions Viviane Hamy. Premier titre paru : *Meurtre chez tante Léonie*, d'Estelle Montbrun.
1995	– Création des éditions Baleine et de la collection « Le Poulpe », portée sur les fonts baptismaux par Jean-Bernard Pouy. – Création de la collection « Page noire », chez Gallimard Jeunesse. Le premier titre est un recueil de nouvelles d'auteurs contemporains, intitulé *Pages noires*.
1996	– Création de la collection policière « Hors noir », aux éditions Hors commerce. Premier titre publié : *Des choses qui arrivent*, de Jean-Yves Berchet. – Création de la collection « À corps et à crime », aux éditions Liana Levi. Premier titre publié : *Trouvez-moi un coupable*, de Margaret Yorke.
1997	– Création de la collection « Babel noir », chez Actes sud. Les quatre premiers titres comprennent trois rééditions : *C'est toujours les autres qui meurent*, de Jean-François Vilar, *Le Dernier des grands romantiques*, de Joseph Périgot, *Gentil, Faty !*, de Frédéric H. Fajardie, ainsi qu'une nouveauté : *Maison qui pleure*, de Dagory. – La Bilipo organise une exposition pour les 70 ans du « Masque ».
1999	À l'occasion des 50 ans des éditions Fleuve noir, la Bilipo organise une exposition dont Claude Combet rend compte dans *Livres Hebdo*, n° 61. Le bilan chiffré du Fleuve noir (qui a publié également des collections de science-fiction, de fantastique) donne une idée de l'importance du genre policier dans le dernier demi-siècle : « *100 collections, 1 000 auteurs, 10 000 titres, 1 milliard de volumes vendus.* »

BIBLIOGRAPHIE

Les titres que nous proposons ici correspondent à un choix effectué parmi les milliers de livres du genre policier.

Bien qu'amateurs de ce genre et grands lecteurs d'œuvres policières depuis de nombreuses années, nous n'avons pas la prétention de tout connaître. Notre sélection est donc doublement limitée : nous avons choisi des œuvres qui nous plaisent parmi celles que nous avons pu lire.

Cependant, nous avons pris en compte deux critères de sélection plus objectifs. En premier lieu, rendre compte de la diversité des catégories du genre, de la diversité des thématiques, des auteurs, des éditeurs et des collections, et ce dans le but que les lecteurs trouvent des œuvres qui leur plaisent. En second lieu, nous n'avons retenu que des titres parus ou reparus après 1990, afin de multiplier les chances de les trouver en librairie ou en bibliothèque.

Bien qu'il soit souvent difficile, comme nous l'avons précisé dans l'introduction, de déterminer une classe d'âge correspondant au lectorat de tel ou tel titre, nous savons que ce type d'information est fort utile aux médiateurs de lecture. Nous avons donc organisé cette sélection en fonction de quatre classes d'âge (il s'agit naturellement d'approximations) référées à des niveaux scolaires. À l'intérieur de chaque classe d'âge, nous différencions les œuvres publiées dans des collections pour la jeunesse, celles publiées dans des collections pour adultes, et également celles qui ont été initialement éditées à l'intention des adultes, puis qui ont été adressées à la jeunesse.

En tout, cela fait près de 350 titres. Nous indiquons parfois la première date d'édition, quand cela peut avoir de l'importance, et la date de la dernière disponible. Et pour les livres de poche, le premier éditeur est cité.

Nous proposons ensuite une liste d'articles et d'ouvrages de référence. Il s'agit, là encore, d'un choix subjectif. Il existe, en particulier, de nombreux ouvrages sur l'histoire du genre policier que nous ne citons pas, car ils datent.

▲ Pour les CM1-CM2

Titres parus dans des collections pour la jeunesse

– AMELIN Michel, *Un crime est-il facile ?*, Épigones, « Myriades, spécial noir », 1996.
– ARROU-VIGNOD Jean-Philippe, *Enquête au collège*, Gallimard, « Folio junior », 1998.

– ARROU-VIGNOD Jean-Philippe, *Le professeur a disparu*, Gallimard, « Folio junior », 1998.

– BAFFERT Sigrid, *Mère : détective privée*, Syros, « Mini souris aventure », 2000.

– BENACQUISTA Tonino, *Victor pigeon*, Syros, « Souris noire », 1996.

– BERNA Paul, *Le Cheval sans tête*, G. P., 1955 ; LGF, « Le Livre de poche jeunesse », 1994.

– BOILEAU-NARCEJAC, *La Villa d'en face*, Bayard Poche, « J'aime lire », 1991.

– BOILEAU-NARCEJAC, *Les Pistolets de Sans Atout*, Gallimard, « Folio junior », 1998.

– BOUCHARD Corinne, MEZINSKI Pierre, *Trafic à la gare de Norvège*, Nathan, « Pleine lune policier », 1994.

– BOUDET Robert, *Mon prof est un espion*, Casterman, « Mystère », 1991.

– BROUILLET Christine, *Pas d'orchidées pour Miss Andréa*, Épigones, « Myriades, spécial noir », 1996.

– CABAN Geva, *La Peur au rendez-vous*, Gallimard, « Folio junior », 2000.

– CANTIN Amélie, *Mon papa flingueur*, Milan, « Poche cadet », 2000.

– CHESBRO George, *Mongo et les sorciers*, trad. Jean Esch, Syros, « Souris noire », 1999.

– CLÉMENCE Alix, *Le Disparu de Cabrérac*, Syros, « Souris noire », 1997.

– CLÉMENT Yves-Marie, *Meurtre à la crique*, Flammarion, « Castor poche, mystère policier junior », 1997.

– CLÉMENT Yves-Marie, *La Soif de l'or*, Albin Michel, « Le Furet enquête », 2000.

– COHEN-SCALI Sarah, *Meurtre au pays des peluches*, Casterman, « Mystère », 1992.

– COLIN-THIBERT, *Balade à Crèvecœur*, Hachette, « Verte aventure policière », 1990.

– CONVARD Didier, *Les Trois Crimes d'Anubis*, Magnard, « Les Policiers », 1997.

– CORAN Pierre, *Terminus Odéon*, Milan, « Zanzibar policier », 1992.

– CORAN Pierre, *Les Disparus de Lilliput*, Magnard, « Les P'tits policiers », 1999.

– CRAIG Mary Francis, *Le Mystère de Peacock Place*, trad. Annick Le Goyat, Hachette, « Verte aventure policière », 1990.

– CRAIPEAU Jean-Loup, *Pin's Panique*, Casterman, « Mystère », 1992.

– CRAIPEAU Jean-Loup, *Crime caramels*, Syros, « Mini souris noire », 1987, rééd. 1997.

– CRAIPEAU Jean-Loup, *Pépé grognon*, Syros, « Souris noire », 1992, rééd. 1998.

– DAENINCKX Didier, *Le Chat de Tigali*, Syros, « Mini souris noire », 1990, rééd. 1997.

- DANIEL Stéphane, *Un tag pour Lisa*, Casterman, « Mystère », 1993.
- DELERM Martine, *Crime en coulisses*, Magnard, « Les P'tits policiers », 1999.
- DERVIN Sylvie, *L'Affaire Père Noël*, Bayard Poche, « Je bouquine », 1991.
- DORIN Philippe, *Cœur de pierre*, Syros, « Mini souris noire », 1991, rééd. 1997.
- EFTIMIU Victor, *Mister Léonard*, trad. Maria Cojan-Negulescu et Jérôme Jacobs, Hachette, « Verte aventure policière », 1995.
- FARRACHI Armand, *Sonnez les matines !*, Casterman, « Mystère », 1990.
- FOUCHER Thierry, *Un coup de poing dans la tête*, Syros, « Souris noire », 1992, rééd. 1995.
- GALT Hugh, *La Folle Poursuite*, trad. Smahann Joliet, Flammarion, « Castor poche », 1992.
- GARNIER Pascal, *Nono*, Syros, « Mini souris noire », 1993, rééd. 1997.
- GIORDA, *Les Enquêtes de Mac et Maribé* (nouvelles), Milan, « Zanzibar policier », 1990.
- HUBERT-RICHOU Gérard, *Walkman*, Milan, « Zanzibar policier », 1990.
- HUMBERT Hubert, *La Nuit du voleur*, Syros, « Mini souris noire », 1987, rééd. 1998.
- JAOUEN Hervé, *Le Monstre du lac noir*, Syros, « Mini souris noire », 1987, rééd. 1997.
- KORB Liliane, LEFÈVRE Laurence, *Viviane dans le placard*, Syros, « Souris noire », 1996.
- LENAIN Thierry, *Pas de pitié pour les poupées B.*, Syros, « Mini souris noire », 1993, rééd. 1997.
- LUDA, *Colin, brigand au grand cœur*, Le Sorbier, « Plume », 1994.
- MARIE et JOSEPH, *Le Crime de Cornin Bouchon*, Syros, « Mini souris noire », 1986, rééd. 1997.
- MARIE et JOSEPH[1], *Aladdin et le crime de la bibliothèque*, Syros, « Souris noire », 1993, rééd. 1997.
- MARIE et JOSEPH, *Emballez la baleine !*, Magnard, « Les Policiers », 1998.
- MARIE et JOSEPH, *Aladdin et la course au caillou*, Syros, « Souris noire », 1999.
- MARIVEL Julie, *L'Affreuse Affaire Malabarre*, Milan, « Zanzibar policier », 1991.
- MOKA, *Le Plus Grand Détective du monde*, Milan, « Poche cadet polar », 2000.
- MOSCONI Patrick, *Le Roi des menteurs*, Syros, « Souris noire », 1988, rééd. 1994.

---

1. Marie et Joseph étant les pseudonymes de Corinne Bouchard et de Pierre Mezinski, on ne s'étonnera pas de retrouver, dans ce roman, les héros de *Trafic à la gare de Norvège* (Nathan).

– Naudy Michel-Julien, *Toyota baraka*, Syros, « Mini souris noire », 1986, rééd. 1998.

– Nozière Jean-Paul, *Torpédo contre les gangsters*, Bayard Poche, « Je bouquine », 1991.

– Oppel Jean-Hugues, *Trois fêlés et un pendu*, Syros, « Mini souris noire », 1998.

– Oppel Jean-Hugues, *Piège à la verticale*, Albin Michel, « Le Furet enquête », 1998.

– Périgot Joseph, *Qui a tué Minou-Bonbon ?*, Syros, « Mini souris noire », 1986, rééd. 1997.

– Périgot Joseph, *La Pêche aux caramels*, Syros, « Mini souris noire », 1988, rééd. 1997.

– Perrin Michel, *Meurtre à la menthe*, Magnard, « Les Policiers », 1998.

– Picouly Daniel, *Cauchemar pirate*, Flammarion, « Castor poche, mystère policier junior », 1996.

– Pietri Annie, *Les Orangers de Versailles*, Bayard Jeunesse, 2000.

– Pommaux Yvan, *Qui a volé l'Angelico ?*, Bayard Poche, « J'aime lire », 1994.

– Quadruppani Serge, *Tonton tué*, Syros, « Souris noire », 1998.

– Richter Brigitte, *Hold-up à la crèche*, Milan, « Zanzibar humour », 1997. Nouvelle édition sous le titre *Enfer et couches-culottes*, Milan poche junior, « Éclats de rire », 2000.

– Saint-Dizier Marie, *Qui veut tuer l'écrivain ?*, Hachette, « Vertige policier », 1997.

– Scheffler Ursel, Unzner Christa, *L'Homme au gant noir*, trad. Michelle Nikly, Nord-Sud, « C'est moi qui lis », 1999.

– Sharp Allen, *L'Héritière terrorisée*, trad. Jackie Landreaux-Valabrègue, Hachette, « Bibliothèque verte », 1990.

– Sharp Allen, *La Maison évanouie*, trad. Sandrine Vespieren, Hachette, « Bibliothèque verte », 1992.

– Shipton Paul, *Tirez pas sur le scarabée !*, trad. Thomas Bauduret, Hachette, « Verte aventure policière », 1996.

– Simard Éric, *On a volé mon vélo !*, Syros, « Mini souris aventure », 2000.

– Solet Bertrand, *Surf en eau trouble*, Hachette, « Vertige policier », 1997.

– Stewart Linda, *Sam s'en mêle*, trad. Monique Manin, Flammarion, « Castor poche, mystère policier junior », 1997.

– Streiff Gérard, *Les Pilleurs de fresques*, Magnard, « Les Policiers », 1999.

– Tenor Arthur, *L'Affaire du musée*, Magnard, « Les P'tits policiers », 1999.

– Toupet Armand, *La Vengeance du chat*, Magnard, « Les Policiers », 1998.

– Toupet Armand, *La Boîte à malices*, Magnard, « Les P'tits policiers », 1999.

– Vilar Jean-François, *La Doublure*, Nathan, « Arc en poche », 1990.

– Villard Marc, *Les Doigts rouges*, Syros, « Mini souris noire », 1987, rééd. 1997.

– Wagneur Alain, *La classe connaît la musique*, Gallimard, « Folio junior », 2000.

– Zay Dominique, *Magic micmac*, Magnard, « Les Policiers », 1997.

– Zay Dominique, *Malice au pays des magouilles*, Magnard, « Les Policiers », 1999.

▲ Pour les 6ᵉ-5ᵉ

Titres parus dans des collections pour la jeunesse

– Agénor Monique, *Le Châtiment de la déesse*, Syros, « Souris noire », 2000.

– Aubert Brigitte, Cavali Gisèle, *Ranko Tango*, Seuil, « Fiction jeunesse », 1999.

– Benson Stéphanie, *L'Inconnue dans la maison*, Syros, « Souris noire », 1998.

– Brisou-Pellen Évelyne, *Le Crâne percé d'un trou*, Gallimard, « Folio junior », 1998.

– Brisou-Pellen Évelyne, *La Bague aux trois hermines*, Milan, « Poche junior polar », 1991, rééd. 1999.

– Bunting Eve, *Qui se cache à Alcatraz ?*, trad. Barbara Nasaroff, Hachette, « Verte aventure policière », 1994.

– Cohen-Scali Sarah, *Mauvais Plan*, Hachette, « Éclipse », 1998. Nouvelle édition sous le titre *Mauvais Sangs*, Flammarion, « Tribal », 2000.

– Convard Didier, *Dix petits Blacks*, Magnard, « Les Policiers », 1998.

– Craipeau Jean-Loup, *Gare au carnage, Amédée Petipotage !*, Nathan, « Pleine lune policier », 1988, rééd. 1994.

– Delerm Martine, *Meurtre à Honfleur*, Magnard, « Les Policiers », 1997.

– Delerm Martine, *L'Anse rouge*, Magnard, « Les Policiers », 1998.

– Deleuse Robert, *Un pavé dans la mare*, Syros, « Souris noire », 1992, rééd. 1998.

– Fajardie Frédéric H., *La Planque*, Syros, « Souris noire », 1996, rééd. 1998.

– Fall Éric Linden, *La Fabrique de savon*, L'École des loisirs, « Médium », 1995.

– Ferdjoukh Malika, *L'Assassin de papa*, Syros, « Souris noire », 1989, rééd. 1997.

– Ferdjoukh Malika, *Embrouille à minuit*, Syros, « Souris noire », 1989, rééd. 1997.

– FIGUIÉ Sandrine, *La Souillarde*, Syros, « Souris noire », 1992.
– GADRIEL Paul, SERGENT Bruno, *Callaghan prend les commandes*, Gallimard, « Folio junior », 1997.
– GIORDA, *L'Incendiaire*, LGF, « Le Livre de poche jeunesse », 1995.
– GRENIER Christian, *Coups de théâtre*, Rageot, « Cascade policier », 1994.
– GRISOLIA Michel, *Menace dans la nuit*, Bayard Poche, « Je bouquine », 1991.
– GROUSSARD Valérie, *Qui a tué Sonia ?*, Hachette, « Verte aventure policière », 1991.
– HALTER Paul, *Meurtre à Cognac*, Hachette, « Éclipse », 1999.
– HOROWITZ Anthony, *Devine qui vient tuer ?*, trad. Annick Le Goyat, Hachette, « Verte aventure policière », 1993.
– HUGO Hector, *Lambada pour l'enfer*, Syros, « Souris noire », 1993, rééd. 1997.
– JEFFRIES Roderic, *Les Horloges de la nuit*, trad. Laurence Kiéfé, Nathan, « Pleine lune policier », 1983, rééd. 1995.
– JONQUET Thierry, *La Bombe humaine*, Syros, « Souris noire », 1994.
– JONQUET Thierry, *Lapoigne et l'ogre du métro*, Nathan, « Pleine lune », 1994.
– KORB Liliane, LEFÈVRE Laurence, *L'Étrange Affaire Plumet*, Flammarion, « Castor poche, mystère policier senior », 1996.
– LÉCRIVAIN Olivier, *Les Poings serrés*, Flammarion, « Castor poche, mystère policier senior », 1984, rééd. 1996.
– LOU Virginie, *Le Miniaturiste*, Gallimard, « Page noire », 1996.
– LUCARELLI Carlo, *Fièvre jaune*, trad. Anne-Céline Bernard, Hachette, « Vertige policier », 1998.
– MASTERS Anthony, *L'Île du docteur West*, trad. Marianne Costa, Hachette, « Verte aventure policière », 1993.
– MESTRON Hervé, *La Peur au ventre*, Syros, « Souris noire », 1999.
– MIRANDE Jacqueline, *Double Meurtre à l'abbaye*, Flammarion, « Castor poche, suspense senior », 1998.
– MISSONNIER Catherine, *On ne badine pas avec les tueurs*, Gallimard, « Folio junior », 2000.
– MONCOMBLE Gérard, *Un privé chez les Nababs*, Syros, « Souris noire », 1997.
– MONCOMBLE Gérard, *Romain Gallo contre Charles Perrault*, Milan, « Poche junior polar », 1991, rééd. 1999.
– MONCOMBLE Gérard, *Fabuleux Romain Gallo !*, Milan, « Poche junior polar », 1992, rééd. 1999.
– MURAIL Marie-Aude, *L'assassin est au collège*, L'École des loisirs, « Médium », 1992.
– MURAIL Marie-Aude, *La dame qui tue*, L'École des loisirs, « Médium », 1993.

- MURAIL Marie-Aude, *Rendez-vous avec Monsieur X*, L'École des loisirs, « Médium », 1998.
- NICODÈME Béatrice, *Un rival pour Sherlock Holmes*, Hachette, « Vertige policier », 1996.
- NICODÈME Béatrice, *Wiggins et le perroquet muet*, Syros, « Souris noire », 1997.
- NICODÈME Béatrice, *Chapeau, Agathe!*, Hachette, « Vertige policier », 1997.
- NOZIÈRE Jean-Paul, *Les Assassins du cercle rouge*, Flammarion, « Castor poche, mystère policier senior », 1997[1].
- OPPEL Jean-Hugues, *Ippon*, Syros, « Souris noire », 1997.
- PAVLOFF Franck, *Pinguino*, Syros, « Souris noire », 1997.
- PAVLOFF Franck, *Le squat résiste*, Syros, « Souris noire », 1997.
- PAVLOFF Franck, *Menace sur la ville*, Albin Michel, « Le Furet enquête », 1998.
- PELOT Pierre, *Le Père Noël s'appelle Basile*, Syros, « Souris noire », 1993, rééd. 1998.
- PÉRIGOT Joseph, *L'Escrocœur*, Bayard Poche, « Je bouquine », 1994.
- PERRIN Michel, *Monstre à la gomme*, Magnard, « Les Policiers », 1999.
- PHIPSON Joan, *La Chasse*, trad. Jackie Valabrègue, Hachette, « Aventure policière », 1991.
- POSLANIEC Christian, *Le Treizième Chat noir*, L'École des loisirs, « Neuf », 1992.
- POSLANIEC Christian, *Le Boucher sanglant*, Milan, « Zanzibar policier », 1997.
- POSLANIEC Christian, *Le Douzième Poisson rouge,* L'École des loisirs, « Neuf », 1998.
- POUCHAIN Martine, *Meurtres à la cathédrale*, Gallimard, « Folio junior », 2000.
- SLOCOMBE Romain, LAVAULT Étienne, *Malédiction à Chinatown*, Hachette, « Verte aventure policière », 1994.
- VÉNULETH Jacques, *L'assassin n'aime pas la corrida*, Milan, « Zanzibar », 1993.

Titres initialement parus dans une collection pour adultes, puis repris dans une collection pour la jeunesse

- BUCHAN John, *Les Trente-Neuf Marches*, Flammarion, « Père Castor », 1995.
- CHRISTIE Agatha, *Le Meurtre de Roger Ackroyd*, trad. Françoise Jamoul,

---

1. Une première version de ce roman est parue, en 1990, dans la collection « Verte aventure policière », chez Hachette, sous le titre : *Le Ventre du Bouddha*. La comparaison entre les deux versions peut faire l'objet d'une activité intéressante.

LCE, « Le Masque », 1996, rééd. 2000 ; trad. Miriam Dou-Desportes, Hachette, « Vertige policier », 1996.

– CHRISTIE Agatha, *Dix petits nègres*, trad. Gérard de Chergé, Hachette, « Vertige policier », 1997.

– DOYLE Arthur Conan, *Le Signe des quatre*, trad. Michel Landa, Hachette, « Vertige policier », 1997.

– DOYLE Arthur Conan, *L'Aventure du pied du diable*, trad. Jean Esch, Syros, « Souris noire », 1999.

– DOYLE Arthur Conan, *Les Aventures de Sherlock Holmes*, tome I, trad. Stéphanie Benson, Milan, « Poche junior polar », 2000.

– GABORIAU Émile, *Le Petit Vieux des Batignolles*, Deux Coqs d'Or, « Mot de passe... », 1997.

– POE Edgar Allan, *La Lettre volée*, trad. Charles Baudelaire, Hachette, « Côté court », 2000.

– STEEMAN Stanislas-André, *L'Infaillible Silas Lord*, Hachette, « Vertige policier », 1997.

– VÉRY Pierre, *Les Héritiers d'Avril*, Hachette, « Verte aventure policière », 1993.

– VÉRY Pierre, *Signé : Alouette*, Hachette, « Verte aventure policière », 1994.

– WILLIAMS Charles, *Fantasia chez les ploucs*, trad. Marcel Duhamel, Gallimard, « Série noire », 1956 ; « Folio junior », 1999.

Titres parus dans des collections pour adultes

– FRANCIS Dick, *L'Amour du mal*, trad. Évelyne Châtelain, Belfond, 1998.

– FRANCIS Dick, *Jusqu'au cou*, trad. Évelyne Châtelain, Belfond, 1999 ; 10-18, « Grands détectives », 2000.

– LESELEUC Anne de, *Les Vacances de Marcus Aper*, 10-18, « Grands détectives », 1992.

– LESELEUC Anne de, *Marcus Aper et Laureolus*, 10-18, « Grands détectives », 1994.

– PETERS Ellis, *Une rose pour loyer*, trad. Serge Chwat, 10-18, « Grands détectives », 1992.

– PETERS Ellis, *Frère Cadfael fait pénitence*, trad. Claude Bonnafont, 10-18, « Grands détectives », 1995.

– SEDLEY Kate, *La Cape de Plymouth*, trad. Claude Bonnafont, 10-18, « Grands détectives », 1998.

– SEDLEY Kate, *La Chanson du trouvère*, trad. Claude Bonnafont, 10-18, « Grands détectives », 1999.

▲ Pour les 4ᵉ-3ᵉ-2ᵈᵉ

Titres parus dans des collections pour la jeunesse

- CORAN Pierre, *Mémoire blanche*, Seuil, « Fiction jeunesse », 1997.
- DELTEIL Gérard, *Paquet choc*, Syros, « Souris noire plus », 1990.
- FERDJOUKH Malika, *Fais-moi peur!*, L'École des loisirs, « Médium », 1995.
- FERDJOUKH Malika, *Sombres Citrouilles*, L'École des loisirs, « Médium », 1999.
- GRENIER Christian, *Arrêtez la musique!*, Rageot, « Cascade policier », 1999.
- HALTER Paul, *Le Cercle invisible*, Hachette, « Bibliothèque verte », 1999.
- HUGUES Yves, *Vieilles Neiges*, Gallimard, « Page blanche », 1994.
- HUGUES Yves, *Fausse Note*, Gallimard, « Page noire », 1996.
- LUCARELLI Carlo, *Jolies Jambes Nikita*, trad. Marianne Costa, Hachette, « Éclipse », 1998.
- MARTIN Andreu, RIBERA Jaume, *La Sardine*, trad. Jean-Paul Desgoutte, Hachette, « Verte aventure policière », 1990.
- MARTIN Andreu, RIBERA Jaume, *Tous les détectives s'appellent Flanagan*, Gallimard, « Page noire », 1998.
- NOZIÈRE Jean-Paul, *Bye-bye Betty*, Gallimard, « Page blanche », 1993.
- NOZIÈRE Jean-Paul, *Pas de pourliche pour Miss Blandiche*, Gallimard, « Page noire », 1996.
- PAVLOFF Franck, *Prise d'otage au soleil*, Nathan, « Lune noire », 2000.
- PRIN Gilles, *Mona Love, la nuit*, Syros, « Souris noire plus », 1992.
- RAYNAL Patrick, BLANC Jean-Noël, BAROCHE Christiane, BENACQUISTA Tonino, MERLE Jean-François, NOZIÈRE Jean-Paul, LACLAVETINE Jean-Marie, JONQUET Thierry, JAOUEN Hervé, HUGUES Yves, SAUMONT Annie, ARROU-VIGNOD Jean-Philippe, *Pages noires* (nouvelles), Gallimard, « Page noire », 1995.
- RIVAIS Yak, *Les Enquêtes de Glockenspiel*, L'École des loisirs, « Médium », 1999.

Titres initialement parus dans une collection pour adultes, puis repris dans une collection pour la jeunesse

- CHRISTIE Agatha, *Mort sur le Nil*, trad. Louis Postif, Hachette, « Vertige policier », 1996.
- CHRISTIE Agatha, *Le Chat et les pigeons*, trad. Jean Brunoy, Hachette, « Bibliothèque verte », 1997.
- CHRISTIE Agatha, *Le Crime de l'Orient-Express*, trad. Louis Postif, LGF, « Le Livre de poche jeunesse », 1997.

– DOYLE Arthur Conan, *Une étude en rouge*, trad. Pierre Baillargeon, Gallimard, « Folio junior », 1994.

– DOYLE Arthur Conan, *Le Ruban moucheté et autres aventures de Sherlock Holmes* (nouvelles), trad. Bernard Tourville, Gallimard, « Folio junior », 1995.

– DOYLE Arthur Conan, *Le Chien de Baskerville*, trad. Bernard Tourville, Gallimard, « Folio junior », 1999.

– DUGUËL Anne, LORRAIN Jean, VERGA Giovanni (trad. Marguerite Pozzoli), BELLETTO René, HIGHSMITH Patricia (trad. Marie-France de Paloméra), DELAU Olivier, ZIMMERMANN Daniel, O'BRIEN Tim, *Crimes et/sans châtiments* (nouvelles), Hachette, « Courts toujours », 1997.

– FUTRELLE Jacques, *Le Problème de la cellule 13*, trad. Isabelle Reinharez, Syros, « Souris noire », 1999.

– HIGGINS CLARK Mary, *La Nuit du renard*, trad. Anne Damour, Magnard, « Classiques et contemporains », 2000.

– IRISH William, *Une incroyable histoire*, Syros, « Souris noire », 1998.

– LEBLANC Maurice, *Arsène Lupin. L'agence Barnett et Cie*, Flammarion, « Castor poche, mystère policier senior », 1995.

– LEBLANC Maurice, DICKSON CARR John (trad. Maurice-Bernard Endrèbe), ARTHUR Robert (trad. Pierre Billon), ASIMOV Isaac (trad. Michèle Valencia), BROWN Fredric (trad. Gérard de Chergé), LUTZ John (trad. Michel Deutsch), SMITH Pauline C. (trad. Christian Roart), WESTLAKE Donald (trad. P. J. Isabelle), *Crimes parfaits* (nouvelles), L'École des loisirs, « Médium », 1999.

– LEROUX Gaston, *Le Mystère de la chambre jaune*, Milan, « Poche junior polar », 2000.

– LEROUX Gaston, *Le Parfum de la dame en noir*, Milan, « Poche junior polar », 2000.

– LEROUX Gaston, *Le Fauteuil hanté*, Gallimard, « Folio junior », 1995.

– POE Edgar Allan, *Double Assassinat dans la rue Morgue*, trad. Charles Baudelaire, Gallimard, « Folio junior », 1998.

Titres parus dans des collections pour adultes

– ARSENEVA Elena, *Ambre mortel*, 10-18, « Grands détectives », 1998.

– BLOCK Lawrence, *Le voleur qui aimait Mondrian*, trad. Daniel Lemoine, Gallimard, « Série noire », 1995.

– BOILEAU-NARCEJAC, *Quarante ans de suspense* (10 romans, 2 pièces de théâtre, 3 nouvelles, des articles), Robert Laffont, « Bouquins », 1988, rééd. 1998.

– BOUIN Philippe, *Implacables Vendanges*, Viviane Hamy, « Chemins nocturnes », 2000.

– BROWN Fredric, *Un cadavre au clair de lune*, trad. Jacqueline Lenclud, Clancier-Guénaud, 1986 ; 10-18, « Grands détectives », 1994.

– BROWN Fredric, *Le mort a ses entrées*, trad. Jacqueline Lenclud, Clancier-Guénaud, 1988 ; 10-18, « Grands détectives », 1996.

– CARVIC Heron, *Miss Seeton persiste et signe*, trad. Dominique Dupont-Viau, 10-18, « Grands détectives », 1997.

– CHARLES Hampton, *Miss Seeton prend l'avantage*, trad. Katia Holmes, 10-18, « Grands détectives », 1998.

– CHRISTIE Agatha, *Dix brèves rencontres* (nouvelles), trad. Roger Durand, Miriam Dou, Monique Thies, Dominique Mols, Claire Durivaux, LCE, « Le Masque », 1983, rééd. 2000.

– COLERIDGE Nicholas, *Protège-moi de mes amis...*, trad. Philippe Rouard, Hachette, « Le Livre de poche », 2000.

– DICKSON CARR John, *Il n'aurait pas tué Patience*, trad. Guite Barbet Massin, LCE, « Le Masque », 1990.

– DICKSON CARR John, *Trois cercueils se refermeront*, trad. Hélène Amalric, LCE, « Le Masque », 1991.

– FÉREY Caryl, *Les Causes du Larzac*, éditions Lignes noires, 2000.

– FILOCHE Pierre, *Lucky Rapt*, Canaille, « Revolver », 1994.

– FRANCIS Dick, *Vol dans le van*, trad. Jacques Hall, Gallimard, « Série noire », 1968 ; 10-18, « Grands détectives », 1995.

– FRANCIS Dick, *À couteaux tirés*, trad. Évelyne Châtelain, Calmann-Lévy, « Suspense », 1996.

– FUTRELLE Jacques, *Treize enquêtes de La Machine à Penser* (nouvelles), trad. Carole Gratias et Danièle Grivel, Rivages, « Mystère », 1998.

– GRACE C.-L., *Meurtres dans le sanctuaire*, trad. Founi Guiramand, 10-18, « Grands détectives », 1999.

– GRACE C.-L., *L'Œil de Dieu*, trad. Founi Guiramand, 10-18, « Grands détectives », 1999.

– GRISHAM John, *Le Client*, trad. Patrick Berthon, Robert Laffont, « Best sellers », 1997.

– GRISHAM John, *L'Idéaliste*, trad. Éric Wessberge, Robert Laffont, « Best sellers », 1997.

– GRISOLIA Michel, *La Maison mère*, LCE, « Le Masque », 1994.

– GRISOLIA Michel, *L'Homme aux yeux tristes*, LCE, « Le Masque », 1994.

– HALTER Paul, *À 139 pas de la mort*, LCE, « Le Masque », 1994.

– HAMMETT Dashiell, *Sang maudit*, trad. Henri Robillot, Gallimard, « Folio policier », 1998.

– HAMMETT Dashiell, *La Clé de verre*, trad. P. J. Herr, Gallimard, « Folio policier », 1998.

– JACKSON BRAUN Lilian, *Le chat qui racontait des histoires* (nouvelles), trad. Marie-Louise Navarro, 10-18, « Grands détectives », 1992.

– JACKSON BRAUN Lilian, *Le chat qui sniffait de la colle*, trad. Marie-Louise Navarro, 10-18, « Grands détectives », 1998.

– JACKSON BRAUN Lilian, *Le chat qui volait une banque*, trad. Marie-Louise Navarro, 10-18, « Grands détectives », 2000.

- KAMINSKY Stuart, *L'Affaire Howard Hugues* (paru en 1980, en « Série noire », sous le titre : *Le Fondu déchaîné*), trad. Simone Hilling, 10-18, « Grands détectives », 2000.
- KING Stephen, *Misery*, trad. William Olivier Desmond, J'ai lu, « Épouvante », 1991.
- KORB Liliane, LEFÈVRE Laurence, *Sang dessus dessous*, Viviane Hamy, « Chemins nocturnes », 1999.
- LECAYE Alexis, *Julie Lescaut*, LCE, « Le Masque », 1992.
- MALET Léo, *Un croque-mort nommé Nestor*, Presses de la Cité, 1991.
- MALET Léo, *Casse-pipe à la Nation*, Fleuve noir, 1995.
- MALET Léo, *Brouillard au pont de Tolbiac*, Fleuve noir, 1999 (avec photographies) ; Pocket, « Classiques », 1999.
- MALET Léo, *120, rue de la Gare*, Fleuve noir, 1983 ; 10-18, « Grands détectives », 2000.
- MALET Léo, TARDI Jacques, *Casse-pipe à la Nation* (bande dessinée), Casterman, « Les romans (À suivre) », 1996.
- MALET Léo, TARDI Jacques, *120, rue de la Gare* (bande dessinée), Casterman, « Les romans (À suivre) », 1996.
- MALET Léo, TARDI Jacques, *Brouillard au pont de Tolbiac* (bande dessinée), Casterman, « Les romans (À suivre) », 1997.
- MAUREL Jean-Pierre, *Malaver s'en mêle*, Viviane Hamy, « Chemins nocturnes », 1994.
- NICODÈME Béatrice, *Défi à Sherlock Holmes*, Fleuve noir, 1993.
- PETERS Ellis, *La Vierge dans la glace*, trad. Isabelle di Natale, 10-18, « Grands détectives », 1990.
- POUY Jean-Bernard, *Larchmütz 5632*, Gallimard, « Série noire », 1999.
- SEIGNEUR Olivier, *Des lapins et des hommes*, LCE, « Le Masque », 1994.
- STEEMAN Stanislas-André, *Madame la mort*, LCE, « Le Masque », 1996.
- STEEMAN Stanislas-André, *Le condamné meurt à cinq heures*, LCE, « Le Masque », 1996.
- TERREL Alexandre, *Le croque-mort s'en mord les doigts*, LCE, « Le Masque », 1990.
- *25 histoires de chambres closes* (nouvelles), anthologie de Roland Lacourbe, L'Atalante, 1997.

▲ Pour les 1ʳᵉ-Tˡᵉ et au-delà

Titres parus dans des collections pour adultes

- AMILA Jean, *La Lune d'Omaha*, Gallimard, « Série noire », 1995.
- AMILA Jean, *Au balcon d'Hiroschima*, Gallimard, « Série noire », 1997.
- AMILA Jean, *La Nef des dingues*, Gallimard, « Série noire », 1995.
- ASIMOV Isaac, *Le Club des veufs noirs* (nouvelles), trad. Jean-Claude Zylberstein, 10-18, « Grands détectives », 1989, rééd. 1997.

- AUBERT Brigitte, *La Mort des bois*, Seuil, « Policiers », 1996.
- BENACQUISTA Tonino, *Les Morsures de l'aube*, Rivages, « Noir », 1992.
- BENACQUISTA Tonino, *La Maldonne des sleepings*, Gallimard, « Série noire », 1989, rééd. 1998.
- BENACQUISTA Tonino, *Trois carrés rouges sur fond noir*, Gallimard, « Folio policier », 1999.
- BIALOT Joseph, *Vous prendrez bien une bière ?*, Gallimard, « Série noire », 1997.
- BLOCK Lawrence, *Huit millions de façons de mourir : huit millions de morts en sursis*, trad. Rosine Fitzgerald, Gallimard, « Série noire », 1985, rééd. 1992.
- BLOCK Lawrence, *Des fois ça mord* (nouvelles), trad. M. Charvet, Gallimard, « Série noire », 1985, rééd. 1997.
- BRETT Simon, *Salades grecques*, trad. F.-M. Watkins, LCE, « Le Masque », 1992.
- BRETT Simon, *D'amour et d'eaux troubles*, trad. Hélène Narbonne, LCE, « Le Masque », 1993.
- BROWN Fredric, *Les asticots ne sont pas des anges* (deux romans, quatre nouvelles), trad. Stéphane Bourgoin, Fleuve noir, « Super poche », 1994.
- BROWN Fredric, *Schnock corridor* (nouvelles), trad. Gérard de Chergé, Les Belles Lettres, « Le Cabinet noir », 1998.
- BROWN Fredric, *Homicide mode d'emploi* (nouvelles), trad. Gérard de Chergé, Néo, 1986 ; Les Belles Lettres, « Le Cabinet noir », 1999.
- CAIN James, *Le facteur sonne toujours deux fois*, trad. Sabine Berritz, Gallimard, « Série noire », 1948 ; « Folio policier », 2000.
- CHANDLER Raymond, *La Dame du lac*, trad. Michèle et Boris Vian, Gallimard, « Série noire », 1948, rééd. 1998.
- CHANDLER Raymond, *La Grande Fenêtre*, trad. Renée Levasseur et Marcel Duhamel, Gallimard, « Série noire », 1949 ; « Folio policier », 1999.
- CHANDLER Raymond, *Fais pas ta rosière !*, trad. S. Jacquemont et J.-G. Marquet, Gallimard, « Série noire », 1950 ; « Folio policier », 1998.
- CHANDLER Raymond, PARKER Robert B., *Marlowe emménage*, trad. Janine Hérisson, Gallimard, 1990.
- CHASE James Hadley, *Couche-la dans le muguet*, trad. Catherine Grégoire et Henri Collard, Gallimard, « Série noire », 1950, rééd. 1998.
- CHASE James Hadley, *Voir Venise et crever*, trad. Noël Grison, Gallimard, « Série noire », 1954, rééd. 1998.
- CHASE James Hadley, *Ça ira mieux demain*, trad. F.-M. Watkins, Gallimard, « Série noire », 1983, rééd. 1998.
- COOK Robin, *Quand se lève le brouillard rouge*, trad. Jean-Paul Gratias, Rivages, « Thriller », 1994.
- CORNWELL Patricia, *Et il ne restera que poussière...*, trad. Gilles Berton, LCE, « Le Masque », 1993, rééd. 1998.

– CORNWELL Patricia, *Mordoc*, trad. Hélène Narbonne, Calmann-Lévy, 1997 ; LGF, « Le Livre de poche », 1999.

– CORNWELL Patricia, *La Séquence des corps*, LCE, « Le Masque », 1995 ; LGF, « Le Livre de poche », 1999.

– CORNWELL Patricia, *Combustion*, trad. Hélène Narbonne, Calmann-Lévy, 1999 ; LGF, « Le Livre de poche », 2000.

– CRABB Ned, *La bouffe est chouette à Fatchakulla !*, trad. Sophie Mayoux, Gallimard, « Série noire », 1980, rééd. 1995.

– DAENINCKX Didier, *Meurtres pour mémoire*, Gallimard, « Folio policier », 1998.

– DAENINCKX Didier, *La mort n'oublie personne*, Gallimard, « Folio policier », 1999.

– DANTEC Maurice G., *Les Racines du mal*, Gallimard, « Série noire », 1995.

– DELTEIL Gérard, *Les Huit Dragons de jade*, éditions Philippe Picquier, « Poche », 1997.

– DELTEIL Gérard, *La Peau des autres*, Denoël, « Sueurs froides », 1997.

– DEMOUZON Alain, *La Promesse de Melchior*, Calmann-Lévy, 2000.

– DESSAINT Pascal, *Du bruit sous le silence*, Rivages, « Noir », 1999.

– ECO Umberto, *Le Nom de la rose*, trad. Jean-Noël Schifano, Grasset, 1982 ; LGF, « Le Livre de poche », 1992.

– GERRARD Paul, *La Porsche jaune*, LCE, « Le Masque », 1991.

– HALTER Paul, *La Tête du tigre*, LCE, « Le Masque », 1991.

– HANOTTE Xavier, *De secrètes injustices*, Belfond, 1998.

– HIGGINS CLARK Mary, *Nous n'irons plus au bois*, trad. Anne Damour, LGF, « Le Livre de poche », 1995.

– HIGGINS CLARK Mary, *Tu m'appartiens*, trad. Anne Damour, LGF, « Le Livre de poche », 2000.

– HILLERMAN Tony, *Le Peuple de l'ombre*, trad. Jane Fillion, Gallimard, « Folio », 1998.

– HILLERMAN Tony, *Un homme est tombé*, trad. Danièle et Pierre Bondil, Rivages, « Noir », 2000.

– IZZO Jean-Claude, *Total Khéops*, Gallimard, « Série noire », 1995.

– IZZO Jean-Claude, *Chourmo*, Gallimard, « Série noire », 1996.

– IZZO Jean-Claude, *Solea*, Gallimard, « Série noire », 1998.

– JAPP Andréa H., *La Femelle de l'espèce*, LCE, « Le Masque », 1996.

– JAPP Andréa H., *La Raison des femmes*, LCE, « Le Masque », 1998 ; LGF, « Le Livre de poche », 2000.

– JONQUET Thierry, *Moloch*, Gallimard, « Série noire », 1998.

– LEBRUN Michel, *Autoroute*, Rivages, « Noir », 1993.

– LE CARRÉ John, *La Petite Fille au tambour*, trad. Natalie Zimmermann et Lorris Murail, Robert Laffont, 1983 ; LGF, « Le Livre de poche », 1995.

– LECAYE Alexis, *Einstein et Sherlock Holmes*, Rivages, « Poche mystère », 1996.

– LEGENDRE Claire, *Making of*, éditions Hors commerce, « Hors noir », 1998.

– LIEBERMAN Herbert, *La Fille aux yeux de Botticelli*, trad. Jean Esch, Seuil, « Policiers », 1996.

– LIEBERMAN Herbert, *Le Concierge*, trad. Jean Esch, Seuil, « Points », 1998.

– LUDLUM Robert, *La Conspiration Trevayne*, trad. Patrick Berthon, Pocket, 1998.

– MANCHETTE Jean-Pierre, *L'Affaire N'Gustro*, Gallimard, « Folio policier », 1999.

– McBAIN Ed, *Le Sourdingue*, trad. Rosine Fitzgerald, Gallimard, « Série noire », 1997.

– McBAIN Ed, *Calypso*, trad. Rosine Fitzgerald, Gallimard, « Série noire », 1999.

– McBAIN Ed, *Un poulet chez les spectres*, trad. Rosine Fitzgerald, Gallimard, « Série noire », 1999.

– McBAIN Ed, *La Dernière Danse*, trad. Jacques Martinache, Presses de la Cité, « Policiers », 2000.

– McDONALD Patricia, *Expiation*, trad. Roxanne Azimi, Albin Michel, « Spécial suspense », 1996 ; LGF, « Le Livre de poche thriller », 1998.

– McDONALD Patricia, *La Double Mort de Linda*, trad. William Olivier Desmond, Albin Michel, 1994 ; LGF, « Le Livre de poche thriller », 1999.

– MONBRUN Estelle, *Meurtre chez tante Léonie*, Viviane Hamy, « Chemins nocturnes », 1994.

– MOSCONI Patrick, *La Nuit apache*, Gallimard, « Folio », 1996.

– OPPEL Jean-Hugues, *Cartago*, Rivages, « Noir », 2000.

– PARETSKY Sara, *Sous le feu des protecteurs*, trad. Annie Hamel, LCE, « Le Masque », 1993.

– PARETSKY Sara, *Angle mort*, trad. Annie Hamel, LCE, « Le Masque », 1995.

– PARKER Robert B., *La poupée pendouillait*, trad. Rosine Fitzgerald, Gallimard, « Série noire », 1991.

– PARKER Robert B., *Un passé pas si simple*, trad. Olivier Vovelle, Gallimard, « Série noire », 1992.

– PÉNIDE Dominique, *La Pension Myosotis*, Climats, « Sombres climats », 2000.

– PENNAC Daniel, *Au bonheur des ogres*, Gallimard, « Série noire », 1985 ; « Folio », 1997.

– PENNAC Daniel, *La Fée Carabine*, Gallimard, « Série noire », 1987 ; « Folio », 1997.

– PÉRIGOT Joseph, *Le Dernier des grands romantiques*, Actes sud, 1987 ; « Babel noir », 1997.

– POSLANIEC Christian, *Les Fous de Scarron*, LCE, « Le Masque », 1990.

– POSLANIEC Christian, *Le Mal des fleurs*, Baleine, « Canaille/revolver », 1998.

– POUY Jean-Bernard, *La Belle de Fontenay*, Gallimard, « Folio policier », 1999.

– PRONZINI Bill, *Jackpot*, trad. Noël Chassériau, Gallimard, « Série noire », 1991.

– QUENTIN Patrick, *Puzzles* (7 romans), Presses de la Cité, « Omnibus », 1990.

– REBOUX Jean-Jacques, *Le Massacre des innocents*, Baleine, « Instantanés de polar », 1995.

– RÉOUVEN René, *Histoires secrètes de Sherlock Holmes*, Denoël, « Sueurs froides », 1993.

– SAN-ANTONIO, *Ceci est bien une pipe*, Fleuve noir, 1999.

– SCERBANENCO Giorgio, *Péchés et vertus* (nouvelles), trad. Guillaume Chpaltine, 10-18, « Grands détectives », 1992.

– SYLVAIN Dominique, *Vox*, Viviane Hamy, « Chemins nocturnes », 2000.

– TABACHNIK Maud, *Gémeaux*, Viviane Hamy, « Chemins nocturnes », 1998.

– THIÉRY Danielle, *Mises à mort*, Robert Laffont, 1998.

– THOMPSON Jim, *1275 âmes*, trad. Marcel Duhamel, Gallimard, « Folio », 1998.

– UPFIELD Arthur, *Un vent du diable*, trad. Michèle Valencia, 10-18, « Grands détectives », 1998.

– UPFIELD Arthur, *Le Récif aux espadons*, trad. Michèle Valencia, 10-18, « Grands détectives », 2000.

– VAN DE WETERING Janwillem, *Le Chasseur de papillons*, trad. Isabelle Glasberg, Rivages, « Noir », 1990.

– VAN GULIK Robert, *Le Jour de grâce*, trad. Philippe Meyniel, 10-18, « Grands détectives », 1998.

– VILAR Jean-François, *Les Exagérés*, Seuil, « Fiction & Cie », 1989 ; « Points », 1990.

– VILLEMOT Jean-Marie, *L'Œil mort*, Gallimard, « Série noire », 2000.

– WESTLAKE Donald, *Ordo*, trad. Jean-Patrick Manchette, Rivages, « Noir », 1995.

– WESTLAKE Donald, *Kahawa*, trad. Jean-Patrick Manchette, Rivages, « Noir », 1997.

– WILLIAMS Charles, *Bye-bye bayou*, trad. Jane Fillion, Gallimard, « Folio », 1995.

▲ Sélection d'articles et d'ouvrages de référence

– ALMEIDA Pierre (d'), « Le roman policier dans la littérature », *813*, n° 69, 1999.

– AMOSSY Ruth, HERSCHBERG-PIERROT Anne, *Stéréotypes et clichés, langue, discours, société*, Nathan, 1997.

– AMSTUTZ Christian, « Des aides à l'écriture narrative (ou comment lancer des élèves en grande difficulté dans l'écriture d'une nouvelle policière) », *Pratiques*, n° 18, 1993.

– BAUDOU Jacques, « Isola song », *Polar*, n° 9, 1980.

– BAYARD Pierre, *Qui a tué Roger Ackroyd ?*, Minuit, « Paradoxe », 1998.

– BOILEAU Pierre, « L'art du roman policier », in *Boileau-Narcejac. Quarante ans de suspense*, Robert Laffont, « Bouquins », 1998.

– BOILEAU-NARCEJAC, *Le Roman policier*, PUF, 1975 ; « Quadrige », 1994.

– BOURDIN Jean-Noël, HOUYEL Christine, LEROY Josette, *De l'album au roman. Mallette de livres pour la jeunesse, cycle 3*, Inspection académique de la Sarthe, 2000.

– BROWN Fredric, « Où trouvez-vous vos intrigues ? », trad. Gérard de Chergé, *Polar*, n° 23, 1982.

– DEMOUZON Alain, « Le roman de genre : la montée du polar français », *813*, n° 59, 1997.

– DEROUARD Jacques, *Maurice Leblanc, Arsène Lupin malgré lui*, Séguier, 1989.

– DUBOIS Jacques, « Un agent double dans le champ littéraire : le policier », *Pratiques*, n° 50, 1986.

– DUBOIS Jacques, *Le Roman policier ou la modernité*, Nathan, « Le Texte à l'œuvre », 1992.

– GION Marie-Luce, SLAMA Pierrette, *Lire et écrire avec le roman policier. Cycle 3, 6e, 5e*, CRDP académie de Créteil, « Argos démarches », 1997.

– HOUYEL Christine, POSLANIEC Christian, « De l'album au roman : le genre policier », *L'École des lettres*, n° 9, 1996.

– MASSERON Caroline, « Écrire des récits d'énigme criminelle », *Pratiques*, n° 88 : « Écrire des récits », 1994.

– MILÉSI Raymond, « San-Antonio : mode d'emploi. Un guide de lecture inédit », in San-Antonio, *Ceci est bien une pipe*, Fleuve noir, 1999.

– NARCEJAC Thomas, « Le roman policier noir », in *Boileau-Narcejac. Quarante ans de suspense*, Robert Laffont, « Bouquins », 1998.

– NOYÈRE Arielle, CONSTANT Marylène, « Les bottes de sept lieues : approche de la notion de genre narratif », *Recherches*, n° 12, AFEF Lille, 1990.

– POSLANIEC Christian, *De la lecture à la littérature*, Le Sorbier, 1992.

– POSLANIEC Christian, « Crimes parfaits : étudier la forme de la nouvelle », *L'École des lettres*, n° 4, 1999.

– POSLANIEC Christian, « Crimes parfaits : écriture d'une nouvelle policière », *L'École des lettres*, n° 8, 1999.

– POUY Jean-Bernard, « Descendons du marronnier ou dix trucs désormais à éviter quand on veut écrire un polar, et si c'est dix, c'est pour faire un compte rond parce que sinon, la liste serait trop longue », in *N'importe quoi pourvu que ça bouge*, éditions Stylus, « Les Écritures buissonnières », 1999.

– REUTER Yves, « Le suspense : les lois d'un genre », *Pratiques*, n° 54, 1987.

– REUTER Yves, « Comprendre, interpréter, expliquer des textes en situation scolaire. À propos d'*Angèle* », *Pratiques*, n° 76, 1992.

– REUTER Yves, *Le Roman policier*, Nathan Université, « Lettres », 1997.

– SCHNEDECKER Catherine, « Comment reconnaître un policier ? », *Pratiques*, n° 62 : « Classer les textes », 1989.

– TODOROV Tzvetan, « Typologie du roman policier », in *Poétique de la prose*, Seuil, 1971, rééd. 1978.

– TOUCHANT Jean-Louis, « Le thriller est-il un genre ? », *813*, n° 70, 2000.

– VERNET Catherine, « La littérature policière de jeunesse : caractéristiques des genres et propositions didactiques », *Pratiques*, n° 88 : « La littérature de jeunesse au collège », 1995.

– VERRIER Jean, *Les Débuts de romans*, Bertrand-Lacoste, « Parcours de lecture », 1992.

– VINSON Marie-Christine, « Écrire un texte de suspense », *Pratiques*, n° 54, 1987.

– WARRET Jacqueline, « Ed McBain : des images et des hommes », *813*, n° 59, 1997.

– WESTLAKE Donald, « Les durs à cuire se mettent à table », trad. Pierre Bertin, *813*, n°ˢ 35 et 36, 1991.

Achevé d'imprimer par Hérissey - N° d'impression : 89549
Dépôt légal : 9489/04/2001 - Collection n° 13 - Édition n° 01
17/0683/7